Les femmes d'Hitler

Guido Knopp

Les femmes d'Hitler

En collaboration avec Alexander Berkel,
Stefan Brauburger, Christian Deick, Friederike Dreykluft,
Peter Hartl et Ricarda Schlosshan

Documentation rassemblée par Alexander Berkel,
Christine Kisler et Mario Sporn

Traduit de l'allemand par Olivier Mannoni

PAYOT

Titre original :
HITLERS FRAUEN UND MARLENE

Sources iconographiques

AKG : 98, 168, 172, 191, 214, 224, 272, 307 ; Archiv Baumann-Schicht, Bad Reichenhall : 77, 104, 108, 124 ; Bayerische Staatsbibliothek : 133, 210 ; Süddeutscher Verlag-Bilderdienst : 56, 64, 158, 162, 170, 180, 220, 340 ; Bundesarchiv Koblenz : 44, 58, 118, 126, 292 ; Drottningsholms Teatermuseum, Stockholm : 250 ; Filmmuseum Berlin/Marlene Dietrich Collection : 320, 334, 360 ; Filmmuseum Potsdam/Seiler : 284, 302 ; Getty Images Deutschland GmbH : 206 ; NARA : 348, 350 ; SVT (Svenska Filminstitutet, Stockholm) : 256 ; Ullstein : 23, 42, 48, 68, 72, 140, 144, 236, 243, 266 ; ZDF : 84 ; DR : 116, 194, 238, 248, 312, 344.

106, bd Saint-Germain, Paris VIe

AVANT-PROPOS

Dès la première heure, Hitler eut des soutiens féminins. Les feux croisés de l'étude historique se sont surtout portés sur des hommes, qu'ils aient été à l'origine des crimes ou qu'ils les aient directement perpétrés ; aux femmes on laissait en général le rôle de simples suiveuses. Elles étaient censées porter le deuil des soldats morts au combat et contribueraient pour finir à la catharsis de la nouvelle Allemagne en déblayant les ruines. Mais hormis sur le front, où elles ne combattaient pas, les femmes ont soutenu le dictateur autant que les hommes. Elles ont voté comme eux, participé comme eux, refusé comme eux de voir ce qui se passait autour d'elles, et ont même souvent lancé de bruyants «*Heil!*» sur le passage du Führer. Parfois aussi elles ont trouvé le courage de résister. Ce fut le cas non seulement d'un certain nombre d'anonymes, mais aussi de quelques personnalités du Reich hitlérien.

Nous présentons ici six biographies de femmes, entre participation et refus. Il y eut la disciple, Magda Goebbels, qui était plus sensible au charme d'Hitler qu'à celui de son époux ; il y eut l'amie, Eva Braun, qui rêvait d'épouser le Führer et ne vit ce vœu exaucé qu'à l'approche de la mort ; il y eut la muse, Winifred Wagner, qui, même après 1945, ne voulut pas percevoir la véritable nature de son idole ; il y eut la grande maîtresse de la propagande, Leni Riefenstahl, qui, devenue centenaire, a tiré le bilan pondéré d'une vie semée de grandes erreurs et de grandes réalisations ; il y eut la chanteuse Zarah Leander, à qui l'on reprocha toute sa vie d'avoir fait preuve d'opportunisme en profitant des efforts menés par le régime pour créer une « ambiance explosive ».

Et Marlene Dietrich, l'adversaire ? Est-il admissible de la citer dans le même souffle que les « femmes d'Hitler » ? Sans doute, car son parcours évoque ces personnalités qui ont réussi à échapper à l'ensorcellement du dictateur. On eut beau lui faire des offres alléchantes pour qu'elle poursuive sa carrière en Allemagne, elle résista à la cour du Führer – et le combattit avec ses propres moyens.

Magda Goebbels ne fut pas une figure dominante du Troisième Reich, elle n'occupa aucune position dans la hiérarchie politique. Mais elle a plus fortement marqué l'époque nazie que beaucoup de hauts dignitaires du régime. Elle était la « première dame » officieuse du Reich hitlérien, l'unique épouse à laquelle il fût concevable de donner le titre de First Lady : élégante, cultivée, elle était une dame du monde dans un univers chauvin et borné – et elle savait faire contre mauvaise fortune bon cœur. Dans le même temps, elle présentait une image idéale de la femme nationale-socialiste : blonde, de belle stature, elle veillait avec soin sur les sept têtes blondes de sa couvée. L'épouse du ministre de la Propagande était en effet une mère exemplaire : elle « offrit au Führer » autant d'enfants que purent en produire ses jeunes années. Extérieurement, elle jouait constamment l'épouse fidèle et attentionnée marchant dans l'ombre du démagogue en chef, et sut toujours tenir sa place sous les feux de la rampe. Elle incarnait à elle seule toutes les vertus nationales-socialistes : bienveillante, modeste, imperturbable, toujours maîtresse d'elle-même, elle fut un modèle pour des millions de femmes – elle *devait* l'être, à n'importe quel prix.

Magda Goebbels possédait en fait une personnalité tout en contrastes. Mais elle était prête à accepter blessures et renoncements pour atteindre le but de sa vie : accéder aux plus hautes sphères du pouvoir. Elle a toujours travaillé dans ce dessein. Cette femme séduisante et active a toujours cherché la proximité d'hommes qui lui donnaient l'impression d'être forts. Si cette fille adoptive d'un commerçant juif, élevée dans le catholicisme, voua son amour de jeunesse à un membre charismatique des Jeunesses sionistes, Victor Arlosorov, elle parvint à entrer dans la haute société en épousant en 1921 Günther Quandt, un riche industriel allemand qui assura son indépendance matérielle. Mais c'est aux côtés de Joseph Goebbels que, devenue une fervente activiste du parti nazi, elle entreprit son ascension vers le pouvoir. Elle partageait avec son époux une profonde vénération pour Hitler, qui se montra charmé par cette fidèle partisane. Au début, Magda Goebbels apprécia son nouveau champ d'action : réceptions, voyages officiels, manifestations féminines ; mais elle ne tarda pas à se laisser ramener au rôle de femme et de mère nationale-socialiste exemplaire. Des centaines de lettres, requêtes ou louanges, montrent à quel point le régime se servit d'elle comme d'un modèle. Stoïque, elle s'efforça de maintenir une apparence de famille unie et heureuse, même lorsque tout le monde commença à parler des frasques de son mari. Il fallut la liaison de Goebbels avec la comédienne tchèque Lida Baarova et la menace d'un divorce susceptible d'entamer le prestige de toute la direction nazie pour que l'épouse trompée se donne la peine d'écarter sa rivale en faisant jouer sa relation directe avec Hitler.

Pendant la guerre, tandis que son fils Harald était au front, Magda Goebbels tint en public le rôle de la mère patriote inébranlable. Mais les sempiternelles attaques de la maladie, entrecoupées de longues cures, révèlent combien cette maîtrise et ce courage ostentatoires étaient en réalité fragiles.

Comment cette femme habile et intelligente, matériellement indépendante, en arriva-t-elle à se vouer corps et âme à une théorie primitive et à ses prophètes ? Qu'est-ce qui la liait à Joseph Goebbels, ce misanthrope glacial ? Quels abîmes sentimentaux béaient-ils derrière son brave sourire ? Qu'est-ce qui a pu pousser cette mère à entraîner ses propres enfants avec elle dans la mort ? La biographie de Magda Goebbels est aussi totalitaire que le régime auquel elle s'est vouée.

Eva Braun venait d'un milieu petit-bourgeois. Après avoir reçu une éducation rigoureuse et profondément religieuse, elle faisait les rêves d'une jeune fille de son temps : devenir une comédienne célèbre, porter de belles robes, se retrouver sous les feux de la rampe, être adulée par les hommes.

Lorsqu'en 1929 le photographe d'Hitler, Heinrich Hoffmann, la présenta dans son atelier au chef du parti national-socialiste, elle ne le reconnut même pas. Eva Braun ne s'intéressait pas à la politique. « Mais Hitler, lui, s'intéressa à cette créature simple et joyeuse, se rappelle la cousine d'Eva, Gertraud Weisker. Quelle jeune fille n'éprouverait aucune fierté à être admirée par un homme plus âgé qu'elle ? »

C'est lui qui dictait les règles du jeu. La plus haute discrétion était de rigueur. Le temps que cet agitateur consacrait à son amie était extrêmement mesuré, leurs relations devaient s'adapter à ses désirs. Après tout, c'était l'Allemagne qu'Hitler disait avoir épousée, ajoutant que « pour l'amour il avait une fille à Munich ». Mais s'agissait-il vraiment d'amour ? Non, Hitler fut aimé, mais il ne put jamais aimer. Il rendait les femmes malheureuses. Il ne leur a jamais prêté beaucoup d'attention. Certaines se sont suicidées à cause de lui, d'autres ont tenté de le faire. Il était hostile au bonheur. Il aimait les femmes qui lui étaient soumises : « Il n'est rien de plus beau que d'élever une jeune créature. Une jeune fille de dix-huit ou vingt ans, malléable comme de la cire. » Eva Braun était une créature de ce genre. En 1932, elle tenta une première fois de mettre fin à ses jours. Elle recommença en 1935. Ce n'était pas le caractère de l'homme aimé qui la désespérait, mais le fait qu'il ne s'occupait pas assez d'elle. Dans son journal, elle évaluait la gravité des événements politiques au temps de loisir qu'ils laissaient à Hitler. Eva oscillait entre une ardente fierté – « Moi, l'aimée du plus grand homme d'Allemagne et de la terre » – et le désespoir complet : « Je ne suis qu'une prisonnière dans une cage dorée. »

À cette date, le dictateur l'avait déjà installée auprès de lui, dans sa maison de l'Obersalzberg. Seul un couloir étroit séparait les deux chambres à coucher. « Les gens très intelligents, disait Hitler à Albert Speer, devraient choisir une femme sotte et primitive. » Sa compagne Eva Braun l'écoutait dire, muette. Il l'appelait « bécasse » et elle devait lui donner du « mon Führer » devant des tiers. Lors des visites d'État au Berghof, elle était reléguée dans sa chambre. Pour ne pas troubler l'image d'un Führer placé au-dessus de tout, la maîtresse mal-aimée dut mener une vie dans l'ombre. Elle était un simple pion dans ce paradis trompeur où elle n'exerçait pas le moindre pouvoir. Et elle savait admirablement refouler les pensées désagréables. On lui offrit une maison, des robes luxueuses, des voitures et du parfum français – mais pas d'alliance. Elle ne souhaitait pourtant rien plus ardemment.

C'est seulement à l'instant du naufrage qu'Eva Braun sut qu'elle pouvait obtenir ce dont elle avait si longtemps rêvé : « Pauvre Adolf, ils t'ont tous abandonné ! » Elle resta, et devint Mme Hitler. Elle n'hésita pas un seul instant à quitter ce monde en même temps que son époux. Elle trouva ainsi dans la mort le premier rôle qui lui avait été refusé dans la vie.

Winifred Wagner, la muse, fut la première femme de haut rang à succomber à l'art de la persuasion déployé par Hitler. Elle lui apporta le soutien de la bonne société munichoise. Il la remercia en devenant l'un de ses fidèles soutiens. Pendant un bref moment, ils crurent tous deux avoir trouvé l'amour de leur vie. Ensuite, le dictateur et la belle-fille du compositeur mirent en place une symbiose qui fut profitable à l'un comme à l'autre. Lui, mit tous les moyens du régime à la disposition de son festival et fit d'une ouverture de Wagner l'hymne officieux de son Reich. Elle, déposa aux pieds du Führer l'œuvre de son beau-père et accepta la récupération idéologique totale de ses opéras.

Au début des années 1930, des rumeurs de mariage couraient encore à Bayreuth. Les fréquentes visites d'Hitler sur la « Colline verte » n'étaient plus un secret depuis longtemps. Le chef du parti nazi faisait la cour à Winifred Wagner. À ses sbires il révéla un jour que s'il devait épouser quelqu'un son premier choix se porterait sur la directrice du théâtre des festivals. « Oncle Wolf » (oncle Loup) – c'est ainsi que les quatre enfants de Winifred appelaient l'admirateur – aimait aussi à passer la nuit dans la maison. Mais trop d'éléments s'opposaient à cette union. Des noces bourgeoises auraient nui à la mise en scène dont Hitler s'entourait. Il pensait devoir rester un tribun du peuple, monacal et coupé des choses de ce monde, s'il voulait que ses électrices et électeurs continuent de projeter sur lui leurs espoirs et leurs nostalgies. Par ailleurs, Siegfried, le mari de Winifred, avait indiqué dans son testament que son épouse devrait abandonner la direction du festival si elle se remariait. Leurs relations demeurèrent donc un simple penchant inassouvi. « Il est inutile de me poser la question : je n'ai pas couché avec Hitler », devait déclarer Winifred en mai 1945 au fils de Thomas Mann, Klaus, venu l'interroger sous l'uniforme américain, avant même qu'il n'ouvre la bouche.

De quoi parlaient-ils tous les deux lors de leurs conversations nocturnes au coin du feu ? Avant tout, naturellement, des œuvres du maître. Ils étaient d'ardents wagnériens et puisaient dans l'univers de l'opéra la substance de leur vision du monde. Hitler trouvait en Winifred une auditrice aussi patiente qu'érudite pour ses monologues nationalistes et populistes. L'origine sociale, elle aussi, soudait ce couple impossible. Tous deux avaient cru, à un moment de leur vie, n'avoir aucune chance : Adolf Hitler, narcissique instable, s'était retrouvé à la fin de ses études dans un asile pour hommes sans domicile fixe à Vienne, et l'orpheline anglaise Winifred Williams avait été, treize années durant, ballottée d'un foyer à l'autre.

Il avait fallu le mariage avec Siegfried, le fils de Wagner, pour que s'achève d'un seul coup l'errance de Winifred, au cœur de la Première Guerre mondiale. Elle avait dix-huit ans, et son époux quarante-six. Malgré les tendances homosexuelles de son mari, elle avait donné quatre enfants à la dynastie. Mais elle n'était pas heureuse. « Siegfried est si fatigué », se plaignait-elle à Goebbels. Seul le contact avec Hitler et son parti semblait donner à la vie de cette femme la substance à laquelle elle aspirait. Elle devint membre du parti nazi, et après l'échec de la tentative de putsch de

1923 elle fournit à Hitler le papier qui lui servit à écrire *Mein Kampf* dans la prison de Landsberg.

Après la libération d'Hitler, leurs relations ne cessèrent de se resserrer. Dans sa Mercedes décapotable, Winifred fonçait sur les traces de son idole et ne manquait pratiquement aucune réunion électorale du parti nazi, en Bavière. Ses rencontres avec Hitler, tolérées par Siegfried, se firent de plus en plus fréquentes. Elles se déroulaient souvent dans une auberge discrète en forêt près de Bayreuth. Les enfants des Wagner succombaient eux aussi au charme du démagogue lorsqu'il racontait jusque tard dans la nuit ses « aventures » politiques. Après la mort de Siegfried en 1930, Winifred prit la direction du festival de Bayreuth, qu'elle mit bientôt entièrement au service de son dieu. En 1934, c'est depuis Bayreuth qu'Hitler tira les ficelles de la tentative de coup d'État en Autriche. En 1936, c'est pendant un entracte, à l'opéra, qu'il décida d'envoyer des soldats de la Wehrmacht participer à la guerre civile espagnole.

Membre du parti nazi, Winifred Wagner jouissait de quelques privilèges. Elle protégea des musiciens juifs et leur permit, avec l'accord d'Hitler, de s'enfuir à l'étranger. Le festival n'eut pas à subir les interventions de la Chambre du théâtre du Reich, l'organisme nazi chargé de veiller à la conformité des spectacles. En revanche, il arriva à Hitler de s'ingérer personnellement dans les affaires du festival.

Le début de la guerre fit passer la muse au second plan. Hitler et Winifred Wagner se virent pour la dernière fois en 1940 – et désormais ce seraient essentiellement des blessés de guerre qui viendraient assister aux représentations de Bayreuth.

Pendant les années de guerre, Hitler proclama que de tous les opéras de Wagner c'était *Le Crépuscule des dieux* qu'il préférait. Lui-même semblait vouloir transformer son empire en un gigantesque décor. Alors que l'Allemagne tombait en ruine, Winifred faisait à Bayreuth ce qu'elle considérait comme son devoir : en mars 1945, elle préparait encore le prochain « festival de guerre ».

Cette « fidélité de Nibelung », qui correspondait tout à fait à l'esprit des légendes wagnériennes, demeura le moteur principal de son existence après la fin du fameux « Reich millénaire » dont avaient rêvé les nazis. L'incorrigible Winifred Wagner demeura jusqu'à sa mort incapable de faire le lien entre les souvenirs qu'elle avait gardés d'Hitler, l'homme privé, et les conséquences apocalyptiques de sa dictature.

Leni Riefenstahl, la réalisatrice, demeurera longtemps encore un sujet de controverse. C'est elle qui a tourné le film de propagande nazie *Le Triomphe de la volonté*, c'est elle qui a fixé sur la pellicule en 1936, lors des jeux Olympiques de Berlin, la belle façade de la dictature. Pourtant, dans les grandes écoles de cinéma du monde entier, on la considère comme l'une des très grandes réalisatrices du XXe siècle. Devenue centenaire, elle proclamait toujours que tout cela n'avait rien à voir avec la politique : « Au cours de toute mon existence, je n'ai travaillé que sept mois pour Hitler. »

Mais ses images eurent pour but de faire d'un parvenu originaire de Haute-Autriche un sauveur tout-puissant. Devant les objectifs de sa caméra, les défilés des nazis devinrent une promesse d'ordre et de puissance. La force de ses images aida le régime à séduire toute une population. Pure propagande ? Non, répondait Leni Riefenstahl : elle ne faisait que reproduire la réalité – par des moyens artistiques, sans doute. Mais jusqu'où peut aller l'art sans morale ?

En réalité, seuls deux films lui posent problème. Après une tentative plutôt ratée en 1933, *Le Triomphe de la volonté* était déjà le deuxième film sur les congrès du parti, ces grands-messes annuelles du nazisme ; il était techniquement parfait : ses cadrages sur les corps et les mers de drapeaux qui s'étendaient à perte de vue exercèrent sur les contemporains un attrait magique et fatal. Ils furent plus de vingt millions d'Allemands à voir ce film. « Quiconque a vu le visage du Führer dans *Le Triomphe de la volonté* ne l'oubliera jamais ; ce visage le poursuivra jour et nuit et il brûlera dans son âme comme une flamme qui brille en silence », affirmait Goebbels, le héraut d'Hitler. *Le Triomphe de la volonté* fut la première pierre de l'autel érigé à la gloire du Führer.

Le deuxième point noir est *Tiefland*, un film de fiction

dont le tournage débuta dès 1934 et qui ne fut projeté dans les salles qu'en 1954. On enrôla de force des Tsiganes parqués dans un camp d'internement situé près de Salzbourg pour faire office de figurants, car l'action était censée se dérouler en Espagne. Après la guerre, Leni Riefenstahl intenta de nombreux procès en diffamation contre ceux qui lui reprochaient d'avoir eu connaissance du destin qui attendait ensuite ces Tsiganes – la plupart d'entre eux trouvèrent la mort à Auschwitz.

Après la guerre, au cours de la procédure de dénazification, Leni Riefenstahl fut rangée dans la catégorie relativement anodine des « suivistes », ceux qui s'étaient laissé entraîner par le flot – un jugement indulgent envers la réalisatrice préférée d'Hitler. À l'époque, elle était sans aucun doute sous le charme du dictateur comme le furent des millions d'autres Allemands. Mais voilà : elle était plus douée que la plupart d'entre eux, et ce Faust féminin devint la propagandiste géniale d'un régime criminel.

C'est à une Suédoise, Zarah Leander, que revint la place de plus grande star du Troisième Reich. Son pouvoir, c'était sa voix de contralto, une voix profondément érotique avec un roulement de *r* qui vous donnait immanquablement la chair de poule. Elle était spécialisée dans les mélodrames musicaux. Aucune chanteuse ne savait se montrer aussi délicieusement malheureuse qu'elle. C'est au régime national-socialiste qu'elle dut son succès. En contrepartie, elle donna sa voix à la propagande. Au cœur de la guerre, ses chansons promettaient l'espoir. Elle ferma les yeux au nom de la gloire et de la richesse. Elle fit carrière sous la croix gammée, mais prétendit ensuite n'avoir jamais été nazie. Zarah Leander n'était pourtant sans doute pas l'« idiote politique » pour laquelle elle se fit passer. Elle était tout simplement opportuniste.

La carrière de Zarah Stina Hedberg débuta dans les années 1920, sur les scènes d'opérette suédoises, et c'est en 1936 que le cinéma allemand découvrit la chanteuse aux cheveux rouge feu. Marlene Dietrich ayant quitté l'Allemagne, Zarah Leander allait devenir la nouvelle star. Elle répondit aussitôt aux espoirs qu'on avait placés en elle.

Goebbels, ministre de la Propagande, n'avait pas confiance en cette « travailleuse immigrée » venue de Suède. Et pourtant, son succès la rendit bientôt indispensable. Son art entretenait la bonne humeur des masses et faisait pleuvoir l'argent. Les films de Zarah comme *Paramatta, bagne de femmes, La Habanera* et *Magda* remplissaient les salles de cinéma – et pas seulement à l'intérieur des frontières allemandes. Cette jeune fille de condition modeste devint la star numéro un du Troisième Reich. Ses cachets devaient être payés pour moitié en couronnes suédoises. La vente de ses disques lui rapporta des millions, et elle put s'offrir dans son pays un château à la campagne. Elle vivait pour son succès, sans vouloir comprendre quel régime elle servait. La Suédoise ne correspondait pourtant pas du tout à l'idéal national-socialiste de la femme allemande. Grande, rousse, dotée d'une voix androgyne, elle apportait un souffle d'érotisme et d'exotisme dans la vie uniforme de la dictature. Ses chansons parlaient d'amour, et il n'était pas rare qu'on y décèle un souffle lascif et sulfureux. Des textes comme *Pourquoi une femme n'aurait-elle pas une liaison ?* et *L'amour peut-il être un péché ?*, seule « la Leander » pouvait les chanter.

L'artiste venue du pays neutre qu'était la Suède devint ainsi le porte-drapeau des nazis. Elle se fit consolatrice à une époque qui avait grand besoin de consolation. Elle chanta lors de concerts de bienfaisance au profit de l'armée allemande, se produisit devant des mutilés de guerre, et dans *Le Grand Amour* (1942), son plus grand succès au cinéma, elle quitta même son rôle habituel de vamp pour celui d'épouse de soldat. Mais elle était plus qu'une simple locomotive de la propagande : ses chansons touchaient la corde sensible de l'époque. Un ancien déporté raconte que dans les camps, pour oublier l'horreur quotidienne, on fredonnait le tube de Zarah Leander *Le monde ne disparaîtra pas pour autant*. Ce fut sa chanson la plus populaire ; elle bouleversait tous ceux qui l'entendaient – les persécutés du régime national-socialiste, qui espéraient la fin de la tyrannie, et les détenteurs du pouvoir, qui tentaient de se persuader qu'ils allaient le conserver. Cette diversité de son public fut l'une des clés de son succès.

Elle prétendit avoir toujours été apolitique. Mais la politique ne s'arrêtait pas à la porte des studios de cinéma. Tandis que Zarah Leander montait les marches qui la menaient à son trône de diva, les artistes juifs de son entourage devaient fuir pour échapper aux nazis : ce fut le cas de réalisateurs et d'acteurs comme Billy Wilder, Peter Lorre ou Max Ophüls. Ralph Benatzkty, compositeur du tube de Zarah *Yes, Sir!*, et le metteur en scène Detlev Sierk (qui devint ensuite Douglas Sirk) quittèrent à leur tour l'Allemagne parce que leurs épouses étaient juives. Les homosexuels, parmi lesquels Zarah Leander comptait de nombreux amis, furent considérés comme des ennemis de l'État, persécutés et déportés. Bruno Balz, qui écrivit les textes de ses plus grands succès, comme *L'amour peut-il être un péché?* et *Il s'appelle Waldemar*, passa trois semaines dans les geôles de la Gestapo.

Zarah savait tout cela, et pourtant elle resta muette. La star flirtait avec le pouvoir. Elle ne rencontra Hitler qu'une seule fois, mais elle était souvent invitée chez Goebbels. Après la guerre, elle estimait encore qu'il avait été « un homme d'une grande intelligence ». Pourtant, lorsque la UFA, le plus grand groupe de production cinématographique allemand, commença à se faire tirer l'oreille pour la payer, quand les bombardements eurent détruit sa villa, quand Goebbels voulut la convaincre d'accepter la nationalité allemande, la diva fit sa valise. Elle avait compris qu'elle avait atteint le zénith de sa carrière et que le régime auquel elle devait son succès allait bientôt s'effondrer. Tandis que les nazis l'insultaient dans son dos, les Suédois accueillirent avec froideur l'actrice de retour au pays. Il fallut cinq années à Zarah Leander pour réussir un modeste come-back. Elle ne connut jamais plus le succès qui avait été le sien sous le Reich hitlérien.

Marlene Dietrich, l'adversaire d'Hitler, fut un mythe vivant. Aucune autre star du cinéma allemand ne fut autant aimée, autant adulée dans le reste du monde – et aucune star mondiale allemande ne fut autant honnie dans son propre pays.

Son réalisateur préféré était juif, et ses rôles sulfureux

tranchaient singulièrement avec l'idéal de la femme nationale-socialiste. La vie très délurée qu'elle menait aurait valu à n'importe qui d'autre la haine des nazis au pouvoir – et pourtant, Hitler et Goebbels lui firent plusieurs fois des avances. Lorsque Marlene Dietrich se sépara de celui qui l'avait découverte, Joseph von Sternberg, la presse nazie applaudit sournoisement et émit le vœu qu'elle tienne enfin « son rôle historique de figure de proue de l'industrie cinématographique allemande ».

« Le Führer aimerait que vous rentriez chez vous », lui fit savoir un émissaire peu de temps après. Mais pour Marlene, le Reich d'Hitler n'avait jamais été un domicile. Le Berlin qu'elle connaissait et qu'elle aimait n'existait plus. Les esprits les plus brillants, les artistes les plus doués avaient quitté l'Allemagne – parce qu'ils étaient juifs, poursuivis pour leurs idées ou simplement en désaccord avec les principes tétanisants que l'on appliquait dans l'Allemagne d'Hitler. Elle n'eut donc pas de mal à faire preuve d'instinct politique : « Jamais », fit-elle savoir, elle ne tiendrait pour les nazis le rôle de figure de proue sur le front de la propagande.

Pourtant, quelques années plus tard, elle devait flirter avec l'idée de ce qui aurait pu se passer si elle était retournée en Allemagne. N'aurait-elle pas dû, finalement, accepter la proposition d'Hitler ? « J'aurais peut-être pu lui faire sortir tout cela du crâne ! » *Tout cela,* c'étaient la guerre et l'Holocauste.

Au lieu de cela, Marlene Dietrich adopta la nationalité américaine. Et cette femme qui ne manquait pas de suite dans les idées mena en première ligne sa guerre contre Hitler, en dansant et en chantant pour redonner le moral aux troupes américaines. À la radio, elle appelait les soldats allemands à la reddition : « Ne gaspillez pas votre vie. Hitler est un idiot. » Beaucoup ne lui pardonnèrent pas d'être revenue dans sa patrie dévastée en portant l'uniforme des vainqueurs. Lorsqu'elle visita de nouveau son Berlin, en 1960, il y eut dans les rues des manifestations de colère. Elle demanda pourtant à être inhumée dans sa ville natale : « Je suis, Dieu merci, une Berlinoise. » Au cour de sa dernière interview, elle expliqua au journaliste du *Spiegel*

Hellmuth Karasek pourquoi elle avait combattu Hitler : « Par décence. » On ne saurait mieux dire.

Que nous enseignent ces biographies ? Entre adaptation et rébellion, il n'y a souvent qu'un petit pas. Aucune de ces femmes, à sa naissance, n'était destinée à nouer des liens aussi étroits avec Hitler. Au bout du compte, elles ont toutes choisi leur voie : depuis Magda Goebbels, qui tua ses enfants avant de se suicider au nom du Führer et du Reich, jusqu'à Marlene Dietrich, qui se refusa d'emblée à Hitler, en passant par Eva Braun, qui résista à la tentation de se séparer du Führer lorsqu'il en était encore temps. Même si l'on peut discerner après coup le moment où leur existence bascula, chacune fit volontairement le chemin jusqu'au point de non-retour. L'histoire n'est pas en noir et blanc – elle se décline en mille et une nuances de gris. Le destin des « femmes d'Hitler » en est un exemple.

Magda Goebbels

La disciple

Aujourd'hui, l'Allemagne renonce au désespoir et à la détresse pour retrouver la foi. La mère allemande y a une part importante et significative.

Il m'est personnellement désagréable et insupportable que l'on me soupçonne de me faire habiller par un modiste juif.

J'aime aussi mon époux, mais mon amour pour Hitler est plus fort. Pour lui, je serais prête à offrir ma vie. J'ai compris qu'Hitler, hormis Geli, sa nièce, ne pouvait plus aimer une femme, que son seul amour, comme il le dit toujours, était l'Allemagne. Alors, alors seulement, j'ai accepté d'épouser le docteur Goebbels : désormais, je pourrais être près du Führer.

Je tente de rendre la femme allemande plus belle.

Si nous perdons la guerre, ma vie sera de toute façon terminée. Je peux encore porter avec le Führer le poids de cette guerre. Ensuite, tout sera fini. Pour moi, il n'y a pas d'issue.

Magda Goebbels

On l'appelait la « première dame » du régime, et à juste titre : c'était non seulement la seule dame mais aussi la seule femme qui ait joué un rôle public à côté de l'un des hommes les plus haut placés et les plus influents. Hitler n'avait pas à ses côtés de personne féminine reconnue ou officielle.

Anneliese Uhlig, comédienne

Elle est devenue quelque chose comme l'autre moitié d'Hitler. Les deux moitiés se sont assemblées et maintenues. De son côté à elle, ce fut le résultat d'une volonté sacrée de servir et d'accomplir son devoir supérieur.

Otto Wagener, chef d'état-major de la SA et conseiller économique d'Hitler

En réalité, elle n'était pas issue du milieu national-socialiste. Elle avait reçu au contraire une éducation strictement religieuse. Ce n'était absolument pas une « roulure nazie », comme nous disions. Pas du tout.

Wilfried von Oven, conseiller personnel de Joseph Goebbels

Elle était très belle et très élégante. Elle a reçu la première valise de soins de beauté « Elisabeth Arden ». C'est Elisabeth Arden qui la lui a remise, avec ses petites boîtes, ses tubes et ses flacons.

Ariane Sheppard, demi-sœur de Magda Goebbels

Je ne partageais en aucune manière l'enthousiasme de Magda. Depuis le début, sa foi inébranlable en la mission d'Adolf Hitler avait été une énigme pour moi.

Auguste Behrend, mère de Magda

Elle avait eu un mariage difficile, avait divorcé, et le fils né de sa première union l'accompagnait souvent. Elle n'a pas eu une vie facile. Et elle a sans doute essayé de maintenir son union avec Goebbels aussi longtemps que possible, à cause des enfants.

Birgitta Wolf, voisine de Magda et Joseph Goebbels à Berlin

Je n'ai jamais vu des yeux aussi glaciaux chez une femme.

André François-Poncet, ambassadeur de France en Allemagne

Faire une patience sert à tuer le temps et à calmer les nerfs. On peut passer des heures à former, selon des règles précises, des rangées bien ordonnées à partir de petits tas de cartes battues. Certains s'en servent pour prédire l'avenir. La patience n'exige pas une agilité intellectuelle démesurée, mais permet de se distraire sans avoir besoin de personne.

Rarement ce jeu de cartes d'origine française aura été pratiqué dans des circonstances plus lugubres qu'en cette soirée du 1er mai 1945, dans une chambre du bunker du Führer, sous la chancellerie de Berlin. La mine pétrifiée, la femme, âgée de quarante-trois ans, dépose sur la lourde table rectangulaire, les unes après les autres, les cartes de sa patience, tandis que son mari fait les cent pas derrière elle ; il regarde seulement de temps en temps par-dessus son épaule. Les époux n'échangent pas le moindre mot et évitent tout contact. Le bruit des cartes sur la table est le seul son perceptible, avec les sanglots de la femme. Elle pleure beaucoup. Elle vient de tuer ses enfants.

Magda Goebbels aimait ses enfants plus que tout. Elle leur avait sacrifié plusieurs années de sa vie, avait pour eux accepté plus d'un sacrifice, résisté aux maladies et aux privations. Ils lui en avaient été reconnaissants. Tous ceux qui les avaient rencontrés étaient impressionnés par leur bonne éducation et leur charme.

Elle s'était constamment efforcée de faire bonne figure en tant que mère – plus encore, elle était dans une certaine mesure la mère suprême du Troisième Reich. Dans les magazines, on pouvait souvent admirer cette dame élégante et souriante au milieu de ses enfants joliment habillés. La femme du ministre de la Propagande et son petit royaume familial étaient en eux-mêmes une excellente réclame pour le pouvoir hitlérien. Une descendance abondante sous la garde d'une éducatrice qui la modelait pour en faire les futurs piliers du Reich : voilà à quoi devait ressembler un bon foyer national-socialiste. Magda Goebbels avait consacré une bonne partie de ses forces à se conformer à ce modèle. Ses enfants n'avaient eu d'autre choix que d'y croire.

Avant de se livrer à ce jeu de cartes absurde en prélude à son propre suicide, elle avait fait ses adieux à ses enfants. Chacun était vêtu d'une petite chemise de nuit blanche immaculée. Les filles portaient des rubans blancs dans les cheveux. En attendant de les envoyer à la mort, on avait déguisé ces ingénus en symboles de l'innocence puérile. Cette ultime et pitoyable tentative de mise en scène visait à donner à ce meurtre les apparences d'une « solution propre » – un dernier mensonge à soi-même et au monde, la quintessence de ce qu'avaient été ces douze années passées sous la croix gammée. Magda Goebbels voulait être une nationale-socialiste parfaite. Elle terminait sa vie en meurtrière. Et ce n'était même pas contradictoire.

Comme Joseph Goebbels, elle s'était vouée corps et âme à la cause d'Hitler ; l'échec était déjà patent, mais ils s'accrochaient fébrilement à leur foi, incapables de se défaire de leur obsession mystique. Toute leur existence était enchaînée au Reich, pour le meilleur et pour le pire. Les augures de la guerre annonçaient encore la victoire lorsque Magda et son mari avaient décidé de mettre ensemble fin à leurs jours si la défaite semblait irrévocable. Tous deux savaient trop bien quels crimes le régime avait accumulés et à quel point Joseph Goebbels y était impliqué. Prisonnière de son idéologie absurde, la femme exemplaire du Troisième Reich était persuadée qu'après l'effondrement de la dictature, elle serait livrée à la « vengeance maladive des Juifs ». En clair, derrière cette sombre prophétie se cachait la peur panique qu'on lui demande des comptes pour sa participation passive et active à ce délire que tant de personnes avaient dû payer de leur vie – la peur aussi de redevenir, une fois toute cette terreur passée, un objet ordinaire de l'histoire, les épaules courbées sous le poids de la culpabilité.

Magda Goebbels ne voulait pas survivre à son mari dans le monde qui suivrait le nazisme. Elle avait indissolublement lié son destin à l'existence du régime auquel elle s'était vouée – et auquel elle devait beaucoup. Mais pourquoi la mère avait-elle aussi condamné à mort ses enfants, qui ne portaient pas encore la culpabilité de leurs parents ? « Nous les emmènerons avec nous parce qu'ils sont trop beaux et trop bons pour le monde qui va venir », avait-elle confié des semaines plus tôt à la sœur de son premier mari. Celle-ci rapporta les propos de Magda lors de son interrogatoire : « Le monde futur considérera Joseph comme l'un des plus grands criminels que l'Allemagne ait jamais produits. Chaque jour, on répétera ces mots aux enfants, on les tourmentera, on les méprisera, on les humiliera. Ils porteront tous ces actes sur leurs épaules. C'est sur eux que l'on se vengera… »

Tuer les enfants pour les préserver ? Cet élan de protection maternelle cachait en réalité une bonne dose d'égoïsme. Certes, le règlement de comptes imminent vaudrait aux descendants des pontes nazis honte et brimades. Mais rien n'annonçait que l'on imputerait à la famille une responsabilité collective analogue à celle qu'avait fait peser la dictature nationale-socialiste sur ses ennemis. Le fantasme selon lequel les enfants des criminels seraient maltraités et humiliés à la place de leurs parents recouvrait en vérité un motif beaucoup plus trivial : pour Magda Goebbels, le plus insupportable était la perspective de voir ses enfants découvrir peu à peu les mensonges de leurs parents derrière les ruines d'une façade qu'ils avaient voulue éclatante. Elle voulait mettre un point final à tout ce qu'elle avait construit et à tout ce qui lui appartenait. Il ne devrait rester ni héritage ni héritiers, ni témoins ni témoignages : juste le mythe de la persévérance à tout prix et de la fidélité jusqu'à la tombe.

La mort ne lui faisait pas vraiment peur. Influencée par les idées bouddhistes, elle était persuadée que son décès lui ouvrirait la voie vers une nouvelle vie. Selon sa demi-sœur Ariane Ritschel, un jour où Magda se trouvait avec son père sur l'île de Capri, au bord d'une falaise abrupte, elle lui aurait crié : « Tu vois, papa, c'est comme pour ma vie : lorsque je serai arrivée tout en haut, au sommet, je voudrais pouvoir tomber et disparaître, car j'aurai fait tout ce que je voulais ! »

Monter, monter jusqu'à ce que l'idée de la chute cesse de devenir effrayante – ce fut une sorte de devise pour Johanna Maria Magdalena, dont les noms de famille successifs, Behrend, Ritschel, Friedländer, Quandt et Goebbels marquent la carrière comme autant de jalons. Et elle se livra à bien des variations sur cette maxime. Son ascension aurait aussi pu mener vers d'autres altitudes, à mille lieues de celles qui furent les siennes – en tout cas c'est toujours la poussée vers le haut qui caractérisa le parcours de Magda.

Il débuta le 1er novembre 1901 à Berlin. Sa mère, Auguste Behrend, s'efforçait de faire oublier qu'elle venait du peuple – elle avait été domestique. À l'en croire, elle incita le père de Magda, l'ingénieur Oskar Ritschel, à « légitimer » cette naissance après coup par un mariage. Même si ce mariage fut plutôt formel – et s'acheva par un divorce dès 1903 –, ce père, un Rhénan fortuné, veilla pourtant jusqu'à sa mort en 1941 à ce que sa fille ne manque de rien. À sa demande, Magda partit à l'âge de sept ans pour la Belgique, où Ritschel devait se rendre pour raisons professionnelles. Il y fit en sorte que les vénérables sœurs ursulines lui donnent dans les écoles religieuses de Thild et de Vilvoorde, près de Bruxelles, une éducation rigoureusement catholique. De cette période d'apprentissage draconien, derrière les murs des couvents, datent non seulement les connaissances de Magda en langue française, mais aussi la maîtrise et la discipline qui furent les siennes toute sa vie. L'élève appliquée reçut un bagage culturel considérable qu'elle compléta avec facilité au fil des ans.

Sa mère, qui la suivit à Bruxelles en 1908, ne pouvait que s'en réjouir. À cette époque, Auguste Behrend était déjà liée à un autre homme qui quitta Berlin pour l'épouser – ce qui se fit apparemment avec l'accord de tous : Oskar Ritschel, son premier mari, fut témoin à la cérémonie. Pour Magda, Richard Friedländer fut plus que l'époux de sa mère. Il fut la figure paternelle de sa jeunesse. Ils entretinrent une relation étroite. Bien que Friedländer ne fût pas un pratiquant rigoureux, il ouvrit à la jeune catholique une porte sur le milieu des Juifs « assimilés ».

Une rencontre qui eut de profondes conséquences et dont les troubles de la Première Guerre mondiale furent indirectement responsables contribua aussi à faire découvrir à Magda l'univers du judaïsme. Avec la déclaration de guerre, les Friedländer, parce qu'ils étaient allemands, changèrent du jour au lendemain de statut : de voisins ils devinrent ennemis. En août 1914, ils durent repartir pour Berlin – une fois franchie la frontière entre la Belgique et la Hollande, ce fut dans un wagon à bestiaux.

Une famille de Russes connut à la même époque un destin analogue : ils s'étaient réfugiés dans la ville de Königsberg, en Prusse-Orientale, pour échapper aux pogromes qui faisaient rage dans leur patrie ukrainienne. Sujets du tsar, les Arlosorov furent évacués en 1914 de Königsberg : comme Magda Friedländer, âgée de treize ans, Victor, le fils de la famille Arlosorov, qui en avait quinze, allait vivre à Berlin une nouvelle page de son existence. Désormais réfugiés, tous deux se retrouvèrent à l'étranger, et cet épisode les marqua pour la vie. Magda prolongea sa scolarité dans un lycée pour filles de la bonne société. Là, elle noua bientôt avec la sœur de Victor, sa camarade de classe Lisa Arlosorov, des liens amicaux très étroits comme seules peuvent en connaître les jeunes filles de leur âge. Dans la maison ouverte sur le monde de ces émigrés russes, Magda trouva un succédané de foyer et une sécurité familiale qu'elle n'avait pas connue jusqu'alors.

Le fils Arlosorov fréquentait désormais le très fameux lycée Werner von Siemens, qui se distinguait par sa pédagogie moderne et accueillait une proportion importante d'élèves juifs. Bien que l'allemand ne fût pas sa langue maternelle, Victor obtint des notes et des mentions remarquables ; il était également reconnu en tant que délégué des élèves et responsable du *Bulletin Werner-Siemens*, qui paraissait chaque mois. Au fil de la guerre, son exaltation initiale, celle d'un jeune patriote allemand pris par l'euphorie générale d'une victoire considérée comme acquise, laissa la place à une nouvelle conscience individuelle lorsque le garçon de dix-huit ans commença à réfléchir à son origine : « Je suis juif, écrivit Victor Arlosorov en 1917 à son professeur de littérature allemande, et je me sens fort et fier d'être juif. Mes semblables me paraissent ne pas être exactement calqués sur l'identité allemande, et je ne le dissimule jamais. Je ressens combien vivent en moi l'Orient, la déchirure du nomadisme, la nostalgie de la globalité, toutes choses que l'Allemand de souche ne possède pas. »

Le lycéen apprit l'hébreu et se plongea avec passion dans l'étude de l'idée et de l'histoire du sionisme. Il en vint bientôt à la conclusion que l'avenir du judaïsme, dispersé dans le monde entier, ne pourrait se trouver que dans Erez Israel, le foyer national juif en Palestine. Ce n'était pas un zélateur ni un sectaire, il ne forçait personne à adopter ses convictions. Mais il avait beau se sentir chez lui à Berlin, il était heureux de se préparer, dans la théorie comme dans la pratique, à sa future existence de colon en Terre promise. Comme il était d'un naturel sociable et charismatique, un cercle de jeunes camarades partageant ses opinions – juifs et non juifs – s'était constitué autour de lui ; on y discutait aussi bien du sionisme et du judaïsme que de littérature allemande. Lors des rencontres du groupe, on chantait aussi et l'on faisait beaucoup la fête.

C'est ainsi, presque par nécessité, que la passion et la joie de vivre de ces jeunes gens se communiquèrent à l'amie de Lisa Arlosorov, Magda. Cette non-Juive participa avec ferveur aux débats sur l'avenir de la Palestine ; bientôt, elle porta même l'étoile de David en pendentif et parut résolue à émigrer un jour en Palestine. C'est en tout cas ce qu'affirma Lisa Arlosorov bien des années plus tard, en mentionnant aussi le mobile essentiel de la jeune fille : Magda était tombée amoureuse de Hayyim, le nom que se donnait désormais Victor. En ce jeune intellectuel sûr de lui elle avait décelé cette résolution, cette ténacité qui l'attirèrent toute sa vie chez les hommes.

Cet amour de jeunesse resta cependant un simple épisode. Leurs chemins divergèrent. Magda eut d'autres centres d'intérêt, de ceux qui vont et viennent au gré des élans de la jeunesse. Hayyim trouva une compagne juive avec laquelle il eut une fille et partit pour la Palestine en 1924, à la fin de ses études. Depuis sa nouvelle patrie, à Tel-Aviv, ce jeune homme âgé de vingt-cinq ans déploya une activité infatigable au service du mouvement sioniste. Il défendit l'idée du foyer juif devant la Société des Nations à Genève, assista à des congrès, des colloques, des assemblées, publia quantité d'articles et d'essais, discuta avec des hommes politiques, des diplomates et des bailleurs de fonds, créa et dirigea le parti socialiste Mapai, et exerça finalement les fonctions de chef du département politique de l'Agence juive. Malgré sa jeunesse, Arlosorov fut bientôt l'un des chefs sionistes les plus brillants et les plus efficaces.

La carrière de Magda l'entraîna dans une autre direction. Après le baccalauréat, elle suivit la formation ménagère de rigueur pour les demoiselles de la bonne société dans un pensionnat chic situé à Holzhausen, près de Goslar. Cela ne dura cependant qu'un bref automne, car une rencontre fortuite ôta à cette jeune dame qui gravissait l'échelle sociale toute interrogation sur son avenir. Dans le train entre Berlin et Goslar, un voyageur offrit à cette gracieuse jeune fille une place assise dans le compartiment surpeuplé, et parut immédiatement prendre plaisir à sa compagnie. Avec l'efficacité de l'homme d'affaires, le passager entama son travail de conquête. Pendant le voyage à travers le massif enneigé du Harz, il lui fit longuement la conversation; à l'arrivée, il se soucia du transport de ses bagages; trois jours plus tard, il se trouvait devant la pension où logeait Magda avec un bouquet de fleurs pour la directrice de l'établissement. Ce chevalier servant n'avait pas forcément les qualités qui font battre le cœur des jeunes filles. À trente-huit ans, il aurait pu être le père de Magda; son crâne chauve soulignait encore son allure paternelle. Il avait la démarche rigide, était d'un commerce pesant et se montrait volontiers procédurier. Cet admirateur attentif présentait cependant un avantage majeur: c'était l'un des industriels les plus riches du pays.

Pendant la Première Guerre mondiale, grâce à l'inflation et à sa propre habileté, Günther Quandt avait fait de l'entreprise familiale de textile installée à Pritzwalk, dans le Mecklembourg, un empire industriel aux multiples ramifications. Lorsque sa femme était morte de la grippe, en octobre 1918, le chef d'entreprise s'était retrouvé seul avec ses fils de dix et huit ans, Hellmut et Herbert. Aussi cette jeune pensionnaire fraîche et éveillée, dotée d'une allure, d'un charme et d'une éducation tout à fait acceptables, lui fit-elle l'effet d'un don du ciel destiné à rétablir son bonheur familial.

La cour du veuf ne laissa pas Magda insensible. La perspective de vivre en grande bourgeoise, sans soucis matériels et en connaissant le bonheur d'être mère la séduisait plus que la vie au pensionnat de Holzhausen. Malgré quelques scrupules, malgré les mises en garde de son entourage, elle accepta de se marier au début de l'année 1921. Quandt posa cependant quelques conditions : Magda devait abandonner sa foi catholique au profit de la confession protestante, et renoncer à son nom juif de Friedländer pour celui de Ritschel, afin de devenir une femme respectable aux yeux des habitants de la ville natale de Quandt, une cité provinciale et désuète. Magda se plia à ces exigences. À la même époque, sa mère se sépara de son époux juif, qui vivait à Berlin comme chef de rang dans un restaurant.

Magda Quandt entama alors une période aussi excitante qu'aventureuse de son existence, auprès d'un époux qui était son aîné de près de vingt ans et de ses deux fils, qu'à peine dix années séparaient de la jeune femme. Un train de vie somptueux, une villa située dans le cadre idyllique du lac de Griebnitz, à Neubabelsberg, voilà qui lui permettait de briller et illustrait sa fulgurante entrée dans le monde. De grands voyages à travers l'Italie, la Suisse, l'Angleterre, la France, l'Amérique du Nord, centrale et du Sud lui permirent de découvrir de nouveaux horizons – une liberté exceptionnelle pour l'époque. Durant un moment, Magda trouva son bonheur dans cette vie de maîtresse de maison et de mère. En novembre 1921, elle mit au monde un garçon, Harald. Quatre ans plus tard, le couple adopta trois enfants devenus orphelins à la suite de la mort soudaine de leurs parents, avec lesquels Quandt avait eu des relations d'affaires.

Pour la mère de Magda aussi cette union se révéla lucrative. Son riche gendre lui offrit une droguerie sur le Borsigsteig, à Berlin. En 1927, Quandt ajouta à la propriété familiale un vaste pied-à-terre dans la capitale pour les mois d'hiver. Magda disposait d'une gouvernante, d'un précepteur, d'une cuisinière, d'une femme de chambre, d'un jardinier et d'un chauffeur. N'ayant pas de prétentions excessives, elle pouvait se consacrer à l'éducation des enfants, au piano ou aux obligations sociales. Elle vivait dans une cage dorée. Mais tous ces agréments ne suffisaient pas à combler l'inévitable fossé qui la séparait de son mari. Homme d'affaires, Quandt était constamment en voyage ; mais même lorsqu'il était à la maison, son esprit restait dans son entreprise. Les conversations profondes ne faisaient pas partie de la vie quotidienne du couple. L'industriel ne se distinguait pas précisément par son goût pour la discussion ni par son sens de l'humour ; parfois, le sommeil s'emparait brutalement de cet homme surmené, et cela pouvait aussi lui arriver les rares fois où ils allaient au théâtre. Il faut dire que Magda avait toutes les peines du monde à entraîner son mari dans les soirées mondaines, et que le multimillionnaire se montrait très chiche lorsqu'il s'agissait de dépenses qu'il jugeait frivoles. En 1927, la paix familiale fut brutalement assombrie par la mort du cher beau-fils de Magda, Hellmut, qui décéda à Paris des suites d'une erreur médicale. Même le deuil commun ne put ressouder le peuple. En 1929, la séparation était inéluctable. Quandt prit comme prétexte pour divorcer une infidélité de son épouse avec un jeune étudiant auprès duquel elle cherchait équilibre et consolation. Mais cette jeune femme impulsive qui risquait désormais de perdre son statut sut se tirer d'affaire avec habileté. Elle mit dans la balance une collection de lettres d'anciennes admiratrices qui dataient de l'époque où Quandt était célibataire et qu'elle avait découvertes quelques années plus tôt dans un tiroir. Du point de vue juridique, ces reliques d'amourettes de jeunesse n'avaient aucune valeur. Mais la seule révélation de ses flirts d'antan risquait de faire jaser dans la ville natale de l'industriel. Le mari trompé accepta donc une solution de compromis tout à fait favorable à sa femme.

Magda obtint une pension princière de quatre cents Reichsmark mensuels, un logement somptueux sur la place de la Chancellerie à Berlin, et le droit de garde de leur fils commun, Harald, jusqu'à sa quatorzième année. L'épouse divorcée n'avait donc pas de crainte à avoir concernant son avenir immédiat.

Cette jeune femme séduisante qui approchait la trentaine ne devait pas non plus être en peine de courtisans. Le plus connu et le plus fortuné sur la liste de ses admirateurs fut Herbert Hoover, le neveu du président des États-Unis, dont elle avait fait la connaissance pendant un voyage en Amérique avec Günther Quandt. En 1930, il fit spécialement le voyage de Berlin pour lui présenter sa demande en mariage. Le refus de Magda consterna le prétendant à un point tel qu'il eut un accident de voiture. Magda, qui était sa passagère, s'en tira avec plusieurs fractures. Pour cette fois, en tout cas, elle n'avait pas cherché son avenir dans le rôle d'épouse décorative d'un millionnaire.

Elle était indépendante, à tout point de vue, mais elle n'était pas heureuse. Depuis qu'elle avait quitté son rôle de grande bourgeoise au foyer elle ne pouvait plus donner de sens à son existence. La cage dorée était ouverte, mais la femme seule voyait le sol se dérober sous ses pieds. C'est sur un ton discrètement mais indiscutablement critique que la mère de Magda décrit sa fille à cette époque : « Elle gémissait : "Ah, les enfants, que tout cela est fade." Alors, j'ai su tout d'un coup ce qui tourmentait cette jeune femme gâtée qui était certes ma fille mais qui m'était pourtant plus énigmatique qu'une inconnue : elle s'ennuyait, elle ne savait pas quoi faire d'elle-même. Des dizaines de milliers de personnes auraient rayonné de bonheur si elles avaient détenu ne fût-ce qu'une partie de ce que possédait Magda. Mais elle menait en bâillant sa vie d'oisive, obsédée par le risque de devenir une "jeune dame" inutile et frivole. »

C'est certainement ce vide intérieur qui poussa cette femme de vingt-neuf ans qui avait déjà un mariage derrière elle mais encore la vie devant soi à aller chercher son bonheur dans les milieux politiques. Qu'une dame de la bonne société soit tombée à cette occasion entre les griffes du plébéien qu'était Hitler n'est pas aussi curieux qu'il y paraît. Le mélange d'idées réactionnaires et d'élan radical qui caractérisait les nationaux-socialistes éveillait justement dans les milieux chic de Berlin le goût du sensationnel et la curiosité. Certains dignitaires, porteurs de décorations ou de manteaux de fourrure, des nationalistes, sans doute, mais que des années-lumière séparaient, dans la vie ordinaire, de ces petits-bourgeois en tenue brune, éprouvaient de la sympathie pour l'intransigeance qu'était censé incarner Hitler. Ainsi, et ce n'est pas un hasard, le premier contact de Magda avec le parti nazi eut lieu au Nordischer Ring, un club très fermé qui contribua considérablement à propager les idées d'extrême droite dans les milieux « honnêtes » de la capitale. Lorsqu'au bout du compte elle adhéra, le 1er septembre 1930, au groupe local Berlin-Westend du parti ouvrier allemand national-socialiste, le NSDAP, et reçut le numéro 297442, ce n'était pas une démarche explicable par le pur ennui, le désespoir ou la naïveté. Cette bourgeoise cultivée savait parfaitement ce que représentait la croix gammée.

Fidèle à son caractère exigeant et minutieux, elle se plongea dans l'univers intellectuel de ses nouveaux compagnons. Elle lut jusqu'à la dernière ligne *Mein Kampf*. Elle étudia *Le Mythe du XXe siècle* de Rosenberg, la bible idéologique du national-socialisme, et se plongea dans les manuels de formation du parti. Elle s'abonna à un journal nazi, et lut dans la presse tous les discours d'Hitler. Avec la même passion qui l'avait poussée à s'enflammer jadis pour un avenir possible en Palestine, elle était désormais persuadée de la supériorité de la race germanique, des complots juifs et du fait que le traité de Versailles, ce « diktat », était une infamie.

Le mouvement l'attirait non pas parce qu'il lui offrait une distraction ou un divertissement, mais parce qu'il répondait à son besoin de croire. On lui confia une mission qu'elle accepta et un objectif qui lui parut redonner un sens à sa vie. Et elle n'était pas la seule dans ce cas. Les théories des prophètes nationaux-socialistes, qui annonçaient le salut et multipliaient les succès électoraux, attiraient de plus en plus de disciples, poussés par l'espoir ou le désespoir. La croix gammée était en vogue.

Toutefois, la première tentative de Magda fut un échec lamentable. Le chef de section proposa à la camarade de parti fortunée la direction du groupe local des femmes nationales-socialistes. Dans l'élégant Westend berlinois, seuls quelques petits employés, ou des concierges, s'étaient égarés à l'extrême droite. Dans la secte petite-bourgeoise qu'était le nazisme, l'entrée en fonctions de cette dame raffinée fit sensation – en fait cela ressemblait à une provocation. Les compagnes de parti de Magda n'acceptèrent pas plus le mode de vie très libre qu'elle avait adopté après son divorce que sa garde-robe horriblement coûteuse ou les conférences qu'elle leur tenait.

Après ce début catastrophique, l'ex-Mme Quandt reprit conscience de son rang et demanda à être présentée sans délai au quartier général du parti afin d'y proposer sa collaboration. Grâce à sa formation et à ses connaissances linguistiques, on lui confia immédiatement un poste aux archives de la direction régionale nationale-socialiste. Elle eut aussi, rapidement, la possibilité de rencontrer le représentant d'Hitler à Berlin.

Quatre ans plus tôt, le Rhénan Joseph Goebbels avait accepté à la demande de son Führer de prendre d'assaut ce bastion « rouge » qu'était la capitale, réputée imprenable pour le NSDAP. Sa campagne d'agitation dénuée de scrupules ne rapporta dans un premier temps que peu de suffrages au démagogue ; mais il fit les gros titres et retint l'attention. À force de défilés, de retraites aux flambeaux, de bagarres de préaux et de tirades haineuses, Goebbels accrut en très peu de temps sa notoriété dans un Berlin avide d'émotions fortes. Magda Quandt, poussée par la curiosité, assista à l'une de ses prestations électorales au Palais des Sports. Après un spectacle d'introduction racoleur, avec musique militaire et défilé de drapeaux, c'est le chétif porteur des espoirs du parti qui monta sur scène. Physiquement, il n'avait vraiment rien d'un tribun. Il ressemblait plutôt à un oiseau court sur pattes, au crâne disproportionné. Sa veste était mal coupée, son col de chemise trop large, et il avait une jambe atrophiée – conséquence tardive d'une ostéomyélite infantile. Mais dès qu'il prenait la parole, sa voix à la sonorité fascinante, ses formulations précises et acérées, son agressivité sans bornes, ses sarcasmes mordants et ses attaques populistes captivaient le public. L'auditrice élégante, qui paraissait plutôt déplacée dans cette foire, ne put échapper à l'effet de son discours. Celui-ci n'avait pas grand-chose à voir avec les allocutions figées des représentants de la République. Avec son ample répertoire de mimiques et de gestes, avec son habileté à moduler la puissance de sa voix, avec sa mise en scène soignée et ses morceaux de bravoure, le dompteur de masses s'adressait moins à l'entendement de son public qu'à ses sens, et plongeait son auditoire consentant dans une ivresse collective où le ressentiment se mêlait à l'enthousiasme. Ce discours de Goebbels conforta Magda dans sa volonté de servir le même parti que lui.

Un jour elle se trouva face à lui. Le gauleiter – c'est ainsi qu'on nommait les responsables régionaux – n'avait pas voulu laisser passer l'occasion. Dès qu'il avait aperçu cette dame élégante, avec son beau visage, sa silhouette gracieuse et ses vêtements chic dans les couloirs, il l'avait conviée dans son bureau.

Sans trahir la moindre émotion, Goebbels annonça à la novice qu'il l'avait choisie pour superviser la constitution de ses archives privées. Le gauleiter savait ce que représentaient certaines informations dans les intrigues de la politique. Des dossiers détaillés sur ses adversaires politiques, mais aussi et surtout sur ses camarades de parti, pouvaient devenir des munitions efficaces dans le combat pour le pouvoir. Et le chef nazi voulait confier le soin de stocker ces explosifs à cette camarade séduisante qui était capable d'exploiter la presse étrangère. Elle se mit à la disposition immédiate de son nouveau supérieur, et fut ainsi initiée et impliquée dès le début dans les méandres de ses machinations politiques.

« Pour le reste, pas un seul mot de sympathie ne fut prononcé, précise la mère de Magda lorsqu'elle raconte le premier rendez-vous entre sa fille et Goebbels. Pas le moindre compliment, pas de remarque personnelle. Mais il ne quittait pas Magda du regard. "J'ai cru que j'allais brûler sous ce regard qui me paralysait, qui me dévorait presque", m'a-t-elle raconté plus tard. »

Pour ce qui concernait ses rapports avec la gent féminine, l'agitateur malingre n'avait rien d'un ascète. Dans son journal, à cette époque, il énumère ses conquêtes comme autant de trophées. « Chaque femme m'excite jusqu'au sang, écrivait en 1926 ce Casanova d'opérette. Je tourne comme un loup affamé. Et pourtant je suis timide comme un enfant. » Ce marginal, que la nature n'avait pas précisément gâté, était animé d'un besoin maniaque de prouver sa virilité. Chaque liaison effective ou supposée était un baume pour son âme malade, que les railleries et le mépris de ses condisciples avaient profondément blessée.

Les pages de son journal qui relatent cette nouvelle rencontre se lisent comme la chronique d'une campagne militaire. « Une belle femme répondant au nom de Quandt me constitue de nouvelles archives privées », note-t-il le 7 novembre 1930. Il ajoute une semaine plus tard : « Hier après-midi, la belle Mme Quandt se trouvait chez moi et m'aidait à trier des photos. » Le 28 janvier 1931, la mention témoigne déjà d'une plus grande familiarité : « Mme Quandt est venue à la maison pour des travaux d'archivage. C'est une belle femme. » Et le 15 février, Goebbels annonce le début de la liaison : « Le soir, Magda Quandt arrive. Et reste très longtemps. Et se révèle être une créature tendre, blonde et ravissante. Tu es ma reine ! » Ici, l'auteur du journal indique par un chiffre (1) à la postérité, à la manière de don Juan, le premier contact intime. Puis il s'écrie : « Une belle, belle femme ! Que je vais sans doute beaucoup aimer. Aujourd'hui, je suis presque comme dans un rêve. Tellement empli de bonheur rassasié. C'est tout de même une chose splendide que d'aimer une belle femme et d'être aimé par elle. »

« Belle soirée de bonheur parfait, s'exalte l'amoureux quatre jours après. C'est une femme splendide qui m'apporte paix et équilibre. Je lui en suis très reconnaissant. Belle Magda ! » Une semaine plus tard, l'élue put accompagner le gauleiter à une réunion du parti à Weimar. « Jusque tard dans la nuit, je reste assis seul avec Magda Quandt, écrit-il sur place. C'est une femme ravissante et bonne, et elle m'aime plus que de raison. »

Mais cette certitude ne tarda pas à vaciller. Il s'avéra

que la femme courtisée se distinguait nettement des amourettes de bureau ou de l'entourage du parti avec lesquelles le responsable nazi s'était diverti jusqu'ici. Magda répondait certes à sa fougueuse inclination, elle cherchait sans doute elle aussi à établir une relation plus étroite avec cet homme chez qui son instinct infaillible avait perçu l'aura du pouvoir et un grand charisme, mais elle était beaucoup trop convaincue de sa propre valeur pour céder avec légèreté à la cour que lui faisait Goebbels. Elle voulait être plus qu'une simple pièce d'apparat. Et elle savait ce qu'elle voulait. « À la maison, première dispute à propos d'un mot irréfléchi que j'ai prononcé », note Goebbels le 26 février dans son journal. « Elle m'écrit un petit mot d'adieux puis s'en va en pleurant. Toujours la même chanson ! Je vois à présent à quel point elle est belle et combien je l'aime. »

Ce devait être la première d'une longue série de rebondissements, de confrontations dramatiques et de réconciliations théâtrales. Cette tension était inévitable entre une mondaine arrogante qui calculait soigneusement sa « valeur sur le marché » et un mufle qui ne faisait aucun mystère de la piètre valeur qu'il accordait à l'autre sexe : « La mission de la femme est d'être belle et de mettre des enfants au monde » – c'est ainsi que Goebbels avait un jour résumé sa conception de la féminité.

Le don Juan transi veillait jalousement à ce qu'aucun rival ne vienne lui disputer sa conquête. Lorsque, après quelques jours de silence, il apprit qu'un prédécesseur jaloux poursuivait sa bien-aimée et se donnait en spectacle, il crut sombrer dans la folie : « Magda ne téléphone pas. Cela doit faire à peu près trente fois que j'appelle chez elle, sans aucune réponse. Je deviens fou, je désespère. Les pires cauchemars montent en moi... Pourquoi ne me fait-elle pas signe ? Cette incertitude est mortelle. Je dois lui parler, advienne que pourra. Je vais déployer aujourd'hui tous les moyens pour y parvenir. La nuit entière, je n'ai été qu'une douleur, un cri. Je voudrais hurler. Mon cœur se déchire dans ma poitrine. »

En de tels instants de détresse, le galant enflammé continuait toutefois à s'autoriser quelques escapades consolatrices auprès d'autres femmes – même s'il nota le 22 mars dans son journal, comme une déclaration de capitulation : « Je n'en aime plus qu'une. »

Tous ces aléas sentimentaux n'empêchèrent pas que s'établisse entre la belle et ce Méphisto une liaison plus forte que toutes celles qui l'avaient précédée ou qui la suivraient. Elle était portée par une profession de foi commune dans des doctrines pseudoreligieuses salvatrices et placées sous le signe de la croix gammée. Magda réglait ses comptes avec un passé qui ne semblait plus, désormais, compatible avec cette idéologie absconse – ni avec ses caricatures du monde et ses fantasmes d'ennemi héréditaire. Pendant des vacances qu'ils passèrent ensemble au bord de la mer du Nord en juillet 1932, Magda révéla à son compagnon les détails de sa vie antérieure. Dans le journal de Goebbels, on ne trouve que des allusions codées à ce que son interlocutrice lui avoua. Mais les lignes qu'il rédigea alors montrent que ces propos le plongèrent dans un effroi profond : « Avec Magda, sévères combats pour notre bonheur. Elle a été très légère et irréfléchie dans sa vie passée. Et nous devons à présent l'expier tous les deux. Notre destin tient à un fil de soie. Dieu fasse que nous ne nous fracassions pas sur cette malédiction. »

Qu'est-ce qui avait pu effarer autant ce jeune ambitieux nazi dans le récit de Magda ? S'il ne s'était agi que de la description de péchés amoureux de jeunesse, Goebbels n'aurait sans doute pas déployé un tel arsenal rhétorique. Une explication paraît plus plausible : Magda lui avait sans doute avoué quel enthousiasme lui avaient inspiré, dans ses jeunes années, les idées du mouvement sioniste et l'un de ses partisans les plus notoires. La bien-aimée de Goebbels avait donc été autrefois chez elle dans ce milieu que son parti décrivait comme la quintessence de l'abomination ! La « malédiction » qu'il redoutait était-elle la possibilité que cette histoire soit révélée et lui cause du tort ? Il n'avait pas hésité un seul instant à congédier son ancienne compagne, dont la mère était juive, dès qu'il avait pris ses fonctions berlinoises au parti. Avec sa nouvelle fiancée, il n'était pas sûr de pouvoir être aussi intransigeant : « Petite dispute avec Magda. Elle est parfois tellement dépourvue de cœur lorsqu'elle raconte son passé. Elle n'a pas encore tout à fait rompu avec lui. »

Mais Goebbels fit tout pour obtenir cette rupture. L'appartement de la place de la Chancellerie que l'ex-époux de Magda continuait à payer devint peu à peu le logis de ce nomade qui avait jusqu'ici logé dans des quartiers plutôt destinés aux étudiants et qui se nourrissait de repas de fortune dans des restaurants bon marché. Le domicile somptueux de Magda et son mode de vie élégant représentaient pour ce parvenu issu de la petite bourgeoisie un surcroît de prestige dont il était très fier. Pour la première fois, ce célibataire avait auprès de lui une compagne qui ne lui apportait pas seulement l'estime des autres, mais aussi une sorte de vernis social. L'ami de la maison prenait sa revanche en offrant des cadeaux coûteux... et en transmettant les factures, avec une méchanceté volontaire, au père de Magda, Oskar Ritschel.

La demeure de Magda devint rapidement le point de ralliement de la société nazie. Hitler lui-même finit par s'y rendre à l'occasion d'un de ses séjours dans la capitale. Le chef du parti se montra séduit par l'ambiance feutrée, et tout particulièrement par l'hôtesse. Avec sa silhouette et sa couronne de cheveux blonds, elle paraissait incarner parfaitement le stéréotype de la femme germanique, avec tout ce que cela pouvait comporter de kitsch. Mais elle était aussi intelligente, et elle croyait dans Hitler et dans sa doctrine. Si l'on avait respecté la hiérarchie – c'est ce que le maître fit bientôt savoir dans son entourage –, cette nationale-socialiste exemplaire aurait dû lui revenir à lui et non à son vassal. En tant que futur Führer de la nation, il s'était cependant imposé le célibat, et il chargea donc son représentant berlinois, à titre de substitut pour ainsi dire, de l'épouser afin d'être sûr que la disciple serait constamment à ses côtés, dans le présent comme dans le futur. Au-delà de toutes les légendes auxquelles donnèrent naissance ces jeux de la virilité et du pouvoir, il est indiscutable que Magda exerçait un attrait puissant sur Hitler : elle était l'une des rares personnes de son entourage à rayonner de charme, à lui être fidèlement dévouée et à être capable de soutenir avec lui une véritable conversation. La femme

Mariage de Joseph Goebbels et Magda à Gut Severin, le 19 décembre 1931.

Hitler était témoin au mariage. C'est lui qui a tout provoqué ; compte tenu des relations étroites qu'il avait avec Goebbels, cela lui permettait de rester constamment en contact avec Magda. Il avait une relation très, très forte avec elle ; le fait que Goebbels ait eu des liaisons par la suite a naturellement donné à Hitler plus d'influence sur elle, elle était plus ouverte face à un homme qui la vénérait, comme Hitler, et avec un mari qui la trompait.

Wilfried von Oven, conseiller personnel de Joseph Goebbels

Pour notre père, Goebbels était extrêmement dangereux. Mais notre père ne pouvait rien faire. Il ne pouvait rien contre la persécution des Juifs, il n'avait rien pu faire non plus pour empêcher ce mariage.

Ariane Sheppard, demi-sœur de Magda Goebbels

adulée trouvait quant à elle en Hitler la figure paternelle qui lui manquait depuis sa plus tendre enfance. Et surtout, elle était heureuse d'avoir si rapidement atteint l'objectif qu'elle s'était toujours fixé au sein du parti : le sommet. Elle demeurait en effet froide et calculatrice, comme en témoignent ces mots rapportés par sa mère : « Si le mouvement d'Hitler devait arriver au pouvoir, je serais l'une des premières femmes d'Allemagne. »

Mais aucun ordre du Führer ne fut nécessaire pour qu'elle épouse Goebbels. Même si des proches, parmi lesquels son père naturel Oskar Ritschel, la mirent expressément en garde, Magda était persuadée d'avoir trouvé l'homme de sa vie, par la grâce d'Hitler, en la personne du gauleiter de Berlin. Un autre élément incita Goebbels à officialiser cette liaison : ses rivaux à l'intérieur du parti faisaient courir des rumeurs sur le nom juif de Friedländer.

Curieusement, Magda et Joseph choisirent la propriété somptueuse de Quandt, à Severin, dans le Mecklembourg, comme décor pour leur mariage. Sur ce domaine isolé, auquel l'ex-Mme Quandt continuait à avoir accès grâce à un régisseur bienveillant, ils se sentaient à l'abri des calomnies de leurs adversaires politiques. Le 19 décembre 1931, accompagné du fils de Magda, Harald, vêtu d'un uniforme d'enfant, et d'Hitler, qui remplissait les fonctions de témoin, le couple franchit une haie d'honneur pour rejoindre la petite chapelle de la propriété dans laquelle un pasteur sympathisant célébra le mariage entre ce catholique ennemi de l'Église et cette protestante éduquée dans le catholicisme. Le drap qui recouvrait l'autel était un drapeau à croix gammée.

La lune de miel fut sacrifiée à la raison du parti. On était dans la phase de capitulation de la République de Weimar, et le marathon électoral du jeune marié le forçait à enchaîner réunions, discours, défilés et manifestations publiques. L'appartement de son épouse, qu'ils occupaient désormais tous les deux, devint une sorte de quartier général. C'est sur la place de la Chancellerie que la direction du parti élaborait sa stratégie politique. C'est là qu'Ernst Hanfstaengl, le futur secrétaire d'Hitler chargé de la presse étrangère, et Magda elle-même jouaient du piano pendant les longues

Hitler et Magda Goebbels en tournée électorale (1932).

Cette femme pourrait jouer un grand rôle dans ma vie, même sans que je l'épouse. Elle pourrait, dans mon travail, constituer le pôle féminin opposé à mes instincts trop masculins... Dommage qu'elle ne soit pas mariée.

Hitler à Otto Wagener, chef d'état-major de la SA et conseiller économique du Führer

On peut imaginer qu'au lieu de Goebbels Magda aurait volontiers épousé Hitler. C'était une possibilité qu'elle avait sûrement envisagée.

Herbert Döhring, régisseur d'Hitler au Berghof

Je ne l'ai jamais vue perdre son calme ni même devenir nerveuse. Elle était toujours pondérée, aimable, et s'intéressait aux autres. Elle savait écouter.

Ariane Sheppard, demi-sœur de Magda Goebbels

soirées ; c'est là qu'Hitler se faisait servir par la maîtresse de maison de savoureux mets végétariens.

Magda, après plusieurs fausses couches au cours de son mariage précédent, était de nouveau enceinte ; elle appréciait néanmoins, malgré toutes les charges qu'elle représentait, cette vie au centre du combat politique, qui lui promettait un nouveau départ et un avenir. Dix mois après le mariage, le 1er septembre 1932, elle mit au monde une fille, Helga. Même si Goebbels, avec son esprit patriarcal, avait espéré un héritier mâle, il constata que la première pierre du futur bonheur familial était désormais posée.

Lorsque cette image de la famille heureuse était attaquée, par exemple lorsque la presse dénonçait le train de vie de ce tribun populaire autoproclamé, le petit docteur pouvait très rapidement se dresser sur ses ergots et défendre son honneur – à sa manière. « Un rédacteur, se pavane-t-il dans son journal, a de la manière la plus ignoble attaqué l'honneur de mon épouse. Un SS s'est présenté chez lui et l'a frappé avec sa cravache jusqu'à ce qu'il s'effondre au sol, ensanglanté. Puis il a déposé sa carte de visite sur la table et a quitté la rédaction sans qu'aucun des reptiles journalistiques présents l'en empêche. C'est l'unique moyen de venir à bout de ces calomniateurs. »

La violence faisait partie des instruments de cet agitateur, qui s'efforçait, par tous les moyens imaginables, d'attirer l'attention du public. Chef de la propagande de son parti, l'époux de Magda prit une part décisive dans le mouvement qui transforma cette faction antiparlementaire en un puissant groupe au sein de l'assemblée nationale allemande.

Mais le mouvement paraissait s'épuiser. Lors des élections de novembre 1932 au Reichstag – c'était le deuxième scrutin en l'espace de six mois – le NSDAP d'Hitler recula pour la première fois. Le parti risquait la scission en deux ailes hostiles et l'apoplexie financière. La sévère crise économique dont se nourrissaient les démagogues d'extrême droite avait atteint son point critique. Les perspectives d'une prise du pouvoir grâce à des élections s'étiolaient.

Cette douche écossaise ne fut pas sans effet sur la compagne de Goebbels. Le soir de Noël, Magda, prise de fortes douleurs, fut conduite à l'hôpital. « L'année 1932 a été une série noire », nota l'époux désespéré dans son journal. Mais le pire était à venir. Tandis que Goebbels cherchait à conquérir le pouvoir en multipliant les coups de poker dans les coulisses d'une république agonisante, sa femme luttait contre la mort à la clinique, après une nouvelle fausse couche. « Nous voulons nous battre, vaincre ou mourir ! écrivit alors Goebbels courroucé dans son journal. Je serre fermement la main d'Hitler : "Je vous souhaite le pouvoir !" »

Le lendemain, la panique s'empara à nouveau de lui : « Entre la vie et la mort. Et moi, à six cents kilomètres de distance, cloué dans ma chambre d'hôtel. Il a fallu cette frayeur pour que je comprenne à quel point j'aime cette femme, et que j'ai infiniment besoin d'elle... De toute la nuit, je n'ai fait que trembler et prier : Dieu, préservez cette femme, faites-le pour moi. Je ne peux pas vivre sans elle. Au petit matin, arrivée. Droit vers la clinique. Ils ont tous l'air si grave. J'ai les pires craintes. »

Après une opération, la malade retrouva des forces. Au même moment, s'appuyant sur d'influents marchepieds dans l'entourage du président du Reich, le très conservateur Hindenburg, Hitler accédait au pouvoir. Le 30 janvier 1933, le Président le nomma en effet chancelier du Reich. Deux jours plus tard, Magda Goebbels put quitter la clinique. Mais l'heure de la guérison et du triomphe politique fut aussi pour elle celle d'une vive déception. Son mouvement participait désormais à la gestion des affaires nationales, mais son époux n'y jouait aucun rôle. Contrairement à la promesse « solennelle » d'Hitler, on n'avait trouvé aucune place pour cet agitateur brutal dans ce gouvernement peuplé de notables réactionnaires. Et son épouse était du même coup exclue du premier cercle. « Magda très triste, nota Goebbels. On m'a mis au placard. Hitler ne m'aide pratiquement pas. J'ai perdu courage. »

Mais il allait bientôt le retrouver. Lorsqu'ils lui eurent confié les pleins pouvoirs, Hitler se débarrassa de ses alliés, les conservateurs traditionnels. L'heure de son fidèle héraut était venue. Nommé « ministre du Reich pour l'Édification du peuple et la Propagande », Goebbels put désormais attaquer de front la conscience des Allemands.

L'épouse du ministre profita elle aussi de ce nouveau prestige. Les femmes étaient certes majoritaires dans l'électorat d'Hitler, mais elles avaient été d'emblée refoulées de son parti. Le mouvement nazi demeurait une sorte de club masculin, ce qui cadrait très bien avec les opinions qu'Hitler affichait volontiers en privé : « L'univers de la femme, c'est l'homme », disait-il, ou bien : « Chez la femme, l'intellect ne joue aucun rôle. » Il n'y avait donc rien d'étonnant à ce que, dans une première phase, on ne trouvât pratiquement pas de femmes à des postes élevés parmi les nouveaux détenteurs du pouvoir. Hitler lui-même avait jugé opportun de n'en pas tolérer à son côté, ce qui lui permettait de consacrer toutes ses forces créatives à son unique « épouse », la nation allemande.

C'est à Magda Goebbels, une femme on ne peut plus présentable, qui avait les pieds sur terre et jouissait de la faveur de l'autocrate, que l'on demanda de combler cette lacune. Lors des sorties officielles et des visites d'État, par exemple dans le pays frère, l'Italie fasciste, on la vit briller, plus élégante que jamais. Première dame du Reich, tel fut le grand rôle de sa vie.

En tant que dirigeante officieuse des femmes du régime, c'est à elle que l'on demanda de proclamer le nouvel idéal féminin à la radio, le 14 mai 1933, pour la fête des Mères. Respectant à la lettre l'esprit de l'idéologie au pouvoir, elle fit dans son allocution l'éloge de la mère allemande avant de partir en campagne contre les timides ébauches d'émancipation féminine menées par la République de Weimar :

« Les biens les plus sacrés du peuple allemand se décomposaient. La morale, l'honneur, le patriotisme reculaient devant la puissance désagrégatrice et destructrice d'un mode d'existence aussi bas qu'impie. La valeur de la mère fut ainsi elle aussi dégradée, et les errances d'une époque frivole la firent chuter de la haute position qui était la sienne, celle de pilier et de gardienne de la famille. Elle devint une partenaire de l'homme, et son objectif était désormais de l'égaler dans les domaines de la politique, du travail et de la morale, ou même de le dépasser. Aussi,

Magda et le nouveau ministre de la Propagande en 1933.

Goebbels avait appris que Mme Quandt était très favorable à Hitler et qu'Hitler, lui, appréciait beaucoup cette femme. C'est le prétexte dont il s'est servi pour l'épouser. C'est comme cela que Magda s'est retrouvée aussi dépendante de Goebbels. Et au bout du compte, elle l'a payé de sa vie.

Herbert Döhring, régisseur d'Hitler au Berghof

Ce qu'Hitler appréciait chez Magda, c'était une certaine harmonie intellectuelle, et c'est la raison pour laquelle ensuite on l'a mariée à Goebbels, à la demande d'Hitler, pour qu'elle reste près de lui.

Wilfried von Oven, conseiller personnel de Joseph Goebbels

Goebbels savait manipuler les gens. Il y est toujours parvenu aussi avec Magda. Et malgré tout ce qui s'est passé, elle est restée auprès de lui.

Ariane Sheppard, demi-sœur de Magda Goebbels

quand se leva dans le peuple un homme porteur d'une nouvelle époque, combattant d'une nouvelle morale et d'un nouvel honneur, comment s'étonner que la femme, et notamment la mère, se soit placée instinctivement à son côté, et qu'après avoir compris la hauteur de ses objectifs intellectuels et moraux elle en soit devenue la partisane enthousiaste, la combattante fanatique ? »

Mais excepté sa présence rayonnante aux réceptions officielles, le « combat fanatique » se limita pour Magda Goebbels à une fonction honorifique auprès d'une association caritative nazie, la Bienfaisance populaire nationale-socialiste (NSV), et à la présidence d'honneur du Bureau allemand de la mode, que l'on venait de créer. Son abondante collection de chapeaux et de vêtements chic correspondait parfaitement à l'exercice de cette fonction. Elle y combattit bravement les fortes tendances de l'époque à l'uniformisation. Là encore, elle adopta le ton idoine : « Je considère de mon devoir d'avoir aussi belle allure que je le peux. Je veux être de ce point de vue un exemple pour les femmes allemandes. Elles doivent être aussi belles et élégantes que possible. On m'a confié la direction d'un Bureau allemand de la mode, et je veux, en cette qualité, transformer par mon exemple la femme allemande en un véritable modèle de sa race. »

Magda Goebbels put aussi, sans aucun doute, se rendre compte des effets que produisait une théorie raciale délirante élevée au rang de doctrine d'État. Des Allemands, désormais mis au ban de la société parce qu'ils étaient juifs, furent privés de leurs droits, mais aussi, fréquemment, de leur profession et de leurs moyens de vivre. Avec ses appels incendiaires au boycott des boutiques juives et à la destruction par le feu d'œuvres majeures de la littérature allemande, Goebbels contribua beaucoup à la propagation de la haine raciale. Sa femme se plia docilement à cette aberration culturelle. Le Troisième Reich était contre les Juifs, expliqua-t-elle à son ancienne belle-sœur Ello Quandt, et en tant que ministre de la Propagande c'est à son mari que revenait la mission de les combattre dans la presse et à la radio : « Le Führer le veut ainsi, et Joseph doit obéir. »

Mais ce criminel de la persuasion n'était pas un simple

sous-fifre, et Magda savait elle aussi ce qu'elle devait au statut de son époux. Les relations juives qu'elle avait eues dans sa jeunesse étaient désormais totalement inadmissibles pour la première dame du Reich. Elle considérait comme « insupportable », ainsi qu'elle l'écrivit à un chargé de mission du syndicat obligatoire institué par les nazis, le Front allemand du travail (DAF), « d'être soupçonnée de s'habiller chez un modiste juif ». Cette allusion discrète fournit au DAF un excellent prétexte pour réquisitionner un salon de tailleur sur le Kurfürstendamm, la grande avenue de Berlin, et pour forcer son gérant juif à émigrer.

Magda jugeait certainement encore plus « insupportable » l'idée que l'on pourrait révéler les étroites relations qu'elle avait eues dans sa jeunesse avec Arlosorov, devenu entre-temps l'un des principaux représentants du foyer juif en Palestine. Dans le cadre de ses fonctions de chef du département politique de l'Agence juive, celui-ci osa une fois encore, le 10 mai 1933, revenir dans sa ville natale, où flottait désormais la croix gammée – c'était se jeter dans la gueule du loup. Une mission délicate l'amenait sur ce terrain désormais hostile : au cours de négociations qu'il voulait engager avec les autorités nationales-socialistes – il connaissait leurs cadres depuis l'université –, Arlosorov comptait adoucir les conditions de départ des émigrants juifs et leur permettre de sauver leurs biens.

Alors qu'il marchait dans les rues familières de Berlin, son regard tomba sur un cliché dans la vitrine d'un photographe. On y voyait le ministre de la Propagande avec son enfant et son épouse : Magda, son amour de jeunesse, était devenue l'épouse de l'agitateur antisémite ! Il fallut un certain temps à Arlosorov pour se remettre du choc. Mais il comprit ensuite les possibilités que son ancienne relation avec cette dame haut placée dans le Reich pouvait lui offrir. Ignorant toutes les objections de son entourage, il prit contact avec Magda pour obtenir, par son entremise, une entrevue auprès de son mari. Mais son ancienne amie l'éconduisit rapidement au téléphone après l'avoir mis en garde : tout contact entre eux pourrait les mettre tous les deux en grand danger. Immédiatement après, selon sa sœur, Arlosorov déclara lui-même que cette tentative avait été une lourde erreur.

Le 16 juin 1933, deux jours après son retour, le chef sioniste faisait une promenade vespérale avec sa nouvelle épouse, Sima, sur la plage de Tel-Aviv, quand deux hommes se présentèrent devant lui, lui demandèrent l'heure, puis son nom. Ensuite, l'un des inconnus sortit un pistolet et tira deux fois. Les secours arrivèrent trop tard. Le jeune politicien de trente-quatre ans mourut la nuit même à l'hôpital Hassadah, non loin de là. Ses meurtriers ne furent jamais retrouvés. On avait assassiné l'un des talents les plus prometteurs de la politique juive en Palestine. Malgré sa jeunesse, il avait contribué de manière décisive au développement de ce foyer en formation, et aurait très certainement joué un rôle majeur dans le futur État d'Israël.

Cette affaire choqua profondément la communauté des colons juifs en Palestine. S'agissait-il d'un fratricide ? Des terroristes juifs avaient-ils assassiné l'un des esprits les plus compétents de leur propre camp ? Ou bien l'ordre d'exécuter le jeune politicien venait-il de l'étranger ? Goebbels lui-même n'avait-il pas trempé dans cette affaire ? Cet homme de pouvoir sans scrupules voulait peut-être s'assurer qu'Arlosorov emporterait dans la tombe ce qu'il savait sur la jeunesse de Magda. Les mises en garde téléphoniques de celle-ci à son ami de jeunesse reposaient peut-être sur des craintes concrètes. Toutes sortes de spéculations courent sur ce sujet ; mais il n'existe pas de preuve formelle d'une responsabilité du ministre de la Propagande. La plupart des indices étayent une autre version : les assassins d'Arlosorov sortaient des rangs des extrémistes de Palestine, qui lui reprochaient ses négociations avec le régime d'Hitler. C'est aussi le point de vue que défendit son épouse.

Pourtant, aucun coupable ne fut jamais condamné ; faute de preuves, les circonstances précises de ce crime n'ont jamais été élucidées. Ce qui demeure incontesté, c'est que la mort précoce de son ancien ami préservait désormais Magda Goebbels de toute révélation sur les penchants sionistes qui avaient été les siens dans sa jeunesse. Craignant des représailles, la sœur d'Arlosorov garda elle aussi le silence jusque peu avant sa mort.

Les médias contrôlés par Goebbels passèrent soigneusement sous silence l'attentat qui avait eu lieu en Palestine, mais l'événement fit tout de même des vagues jusque dans l'ancienne patrie d'Arlosorov. La *Jüdische Rundschau* de Berlin, qui pouvait encore paraître à cette époque, mais était placée sous une rigoureuse surveillance, publia une longue nécrologie du chef sioniste. Le 26 juin 1933, ses partisans et amis célébrèrent sa mémoire à la Philharmonie de Berlin. Comment purent-ils organiser pareille manifestation de solidarité alors que la propagande antisémite faisait rage tout autour d'eux ?

On ignore si Magda Goebbels entendit parler de l'attentat, et *a fortiori* si elle en connaissait les détails. À cent lieues de toutes ces turbulences, la jeune mère goûtait à cette époque la fraîcheur estivale de la ville balnéaire de Heiligendamm, sur la mer du Nord. Avec son fils de onze ans, Harald, et sa fille de neuf mois, Helga, cette femme exemplaire s'offrait sa première pause après l'exténuant semestre inaugural du Reich millénaire. « Soirée paisible et bénie, nota Goebbels, qui vint rendre visite à sa famille sur son lieu de villégiature le 18 juin 1933. La quantité de travail et un certain effarouchement nous avaient un peu éloignés. Nous devons redevenir comme autrefois. Nous nous en faisons la promesse. »

Mais ce vœu resta plutôt rhétorique. Goebbels n'avait pas l'intention d'autoriser son épouse, une fois revenue du bord de mer, à retrouver la vie publique où elle évoluait avec toujours plus d'assurance. Le dignitaire avide de reconnaissance craignait manifestement que l'aura de son épouse ne le relègue dans l'ombre. Lors de ses sorties officielles, le ministre prit l'habitude de faire circuler sa femme dans l'un des véhicules d'escorte. Il obtint aussi qu'elle quitte ses fonctions honorifiques, dont elle tirait autant de prestige que de plaisir. Sans réagir véritablement à l'autoritarisme de son mari, Magda répondit par le défi et la sécheresse des sentiments. « Ce soir encore, dispute avec Magda à propos de son Bureau de la mode, qui m'a valu je ne sais combien de soucis, écrivit Goebbels le 20 juillet 1933 dans son journal. Une scène après l'autre. Magda doit se montrer plus réservée. Ça ne va pas comme ça. De ce point de vue, je n'ai que des problèmes avec elle. Elle est récalcitrante au lit. Ce matin, elle fait des manières. Elle ne veut pas partir avec moi. Ah, les femmes ! En tout cas, je me réjouis du départ imminent pour Bayreuth. »

Mais le gardien suprême de la culture nationale-socialiste allait faire sans son épouse le pèlerinage sur le lieu de culte artistique du régime. Magda, vexée, avait décidé de rester à la maison. S'il voulait la priver de son rôle de représentante du régime, le public qui se rassemblait tous les ans pour le festival Wagner à Bayreuth serait témoin de son attitude. Mais Hitler, auquel son subalterne confessa sur la Colline verte l'humiliation que lui valait cette querelle conjugale, ne manifesta aucune compréhension pour le refus ostentatoire de Magda. Il fit aussitôt convoquer à Bayreuth sa disciple tant appréciée.

L'épouse offensée se plia volontiers à la volonté du Führer. Après le premier acte des *Maîtres chanteurs*, elle arriva enfin à l'opéra, et Goebbels, une fois de plus, se pâma d'admiration devant son maître : « Il rétablit la paix entre Magda et moi. C'est un véritable ami. Mais il me donne raison : les femmes n'ont rien à faire dans la vie politique publique. Ensuite, la dispute recommence, violente. Revenus à l'hôtel, une grande souffrance. Tout ne tient plus qu'à un fil. Puis réconciliation... Magda est douce et bonne. Elle peut être si aimable. Mais lorsqu'il s'agit des principes, il n'y a pas de pardon. »

Et l'épouse ambitieuse finit par se plier à ces principes masculins. Pour un certain temps, Magda disparut de la scène publique et se consacra au rôle qu'elle prônait si volontiers. Elle veilla désormais sur son foyer et se voua à son devoir : offrir au Führer une foison d'enfants. La famille quitta l'appartement que Günther Quandt avait cessé de payer après le remariage de son ex-épouse, et elle partit s'installer dans une maison de Kladow, banlieue paisible de Berlin, dont le couple était propriétaire. La maîtresse de maison put désormais la décorer à son goût. Conformément au programme, un deuxième enfant commun arriva au logis. Et avec lui de nouvelles disputes conjugales. « Un garçon, j'espère », avait imploré le fier géniteur dans son journal. Mais en dépit de ces instructions, c'est de nouveau à une petite fille, Hilde, que Magda donna le jour le 13 avril 1934. Le père rugit, refusa d'envoyer des fleurs et d'aller lui rendre visite. Il fallut qu'Hitler aille féliciter la maman à l'hôpital, avec sa cour, pour que Goebbels accepte – comment aurait-il pu faire autrement ? – de voir au moins à quoi ressemblait ce rejeton non conforme. Mais à la fin de la visite, furieux, il chuchota à Magda : « La prochaine fois, ce sera un garçon ! »

La mère s'exécuta sans tarder. Dès le 2 octobre 1935, elle mit au monde un garçon que les parents baptisèrent Helmut – choisir des prénoms commençant par un « H » était devenu leur manie. « Et voilà le petit : un visage à la Goebbels, jubilait le père, très fier, dans son journal. Mon bonheur est complet. Je pourrais tout casser de joie. Un garçon ! »

Mais les enfants suivants furent des filles : Holde, le 19 février 1937, Hedda, le 5 mai 1938, et finalement Heide, le 20 octobre 1940.

La famille grandissante déménagea de nouveau, cette fois dans une somptueuse villa de brique, ancienne propriété d'un ressortissant juif, sur l'île de Schwanenwerder, un site pittoresque situé sur le Wannsee, un lac des environs de Berlin. Cette propriété et son cadre idyllique fournirent un décor idéal à cette icône de la famille nationale-socialiste modèle, avec ses jeunes enfants gracieux et sa mère fidèle et attentive. La UFA, première société de production cinématographique allemande, tourna en 1937 un film sur cette femme exemplaire et l'offrit en cadeau d'anniversaire au maître du cinéma allemand. Sur instruction de Goebbels, ce documentaire familial fut aussi projeté, en version écourtée, sur les écrans des salles publiques – ce qui lui valut toutefois certaines critiques de la part de personnes estimant qu'il avait étalé son train de vie luxueux.

Goebbels n'hésita pas non plus à faire jouer à sa légion d'enfants le rôle de prototypes d'une descendance héréditairement saine et « racialement pure » dans un film de propagande répugnant intitulé *Victimes du passé*, qui devait faire accepter la discrimination infligée aux malades mentaux et aux handicapés. Les charmants rejetons du ministre de la Propagande, vêtus de petites tenues blanches, étaient aussi autorisés à poser comme figurants lorsque « tonton Führer » jouait son rôle préféré, celui d'ami des enfants. Contrairement à ce que veut la légende, les parents n'évitèrent pas du tout à leurs enfants de porter l'uniforme de la Jeunesse hitlérienne lorsqu'ils eurent l'âge de rejoindre ses rangs. Comme Harald, Helga devint membre de l'organisation nationale de la jeunesse – « et elle s'en réjouissait démesurément », nota fièrement son père.

Pour compléter son nouveau style de vie, le parvenu s'entoura d'une collection de symboles de son statut, entre autres un parc automobile superbe, un bateau à moteur baptisé *Baldur,* et un grand voilier. Magda Goebbels gérait d'une main experte les affaires de la famille. C'est elle qui se chargea d'aménager la villa avec goût et de discuter les plans de rénovation avec les architectes – parmi lesquels Albert Speer. Lorsqu'elle recevait, elle gardait aussi la maîtrise de la situation. Même si l'art culinaire n'était pas l'un de ses dons les plus naturels, elle dirigeait pourtant avec maestria son personnel et ne se trouvait jamais embarrassée face aux invités que son mari amenait souvent sans crier gare. À l'époque, elle affirmait qu'une « vraie dame » se reconnaissait au fait « qu'elle poursuivait sans sourciller sa conversation avec ses hôtes même lorsque la cuisinière à gaz explosait dans la cuisine ».

La maîtresse de maison accordait aussi beaucoup d'attention à son apparence physique. Plusieurs fois par jour, elle apparaissait avec un nouveau maquillage et revêtait une robe différente – toutes ses tenues étant réalisées par des couturiers triés sur le volet. Elle veillait soigneusement à se présenter avec une coiffure parfaite et des mains manucurées. Elle ignorait souverainement l'idéal de la femme allemande qui ne se maquille pas, ne boit pas, ne fume pas et s'habille comme une paysanne, toutes choses que le parti recommandait aux « femmes de la communauté ethnique ». De ce point de vue, Magda Goebbels se situait audessus du peuple.

Peu à peu, on étendit encore les propriétés de la famille : on y ajouta une maison de campagne au bord du Bogensee, au nord de Berlin ; c'est à l'industrie du cinéma que le ministre demanda d'en payer la facture de rénovation, qui

Magda avec ses filles Helga et Holde en 1937.

Elle était blonde, elle était belle, c'était une dame. Et Goebbels était parvenu à en faire sa femme et à avoir des enfants avec elle. C'étaient des enfants ravissants... un délice. Elle les a vraiment aimés, avec dévouement. Je crois que le rôle de mère était son vrai rôle.

Anneliese Uhlig, comédienne

s'élevait à plus de deux millions de Reichsmark. Un « palais de service » situé près du ministère fut mis, moyennant trois millions de Reichsmark, au goût du maître de maison et de son épouse – mais cette fois aux frais de l'État. Cet étalage de promotion sociale devait être couronné par une nuit de bal enivrante, organisée à l'occasion des jeux Olympiques d'été de 1936, au cours de laquelle M. et Mme Goebbels reçurent plus de trois mille invités venus du monde entier sur l'île aux Paons, sur le Wannsee, somptueusement décorée pour l'occasion. Mais la présence parmi eux de vieux militants de la première heure, qui aimaient boire et faire le coup de poing, transforma cette réception somptueuse en un scandale mondain.

Unies et solidaires, les dames de la société nazie regardaient en revanche avec dédain une jeune femme qui ne leur paraissait pas digne de leur compagnie : l'« assistante photographe » Eva Braun était l'objet de remarques mordantes et de moqueries irrespectueuses dès qu'elle donnait une réception dans l'entourage d'Hitler. L'épouse du ministre de la Propagande considérait elle aussi qu'il était en dessous de sa dignité d'inviter sa rivale, considérée – non sans quelque raison – comme une « idiote blonde », pour bavarder autour d'un café. Mais lorsque sa compagne indignée lui fit part du chagrin que lui inspirait l'ostracisme de ce beau monde, le Führer en fut courroucé et, pendant un certain temps, il traita Magda Goebbels avec une froideur appuyée. Lui qui venait volontiers lui rendre visite en temps normal ne se montra plus chez elle.

Elle fut blessée par l'attitude d'Hitler, mais à son habitude elle n'en laissa rien voir. Sa vertu cardinale était la maîtrise de soi. Grâce à la discipline de fer qu'elle s'imposait quotidiennement, respectant à la minute près un emploi du temps très précis, elle savait aussi préserver les apparences d'une famille heureuse, alors que cet univers menaçait ruine depuis longtemps. Sans laisser paraître la moindre émotion, elle accueillit même un jour, en toute courtoisie, une visiteuse inattendue à sa table de petit déjeuner avant de la faire froidement raccompagner à la gare. La jeune dame, cela ne faisait aucun doute, avait passé la nuit avec le maître de maison.

Réception dans les bureaux de Goebbels en 1936.

Mme Quandt produisait dès le premier regard une très bonne impression, qui s'améliorait encore au fil de la conversation… J'ai vu quel plaisir causait à Hitler sa vivacité ingénue. Et j'ai aussi remarqué à quel point ses grands yeux restaient suspendus au regard du Führer.

*Otto Wagener, chef d'état-major de la SA
et conseiller économique d'Hitler*

Hitler la vénérait, elle l'adulait encore plus. Et lui acceptait ses conseils, en général, mais aussi sur la manière de diriger les affaires de l'État. Elle était très discrète et très aimée, très réservée, très, très modeste.

*Herbert Döhring, régisseur
d'Hitler au Berghof*

Elle était folle à l'idée d'être admirée par Hitler. Elle voulait toujours qu'il l'admire. Parce qu'elle était la « première dame » du Reich, et parce que Hitler n'avait pas d'épouse.

*Ariane Sheppard,
demi-sœur de Magda Goebbels*

Même devenu père de famille, Goebbels n'avait pas renoncé à cette manie qui le poussait à prouver ses talents de don Juan. Au contraire : le règne qu'il exerçait sur l'ensemble de la vie cinématographique du Troisième Reich lui assurait la maîtrise du divan où se distribuaient les rôles. Une quantité de stars et de starlettes de la UFA acceptèrent, bon gré mal gré, d'orner de leur glamour la réputation de séducteur irrésistible du ministre. Car ce Casanova pétri de complexes était obsédé par son image de marque. « Louis XIV, Charles d'Angleterre et Napoléon victorieux, proclamait-il avec la mégalomanie qui le caractérisait, pouvaient séduire autant de femmes qu'ils voulaient ; et pourtant, le peuple les adulait. »

Goebbels n'eut certes pas la possibilité de rivaliser, de ce point de vue, avec ses modèles historiques ; cela n'empêcha tout de même pas le peuple de se répandre en commérages sur le « bouc de Babelsberg » et ses fredaines. Une légende très populaire voulait que l'épouse du coureur de jupons eût été la seule à ne pas entendre parler de ses nombreuses infidélités. En réalité, elle préférait sans doute fermer les yeux. Il était beaucoup plus important pour elle de préserver son foyer et les apparences.

Mais la maîtresse de maison savait aussi exciter la jalousie du don Juan qui partageait son existence. Le 1er août 1936, une fois de plus, Goebbels nota dans son journal une « violente dispute avec Magda » : « Rosenberg m'a raconté une histoire désagréable avec Lüdecke. J'en parle à Magda. Mais l'affaire n'est pas encore élucidée. »

Kurt Georg Wilhelm Lüdecke, né en 1890, faisait partie dans les années 1920 du premier cercle d'Hitler ; il avait à l'époque établi le contact avec des activistes nazis aux États-Unis. Il avait été lié pendant un certain temps à Magda en 1930, après son divorce d'avec Quandt. C'est lui aussi, selon ses propres dires, qui à l'époque l'avait fait entrer au NSDAP. Les intrigues entre factions rivales l'avaient cependant bientôt placé en marge du parti. Il avait même été brièvement interné au camp de concentration de Sachsenhausen en 1934, jusqu'à ce qu'un autre membre du mouvement nazi l'aide à prendre la fuite. Il semble qu'il ait maintenu le contact avec Magda en espérant, entre autres, qu'elle le protégerait.

Si l'on en croit le rapport que Lüdecke rédigea en 1937 depuis son exil américain pour régler ses comptes avec le régime national-socialiste, il avait rendu plusieurs visites à son ancienne compagne. La dernière remontait à 1936 : « J'étais justement en train de raconter à Mme Goebbels la déception que m'inspiraient, en cette heure critique, des rivalités indignes au sein du parti. Nous étions assis sur un canapé large et confortable. Devant nous, une table basse. Je parlais avec passion et Magda, dans un geste d'amitié et d'empathie, posa sa main sur mon bras... Soudain, la porte s'ouvrit, et le petit docteur apparut. Il resta un moment immobile, garda la main sur la poignée et nous dévisagea, les yeux écarquillés, le visage livide et fatigué. Un silence embarrassant s'installa pendant un instant. Je me levai lentement, retirai doucement mon bras de la main de Magda. Goebbels s'approcha, l'air sombre... Manifestement, il n'était pas fou de joie de me trouver là. Son épouse me demanda de rester pour le dîner, mais je la priai de m'excuser et partis immédiatement. »

Tout cela n'aurait-il été qu'un funeste malentendu ? Dans son journal, Goebbels décrit en tout cas une véritable crise conjugale : « D'abord violente dispute avec Magda. À propos de la visite. Elle pleure et me fait de nouveau de la peine. C'est lamentable. L'histoire avec Lüdecke n'est pas tout à fait claire non plus. Me dit-elle la vérité ? Je ne sais pas. » Le soir, il en apprit davantage : « Dans la nuit, Magda a avoué que l'histoire avec Lüdecke est exacte. J'en suis très déprimé. Elle m'a menti en permanence. Grande chute de confiance. Tout cela est tellement épouvantable. Dans la vie, on ne s'en sort jamais sans compromis. C'est ce qu'il y a de terrible ! Il me faudra beaucoup de temps pour m'en remettre. »

Ce rétablissement, l'époux torturé par la jalousie le chercha pour sa part, sans le moindre scrupule, dans les escapades amoureuses. Il y eut pourtant un cas où le galant ne sut pas se protéger contre des sentiments plus profonds. Sa toquade pour la jeune comédienne tchèque Lida Baarova, âgée de vingt-deux ans, se transforma en une liaison sérieuse qui faillit lui coûter très cher. À chaque fois qu'il le pouvait, le ministre emmenait la jeune femme avec lui dans sa maison de campagne du Bogensee, où tous deux pouvaient s'abandonner tranquillement à leur romance – que n'aurait pas reniée un scénariste. Au bout d'un certain temps, le couple se montra ouvertement et sans la moindre gêne lors des premières et des réceptions, jusqu'à ce que cette liaison devienne un sujet de discussion publique et politique, et que la rumeur en arrive finalement aux oreilles de Magda.

Dans ce cas-là non plus, l'épouse ne demanda pas le divorce mais chercha un arrangement qui préserverait les apparences. Elle fit venir Lida Baarova et stupéfia sa rivale en se livrant à une confession que la comédienne raconta ultérieurement. « Elle m'a dit : "Vous savez, c'est un génie, et nous devons le soutenir toutes les deux. C'est moi qui décide de ce qui se passe dans la maison. Ce qui se passe à l'extérieur m'est égal. Je ne vous demande qu'une chose : promettez-moi de ne pas avoir d'enfant de lui." »

Quelle qu'ait été la véritable teneur de cette conversation – et que Magda ait agi par conviction, par nécessité ou par ruse –, les personnes concernées s'essayèrent effectivement, pour un certain temps, au « ménage à trois ». « Une liaison fixe avec la Baarova, qu'il aime manifestement pour de bon, expliqua l'épouse trompée à son ex-belle-sœur, Ello Quandt, le détournera peut-être des innombrables autres aventures qui ruinent sa réputation et sa position. Je vais tenter de tenir bon, je vais tenter de le comprendre. Je peux peut-être garder Joseph auprès de moi par ma générosité. Un jour, cette histoire avec la Baarova s'achèvera comme les autres. Si je le quitte maintenant, j'aurai perdu mon mari pour toujours. Mais en agissant ainsi, je garde Joseph pour plus tard. Quand il sera vieux, il m'appartiendra tout entier. »

Bien que fondé sur une vision stratégique à long terme, ce trio forcé ne pouvait naturellement pas durer bien longtemps. Un soir, au théâtre, Goebbels humilia son épouse en public en paradant dans la loge voisine avec sa maîtresse. Il ne fut dès lors plus question de contenance. Magda était au bord de la dépression nerveuse. Comme c'était souvent le cas chez elle, les problèmes psychiques rejaillissaient sur sa santé. Elle passa quelques semaines dans sa maison de repos habituelle, le Cerf Blanc, à Dresde, pour se refaire une santé.

C'est alors qu'elle bénéficia d'un secours inattendu. Le secrétaire d'État et compagnon de lutte de Goebbels Karl Hanke lui proposa ses services de chevalier servant et lui apporta des preuves incontestables des infidélités de Joseph : des lettres sans équivoque et des rapports de police auxquels ses fonctions lui avaient donné accès. Le sauveur, qui avait eu pour sa part des visées sur l'épouse du ministre, la conforta dans une décision qui mûrissait peu à peu en elle : en finir, demander le divorce. Mais dans les milieux dirigeants, sous le Troisième Reich, une démarche aussi lourde de conséquences ne pouvait être entreprise sans l'assentiment du chef suprême. Avant que Magda ait pu faire part de ses intentions à Hitler, Goebbels eut vent de son projet et tenta d'en atténuer la portée auprès du Führer : tout cela n'était qu'hystérie féminine. Face à son épouse, le mari volage se présenta en revanche la mine piteuse, des fleurs à la main, pour lui promettre, dans un bel élan théâtral, de s'abstenir désormais de tout écart amoureux. À sa demande, il lui jura même fidélité sur la tête de ses enfants. Lorsqu'il l'eut fait, il repartit s'adonner à ses plaisirs habituels sans tenir le moindre compte des garanties qu'il avait données. Pour le ministre de la Propagande, le mensonge bien construit était le langage de tous les jours.

Mais grâce à son chevalier servant, la femme flouée eut aussitôt connaissance des nouvelles incartades de son époux. Le torchon brûla alors définitivement. Magda Goebbels déménagea et se réfugia dans la villa de Karl Hanke, dans le beau quartier berlinois de Grunewald. Ce n'était pas qu'elle cherchât la proximité du secrétaire d'État : il s'agissait pour elle d'infliger un revers à son mari infidèle dans cette guerre conjugale. « Magda est si dure et si cruelle », se lamentait Goebbels dans son journal. Et pris d'un violent accès d'autocompassion, il annonça qu'il préférait partir exercer les fonctions de consul au Japon plutôt que de se plier à ses volontés.

C'était compter sans l'arbitre suprême. Hitler fit savoir qu'il ne tolérerait pas le scandale d'un divorce à cause d'une maîtresse tchèque – d'autant qu'il prévoyait justement d'occuper le pays natal de la belle. La famille modèle du Troisième Reich devait maintenir cette image factice utile à la propagande. Le chef convoqua donc les époux brouillés au Berghof et leur ordonna de se réconcilier – réconciliation qui fut immédiatement illustrée par une photo de la famille unie destinée à la presse du Reich. Goebbels se vit formellement interdire tout contact avec Lida Baarova et fut banni pendant quelque temps du cercle des favoris du tout-puissant. Après un bref délai de décence, sa maîtresse fut raccompagnée dans sa patrie. Quant à l'épouse, elle pouvait triompher : la façade était réparée.

Toutefois, Magda n'était pas prête à revenir aussi docilement dans le monde irréel de l'harmonie domestique. Pendant un certain temps, elle envisagea sérieusement de répondre favorablement à la pressante demande en mariage d'Hanke. Mais au mois d'août 1939, elle décida finalement de regagner son foyer. L'année suivante, elle donna le jour à Heide, « l'enfant de la réconciliation ». Goebbels se débarrassa élégamment de l'infidèle Hanke. Il veilla à ce que le secrétaire d'État soit nommé gauleiter à Breslau, la ville silésienne dont il était originaire, et disparaisse ainsi du champ de vision de son épouse.

Tandis que Magda sortait de sa crise conjugale, le régime auquel elle s'était vouée refermait ses griffes autour de son père adoptif, Richard Friedländer. Sous le règne de l'antisémitisme organisé, l'homme auprès duquel Magda avait passé sa jeunesse perdit son emploi et sa position sociale. Devenu chef de rang dans une buvette du Tiergarten, à Berlin, il avait du mal à assurer sa survie et celle de sa nouvelle épouse, Erna Charlotte. Mais à l'instar de beaucoup de Juifs il écartait l'idée d'une émigration, estimant à tort que son pays devait tout de même se sentir obligé envers lui, un officier de la Première Guerre mondiale. Il tenta d'obtenir une entrevue auprès de son presque gendre Joseph Goebbels. Mais si l'on en croit le récit de son petit-fils, il fut éconduit d'une manière glaciale. On peut donc supposer que l'épouse de Goebbels était elle

Le couple Goebbels avec le ministre italien Alfieri.

Long palabre avec Magda. Elle me parle de ses bals, de ses mondanités et de Dieu sait quoi. Mais cela ne m'intéresse pas.

Joseph Goebbels, journal, 17 février 1939

C'était la meilleure maîtresse de maison que l'on pût imaginer, très prévenante, avec une grande agilité dans les discussions. Elle savait éviter les écueils pendant les conversations, et donnait ainsi l'impression d'être une grande dame. Manifestement, elle avait l'habitude de jouer un rôle en société. Et elle le jouait de manière admirable.

Wilfried von Oven, conseiller personnel de Joseph Goebbels

Elle a pleinement rempli son rôle de première dame du Reich. L'essentiel, à ses yeux, c'était d'exaucer les vœux d'Hitler, parce qu'il n'avait pas de femme. Eva Braun était là, mais elle n'avait aucune autorité.

Ariane Sheppard, demi-sœur de Magda Goebbels

aussi au courant du destin de Friedländer, même si elle évitait soigneusement toute espèce de contact.

En 1938, les autorités nazies abandonnèrent toute retenue tactique en matière de « politique juive ». Après la discrimination, la dépossession de leurs droits et l'interdiction professionnelle, on tenta de pousser les Juifs allemands vers l'étranger par des mesures de répression ciblée, en les forçant à abandonner tous leurs biens. Cette extorsion de fonds reposant sur un chantage généralisé débuta en juin 1938 avec une première vague d'arrestations. Le père adoptif de Magda fut l'une des premières victimes. Dans cette rafle que la propagande présenta comme une campagne contre les « réfractaires au travail » et les repris de justice, deux mille Juifs, vivant pour la plupart dans la région administrée par Goebbels, furent interpellés et emmenés au camp de concentration de Buchenwald. Richard Friedländer fut arrêté le 15 juin 1938 sur son lieu de travail, enfermé dans le train pour Weimar et, de là, transporté en poids lourd vers le camp pénitentiaire voisin, sur l'Ettersberg.

Un survivant décrivit ce qui y attendait les nouveaux venus, le plus souvent des médecins, des avocats, des commerçants ou des ouvriers d'un certain âge : « À notre arrivée dans le camp de concentration de Buchenwald, nous passâmes sous une haie d'honneur de la pire espèce. Là encore, les SS nous rouèrent de coups de pied et de poing. » On les entassa dans une ancienne bergerie, où ils se retrouvèrent à cinq cents. « Nous n'avions pas de place. Aucune table, aucune chaise, aucun lit n'avait été prévu pour nous. Nous devions nous coucher la nuit à même le sol, nous ne pouvions pas nous allonger, nous étions beaucoup trop serrés pour cela. » Au cours des premiers jours, les prisonniers n'eurent ni la possibilité de se laver ni celle de manger quoi que ce soit. Ils subirent en revanche des appels de plusieurs heures, des exercices militaires, des coups, la torture et la fustigation en public – il suffisait pour cela qu'un détenu soit surpris, par exemple, en train de fumer.

Enfin, les prisonniers durent accomplir un travail d'esclaves dans les carrières et construire des routes, chaque jour de six heures à vingt heures, le dimanche jusqu'à seize heures. « Lorsque nous nous rendions en colonnes à notre travail, nous avions parmi nous des hommes de soixante-cinq ans. Le SS, une canne à la main, nous poussait – ou plus exactement nous fouettait – vers notre nouveau lieu de travail, la terrible carrière. Là – alors que quatre-vingts pour cent d'entre nous n'avaient jamais accompli de travail manuel –, on nous chargeait sur les épaules des blocs de pierre d'un poids tel que même des ouvriers aguerris avaient du mal à les porter. Certaines de ces pierres étaient si lourdes qu'il fallait les soulever à plusieurs pour les hisser sur les épaules d'un autre. Ensuite, nous devions porter les blocs sur une chaussée située à environ mille cinq cents mètres de là, elle aussi construite par des détenus. La chaussée montait en pente raide, et les sentinelles SS réparties sur le chemin nous harcelaient pour que nous avancions au pas de course. On nous donnait des coups de pied et des coups de crosse. Les vieux, qui n'en pouvaient plus, étaient ceux qui souffraient le plus. Ensuite, à chaque fois, on retournait à la carrière au pas de course. Et le harcèlement reprenait. »

Au mois d'octobre 1938, plus de cent détenus avaient déjà péri sous la torture. Les épidémies qui firent rage ensuite parmi les prisonniers exténués et mal nourris multiplièrent le nombre des morts. Richard Friedländer ne survécut pas aux conditions de vie inhumaines qui régnaient à Buchenwald. « Dégénérescence cardiaque suite à une pneumonie » : telle fut la mention lapidaire portée sur son certificat de décès le 18 février 1939. Les sbires du régime l'avaient torturé à mort. Peu de temps avant l'industrialisation de la mise à mort, le père adoptif de Magda Goebbels avait été la victime de la démence raciste nationale-socialiste. Sa veuve, qui avait tenté d'adoucir sa captivité en lui adressant chaque semaine la somme maximale autorisée, cinq Reichsmark, ne reçut que son cercueil. Richard Friedländer trouva son dernier repos dans une tombe anonyme du cimetière juif de Berlin-Weissensee.

On ignore si sa fille adoptive entendit parler de sa disparition, et même si elle s'y intéressa. Mais elle accepterait l'extermination des Juifs, dont elle avait été si proche dans sa jeunesse, comme l'accepteraient tant de partisans des nazis. Elle saurait pourtant mieux que la plupart de ses compatriotes quel destin le régime allait réserver à ceux qu'il traquait. Joseph Goebbels ne le cacherait pas à sa femme. « Tout ce qu'il me dit à présent est atroce. Je ne le supporte plus, avouerait-elle à Ello Quandt alors que les usines de la mort seraient depuis longtemps en activité. Tu ne peux pas t'imaginer de quelles choses terrifiantes il me charge, et je ne peux me confier à personne pour épancher mon cœur. Je ne dois en parler à personne... Il me dit tout cela pour se soulager, parce que cela devient trop lourd pour lui. C'est inconcevable, inimaginable. »

Avec la guerre de conquêtes déclenchée par Hitler en 1939, le couple Goebbels se reforma. Le propagandiste était désormais entièrement dans son élément. La guerre lui fournissait des cibles qui lui permettaient d'ajuster son artillerie rhétorique. Comme au temps du combat de la première heure, une époque dont il parlait avec bonheur, il pouvait lancer des attaques et annoncer des victoires réelles ou supposées.

Sous le signe de l'offensive patriotique générale, son épouse retrouva la fonction officielle de femme exemplaire dont on l'avait privée en temps de paix. Pour illustrer l'esprit de sacrifice qu'on exigeait désormais, elle suivit dès le début du conflit, dans un hôpital militaire, une formation d'infirmière de la Croix-Rouge – un savoir qu'elle ne mit cependant jamais en application. Mais qu'il s'agît de prononcer des allocutions devant des femmes, d'accueillir les épouses de chefs d'État étrangers, de loger des soldats revenus du front ou de réconforter des veuves de guerre, Magda Goebbels était de nouveau présente.

Tout à fait dans le style d'une First Lady, la femme du ministre devint le relais des épouses et des mères affligées de tout le Reich. Des centaines de lettres implorantes arrivaient sur son bureau et témoignaient de l'espérance que l'on plaçait en elle. Certaines femmes en détresse lui demandaient un soutien financier, et elle disposait effectivement d'un budget particulier pour les aider. D'autres demandaient son intercession pour faire revenir leurs enfants des foyers de l'opération « Envoyons nos enfants à

Magda recueille un don d'Hitler le jour de la Solidarité.

Ça se voyait... Hitler était totalement détendu avec elle. C'était l'une des rares dames à qui il demandait des conseils ; il en prenait connaissance et les appliquait peut-être, y compris dans de nombreux domaines concernant la manière de diriger les hommes.

Herbert Döhring, régisseur d'Hitler au Berghof

Les rapports entre Hitler et Mme Goebbels étaient purement intellectuels, mais très étroits. Le Führer discutait beaucoup et volontiers avec elle en tête à tête.

Wilfried von Oven, conseiller personnel de Joseph Goebbels la campagne». «Comme vous êtes aussi une mère aimante, écrivait une solliciteuse en 1941, j'espère que vous comprendrez pleinement ma situation.» La mère exemplaire se montra compréhensive et fit en sorte que le fils évacué rentre à Berlin. Outre les appels au secours, on trouvait aussi dans son courrier des lettres de partisanes qui exprimaient leur profonde admiration à la «première dame du Reich» – parfois en termes poétiques un peu maladroits. «L'auréole des gens très bons plane sur tes cheveux blonds, s'exaltait ainsi une admiratrice de Francfort. Le bonheur dans tes yeux se reflète! Grande est la légion des enfants qui t'entoure, et dans l'amour sonne toujours le nom de mère... Ô symbole de la femme allemande, je vois dans tes yeux bleus ton âme généreuse...»

Ainsi élevée au rang de modèle, le «symbole de la femme allemande» s'efforçait d'afficher une attitude conforme à la ligne du parti. Pendant trois mois, elle ne se fit plus conduire par son chauffeur mais prit le tramway pour se rendre en ville, et forma même le projet d'occuper un poste dans la production d'armes chez Telefunken, ce dont l'empêcha finalement sa santé défaillante. Plus tard, aux côtés de ses domestiques, elle prépara à domicile des bobines d'allumage destinées à l'armement. Les invités de la maison n'obtenaient plus leur maigre repas que contre des tickets de rationnement.

Harald, le fils de Magda en premières noces, fut envoyé sur le front dès le début de la guerre. Elle avait beau suivre avec inquiétude la périlleuse progression du jeune lieutenant, elle ne voulait pas qu'il bénéficie d'un traitement de faveur. Au contraire, la mère et le beau-père notaient avec une grande fierté ses récompenses militaires, mais exigeaient aussi de lui un engagement inconditionnel au combat. Lorsque, au début de 1944, Harald fit un séjour dans un hôpital militaire de Munich à la suite d'un refroidissement, cela lui fut reproché comme une sorte de désertion. Goebbels lui-même le nota dans son journal: «Je l'invite à recouvrer la santé le plus vite possible et à regagner son régiment. Du reste, Magda lui rendra visite lundi à Munich et lui remettra les idées en place.» Cette entrevue ne fut pas sans effet. Harald revint dans son unité en Italie. La même année, blessé lors de sévères combats, il fut capturé par les Britanniques.

Le retournement militaire sur le front, après la catastrophe de Stalingrad, servit le ministre de la Propagande. Désormais affublé du titre de « plénipotentiaire pour l'engagement total dans la guerre », Goebbels fut doté de vastes pouvoirs, qui devaient lui permettre d'éliminer les derniers restes de vie civile et de passer les entreprises au peigne fin dans le but d'y trouver des réserves pour le front et l'industrie de l'armement, comme il l'avait fait savoir sous des applaudissements frénétiques dans le tristement célèbre discours du Palais des Sports où il avait annoncé la « guerre totale ». Son épouse, dans l'auditoire, le soutenait de sa fièvre totalitaire. « Je suis très heureux, écrivit fièrement Goebbels dans son journal, que sur la question de la guerre totale, notamment, elle défende un point de vue tout à fait inflexible et radical. Si toutes les femmes nazies pensaient comme elle, les perspectives de notre guerre totale seraient certainement meilleures. »

Magda Goebbels ne souffrit cependant pas beaucoup des conséquences de cette attitude démentielle : elle n'eut pas à lutter pour sa survie dans les ruines ni à effectuer un travail exténuant dans l'armement. En août 1943, elle alla s'installer avec ses enfants dans la propriété familiale du Bogensee. Dans le cadre paisible et idyllique de la Schorfheide, au nord de Berlin, les vrombissements des moteurs de bombardiers paraissaient provenir d'un monde lointain. Si des occasions importantes exigeaient un séjour dans le palais de service de Goebbels, près du ministère de la Propagande, on y installait une bonne protection antiaérienne. Un ascenseur feutré transportait les habitants dans un appartement-bunker, quatorze mètres sous terre, équipé de tapis, de fauteuils, de chambres, d'une cuisine, d'une aération et d'une cave à vin bien remplie, afin de prévenir toute perte de confort pendant les nuits de bombardements.

Mais avec la guerre, Magda Goebbels eut de moins en moins d'occasions de se consacrer à son harmonie familiale retrouvée. Elle fit des séjours en clinique et en maison de repos qui durèrent des semaines, parfois des mois. Des inflammations douloureuses de la mâchoire et du nerf facial, des malaises cardiaques et de sévères dépressions transformèrent cette femme jusqu'alors pleine d'énergie en une créature crépusculaire et apathique dont le déséquilibre s'exprimait aussi par une consommation croissante d'alcool et de cigarettes.

Les symptômes morbides étaient en quelque sorte le reflet externe de sa décomposition intérieure. Malgré toute la rhétorique qu'elle déployait et la résistance dont elle faisait preuve en public, Magda n'avait plus guère de doutes sur la disparition imminente du Reich auquel elle avait voué son existence. Avec l'irrésistible avancée de l'Armée rouge et l'échec de l'offensive des Ardennes, en 1945, les derniers espoirs de retournement militaire s'effondraient. Les conversations de Goebbels devant la cheminée de leur maison de campagne, au bord du Bogensee, tournaient désormais le plus souvent autour du scénario de leur décès programmé. Après une longue lutte et beaucoup de larmes, Magda tomba d'accord avec son époux : elle resterait à Berlin jusqu'au bout et garderait les enfants auprès d'elle. « J'annonce au Führer que ma femme est fermement décidée à rester elle aussi à Berlin et se refuse même à confier nos enfants à des tiers, consigna Goebbels dans son journal, le 1er février 1945, à l'attention de la postérité. Le Führer ne considère pas que cette attitude soit la bonne, mais il la juge admirable. »

Leurs interlocuteurs de l'époque confirment tous que les parents avaient pris leur décision : toute la famille devait mourir. « Maintenant, nous devons tous nous empoisonner », annonça sèchement Magda Goebbels le 22 avril, lorsqu'elle se rendit avec sa famille pour la dernière fois au bunker d'Hitler, sous la chancellerie du Reich. « La vie après l'effondrement ne méritera plus d'être vécue, expliqua-t-elle à Ello Quandt. Surtout pour ce qui nous concerne, nous qui avons été à la tête du Troisième Reich. Nous devons en tirer les conséquences. Nous avons exigé des choses inouïes du peuple allemand, et traité d'autres peuples avec une implacable dureté. Les vainqueurs se vengeront de manière impitoyable. Nous ne pouvons pas nous y soustraire lâchement. Tous les autres ont le droit de

La famille Goebbels à la fin de la guerre.

La femme a été créée pour devenir mère, l'homme pour préserver et protéger la famille. De la même manière que l'homme trouve son plus grand bonheur dans le résultat de sa création, de ses aspirations et de son travail, en atteignant le but de sa vie, la femme ne trouve ce bonheur qu'en accomplissant ce pour quoi elle vit, dans la maternité !

Magda Goebbels, Le Bonheur de bercer, *1941*

Les enfants étaient habillés très simplement, toute leur attitude en faisait des enfants tout à fait ordinaires.

Brunhild Pomsel, secrétaire au ministère de la Propagande

continuer à vivre, mais pas nous. Nous n'avons pas ce droit. Nous avons failli à notre mission. »

Pourtant, en dernière analyse, il s'agissait moins d'assumer l'échec que d'échapper à la responsabilité. Le fait d'invoquer en termes grandiloquents une fidélité aveugle au Führer ne pouvait faire illusion sur ce point. Être proche de son idole pendant les dernières heures du Reich : cette idée délirante dissipait toutes les mises en garde de la raison.

La disciple considéra donc avoir atteint le plus haut palier du bonheur lorsque Hitler, dans le couloir vide du bunker, lui fit ses adieux et lui remit son « insigne d'or du parti ». Magda, qui se maîtrisait si bien d'ordinaire, fondit en larmes. Jamais auparavant une femme n'avait obtenu cette distinction. Elle ne valait pas plus, à présent, qu'une breloque en fer-blanc ; mais Magda Goebbels avait perdu depuis longtemps le sens de la réalité qui lui aurait permis de le comprendre. « Hier soir, le Führer a ôté son insigne d'or du parti et l'a accroché sur ma poitrine, écrivit-elle dans sa lettre d'adieux à son fils Harald, le seul de ses enfants à avoir survécu à la guerre. Je suis fière et heureuse. Dieu fasse qu'il me reste la force d'accomplir le dernier acte, le plus difficile. Nous n'avons plus qu'un objectif : la fidélité au Führer, jusque dans la mort ; pouvoir terminer notre vie avec lui est une grâce du destin inespérée. »

Certains tentèrent pourtant de sauver les enfants Goebbels en les faisant sortir du bunker. Amis, relations, fonctionnaires du régime, et même Hitler en personne, proposèrent à Magda des possibilités d'évacuation. En dernier lieu, la pilote Hanna Reitsch implora la mère d'emmener ses enfants par avion hors de la capitale pour laquelle on se battait. Mais Magda resta intraitable. Sa décision était prise.

Le 1er mai 1945, le lendemain du suicide d'Hitler, elle habilla ses enfants de tenues blanches et les prépara. Un médecin l'assistait, qui rapporta ses propos. « N'ayez pas peur, les enfants, les tranquillisa-t-elle, vous allez recevoir une piqûre comme on en fait à tous les soldats. » Lorsque les injections eurent produit leur effet et que les enfants furent endormis, la mère – le médecin avait préféré quitter la chambre – administra des ampoules de cyanure à

Helga, douze ans, Hilde, onze ans, Helmut, neuf ans, Holde, huit ans, Hedda, six ans, et Heide, quatre ans.

Avant de mettre fin à ses jours en même temps que son mari, Magda Goebbels se rendit encore une fois au plus profond du bunker et fit une dernière patience sur une table. Désormais, elle avait tout perdu.

Eva Braun

L'amie

Je ne souhaite qu'une chose : tomber sérieusement malade et ne plus entendre parler de lui pendant au moins huit jours. Pourquoi ne m'arrive-t-il rien ? Pourquoi dois-je endurer tout cela ?

Il n'a besoin de moi qu'à des fins bien précises.

Pourquoi me tourmente-t-il ainsi ? Pourquoi ne met-il pas tout de suite le point final ?

En fait, il est bien normal qu'il n'ait pas beaucoup d'intérêt pour moi, alors que tant de choses se passent en politique.

L'amour semble momentanément rayé de son programme.

Moi, l'aimée du plus grand homme d'Allemagne et de la terre.

Le Führer lui-même a totalement cessé de croire en une issue heureuse.

Notre fin peut survenir n'importe quel jour, à n'importe quelle heure.

Eva Braun

Elle avait une petite silhouette chic, mince, très soignée. Il est vrai qu'elle avait le temps et l'argent pour ça. Une superbe garde-robe. Elle se changeait plusieurs fois par jour, au déjeuner, au dîner… D'une certaine manière, elle était attachante.

Herbert Döhring, régisseur d'Hitler au Berghof

Elle était vaniteuse, bien entendu, sans cela elle ne se serait pas changée aussi souvent. Mais elle ne le faisait pas pour les autres : c'était juste pour elle-même. Elle voulait toujours se voir dans une nouvelle pose, une nouvelle robe.

Gertraud Weisker, cousine d'Eva Braun

Elle n'a jamais réagi positivement ou négativement aux mesures politiques ou aux actes violents d'Hitler. Cela ne l'intéressait pas. Contre les Juifs, elle n'a, à ma connaissance, jamais rien dit non plus. Pour elle, c'était un domaine parfaitement inconnu ; elle ne s'occupait pas des vrais problèmes, ceux qui animaient Hitler et ceux qu'Hitler provoquait.

Otto Gritschneder, avocat de la famille Braun après 1945

Elle n'a jamais tenu de journal, elle disait : « Mon journal, ce sont les films. »

Margarete Mitlstrasser, femme de chambre d'Eva Braun

Elle aurait pu être une jolie petite vendeuse dans une boutique de chaussures, avec laquelle on aurait volontiers bavardé. C'était une créature moyenne, une… une jolie petite fille allemande issue d'un milieu modeste.

Reinhardt Spitzy, conseiller du ministre des Affaires étrangères Joachim von Ribbentrop

Personne ne le savait. Je crois que c'était le secret le mieux gardé ; personne n'était tenu de ne pas en parler, mais bizarrement, par instinct, on n'en disait rien à personne et l'information ne circulait pas.

Traudl Junge, secrétaire d'Hitler

C'était l'année où le régime national-socialiste mettait en scène sa grande illusion. En 1936, les peuples se retrouvaient pour participer aux jeux Olympiques d'été à Berlin. Pendant quelques semaines, on travailla activement à l'image du Reich d'Hitler afin de le rendre présentable. Le parti dut se faire discret, on ordonna à la SS et à la Gestapo d'adopter de bonnes manières, les slogans antisémites disparurent des murs, le brûlot qu'était la revue *Der Stürmer* ne fut plus vendu que sous le comptoir. Toute une série de magazines étrangers réapparurent soudain à l'étal des kiosques. Sur la table du journaliste « Alois W. » atterrit un exemplaire de *Paris-Soir* – une feuille à scandales qui ne s'intéressait pas spécialement à la politique ; mais cette édition de septembre n'était pas comme les autres. Une manchette explosive barrait la dernière page : « Les femmes qui entourent Hitler. » À la fin du reportage, on pouvait lire : « La favorite actuelle est sans aucun doute Eva Braun, fille d'un enseignant munichois. Manifestement, Hitler a oublié toutes les autres. »

« Cela m'a fait bondir de ma chaise », écrivit plus tard Alois dans un manuscrit qu'il dédia à une parente d'Eva Braun. « Eva ! Ça n'est pas possible ! Cette gamine à laquelle j'avais apporté une aide extrêmement insuffisante lorsqu'elle séchait désespérément sur son arithmétique, à laquelle j'avais retaillé plus d'une rédaction qui lui était ensuite revenue avec la sévère appréciation "Hors sujet !", cette jeune femme qui avait toujours gentiment récité sa prière le soir, engoncée qu'elle était dans la piété inculquée par sa grand-mère ? » Mais l'« oncle » Alois, le cousin de la mère d'Eva, avait bien lu. « Je me suis précipité sur le téléphone et j'ai appelé ma cousine Fanny pour l'informer que si je m'en tenais aux apparences, je pourrais très prochainement la féliciter d'être devenue la belle-mère du Führer. » Fanny Braun n'apprécia pas du tout l'humour de son cousin : « Elle me dit que je pouvais garder ce genre d'idioties pour moi, qu'elle avait suffisamment de difficultés avec cette histoire. Et puis, de toute façon, elle ne parlait pas au téléphone. »

L'oncle Alois avait touché le point faible des Braun, cette famille de la bonne bourgeoisie : la relation entre leur Eva et le chancelier du Reich, Adolf Hitler. Depuis des années déjà cette histoire leur causait bien du souci, car Hitler n'avait pas la moindre intention d'épouser la jeune Munichoise.

Les choses ne changeraient que neuf années plus tard, alors que le Reich d'Hitler serait sur le point de sombrer : « À ce moment-là, il n'avait plus aucune raison d'hésiter. Auparavant, on disait qu'il était marié avec l'Allemagne. Et désormais, l'Allemagne n'existait plus. Il a sans doute pensé qu'il était libre maintenant d'épouser la femme qu'il avait supportée pendant seize ans », dit aujourd'hui la cousine d'Eva, Gertraud Weisker, non sans ironie.

Berlin, 28 avril 1945. Les tirs précis des canonniers soviétiques font trembler le bunker enfoui sous la chancellerie du Reich. Neuf mètres au-dessous du sol règne une atmosphère de fin du monde. « Ce jour-là, Eva m'a dit quelque chose de très bizarre ; elle m'a dit : "Aujourd'hui vous allez pleurer." » Une des secrétaires d'Hitler, Traudl Junge, croit alors que l'instant où Hitler et Eva Braun vont mettre fin à leurs jours est venu. Mais il ne s'agit pas encore du dernier acte : « En fait, Eva voulait parler de son mariage avec Hitler. »

La rumeur courait depuis plusieurs jours déjà. Bien entendu, le doute était de rigueur. Pendant toute sa carrière politique, le dictateur avait tout fait pour n'être que le Führer, un chef mythique éloigné de tout ce qui était humain. Il fallut que le suicide soit devenu inéluctable pour que le tyran se décide à prendre pour femme cette fille qui, après de longues années d'amitié fidèle, était venue de son propre gré dans cette ville déjà pratiquement assiégée pour unir son destin au sien. Après des années d'humiliation, Eva Braun reçut enfin le salaire espéré : une alliance. La recherche de ce bijou avait eu lieu dans la panique la plus complète, et l'anneau était un peu trop grand pour la candidate au mariage. Ce furent des noces grotesques, et si elles eurent lieu, c'est manifestement parce que l'époux n'avait plus rien à perdre.

Même sous une grêle d'obus, on devait se marier en respectant à la lettre les règles de l'état civil. Hitler demanda, « compte tenu de la situation de guerre », que les bans soient simplement annoncés oralement, et non publiés. Ce ne fut pas moins macabre que l'attestation sur l'honneur rédigée par les futurs époux, certifiant qu'ils étaient d'origine aryenne et qu'ils ne souffraient d'aucune des maladies héréditaires excluant le mariage.

Eva Braun était nerveuse. On installa tant bien que mal, dans la salle de réunions du bunker de la chancellerie du Reich, une sorte d'autel nuptial. L'officier d'état civil Walter Wagner prononça les paroles solennelles que l'amie d'Hitler avait espéré entendre des années durant : « Je vous demande à présent, mademoiselle Braun, si vous avez la volonté de contracter cette union avec mon Führer Adolf Hitler. » Cette femme âgée de trente-trois ans n'hésita pas une seule seconde à répondre oui. On entendait en fond sonore une chanson romantique. La jeune fille des faubourgs de Munich était en train de vivre son rêve. C'est vêtue d'une robe de taffetas noir qu'elle devint l'épouse d'Hitler. Mais cette union pour le meilleur et pour le pire durerait moins d'une journée.

« J'avais le sentiment, dit Traudl Junge, qu'elle avait passé toute sa vie dans l'ombre, et qu'elle n'avait pratiquement aucune possibilité d'y changer quoi que ce soit. Pour moi, elle s'imaginait sans doute qu'en agissant ainsi elle entrerait au moins dans l'histoire sous les traits de la maîtresse héroïque. »

Lorsque le monde s'intéressa pour la première fois à

Eva Braun, après la fin de la guerre, les questions se bousculèrent : quelle femme pouvait bien avoir vécu au côté du dictateur, avoir été, des années durant, aussi proche du chef de guerre nazi, du meurtrier du siècle ? Que représentait-elle pour Hitler ? N'était-elle qu'une maîtresse, ou bien une partenaire ? Ignorait-elle le malheur que son amant avait infligé au monde ? Était-elle complice ? Pourquoi avait-elle suivi le dictateur, apparemment les yeux fermés, et jusque dans la mort ?

Le prélude de cette histoire est banal : au commencement, il y eut la jeunesse d'une fille très normale. Eva Anna Braun naquit le 6 février 1912 d'un enseignant, Friedrich Braun, et de son épouse Franziska, née Kronburger – « Fanny » était une couturière diplômée. La sœur aînée d'Eva, Ilse, avait à l'époque quatre ans ; Gretl vint au monde trois ans après Eva. Les petites filles grandirent dans un appartement bourgeois de la Isabella Strasse, reçurent une solide éducation catholique, avec communion et confirmation – tout cela, son père, un protestant, avait dû le promettre lorsqu'il avait épousé Franziska, laquelle était catholique.

Conservateurs et monarchistes, les Braun étaient une famille typique de la petite bourgeoisie munichoise ; en 1925, ils purent emménager dans un logement plus confortable. Un héritage leur permit d'acheter leur première voiture. Une bonne s'occupait des trois petites. Friedrich Braun aurait aimé avoir un fils, et le faisait parfois sentir à ses filles. C'est une thèse appréciée par certains auteurs : ce regret aurait provoqué chez Eva une sorte de complexe, et c'est peut-être la quête d'un père de remplacement qui lui aurait inspiré son penchant pour les hommes plus âgés qu'elle. Mais Eva ne s'allongea jamais sur un divan de psychanalyste.

« Les petites Braun étaient exactement comme nous. Elles ne se faisaient pas particulièrement remarquer. Elles jouaient avec nous comme les autres », se rappelle Anna Hiendlmeier, qui fut l'amie des trois sœurs.

Eva Braun fréquenta une école primaire catholique tenue par des religieuses. « Elle était difficile, dira plus tard l'une des nonnes, mais assez intelligente pour obtenir ce qu'elle voulait. » Certains professeurs estimaient qu'elle était sauvage et paresseuse. « Elle embobinait tout le monde. Je crois qu'elle n'a pas eu de mal à passer d'une classe à l'autre, sans gros efforts ni grandes performances. Elle était trop charmante pour cela », raconte la cousine d'Eva, Gertraud Weisker. Ce n'était donc pas du tout une enfant à problèmes. Jolie, gentille, toujours prête à faire des plaisanteries amusantes, mais choisissant soigneusement les tâches qu'il lui fallait accomplir ; c'était la chouchoute de la famille. « Aucune colère paternelle n'avait prise sur cette tête bouclée, avec ses yeux de chien fidèle et son sourire si bien travaillé », écrit son oncle Alois. Voulait-elle être la star de la famille ? « Pas la star, mais le centre : cela, oui, elle voulait l'être. Elle voulait être au milieu », estime sa cousine.

Elle prolongea son éducation catholique à l'institut des jeunes filles anglaises de Simbach – ironie de l'histoire, pour celle qui deviendrait la compagne de l'ennemi juré de l'Église et du christianisme. Au lycée, elle apprit la dactylographie, la comptabilité, l'économie domestique et le français. Mais les cours de musique et de dessin que son père lui donnait la possibilité de suivre ennuyaient la jeune Eva. Le sport et les vêtements furent les passions de toute sa vie. Plus tard, des films et des albums de photos illustreraient abondamment les goûts de la jeune femme. Alois se souvient : « Ilse, l'aînée des trois sœurs, montrait plus d'intérêt qu'Eva pour l'école, mais Eva compensait cela par un charme supérieur, qu'elle savait utiliser à bon escient ; elle vécut toute son existence dans le monde des sentiments, et se ferma totalement à l'univers du savoir. » Ce lien et ce rejet allaient au bout du compte être la tragédie de sa vie.

Ses lectures préférées étaient les romans d'aventures de Karl May – elle partageait du reste ce goût avec le jeune Hitler. Mais au moment où elle lisait les histoires de l'Indien Winnetou, lui ourdissait déjà des plans de coups d'État. Il voulait balayer jusqu'à la dernière trace de cette République de Weimar qu'il méprisait. Lorsque le putsch qu'il avait organisé en dilettante se solda par un échec, en 1923, Eva avait onze ans ; mais jusqu'à ce qu'ils se rencontrent pour la première fois elle n'entendrait pratiquement jamais parler de l'agitateur d'extrême droite. La

Eva adolescente et déjà sûre d'elle.

Quand je regarde les vieux films sur les sections féminines de la Jeunesse hitlérienne, j'y vois des nattes et, si possible, des cheveux ramenés vers le haut du crâne. Ces femmes-là étaient censées être attachées à la terre. L'étaient-elles ou non, c'est une autre question. La femme allemande ne fume pas, la femme allemande ne boit pas, la femme allemande ne se maquille pas. Mais Eva n'est jamais entrée dans ces clichés-là... Je crois qu'Hitler était attiré par son charme. Et je crois aussi qu'elle était attirée par cet homme plus âgé. Il avait vingt-trois ans de plus qu'elle. Et Eva était ce que l'on appellerait aujourd'hui une *teenager;* à l'époque, c'était une gamine qui voulait se détacher du clan familial.

Gertraud Weisker, cousine d'Eva Braun

politique ne l'intéressait pas. En revanche, elle appréciait beaucoup les revues sur le cinéma et les romans sentimentaux. Même si certains biographes l'ont écrit, nul ne sait vraiment si l'on trouvait dans ces romans une majorité de femmes se sacrifiant avec ferveur pour leur bien-aimé.

Autre sujet de discussion : jusqu'à quel point la jeune Eva rêvait-elle vraiment de devenir comédienne et danseuse ? En tout cas, la vie des stars la faisait rêver, et elle collectionnait leurs photos. Elle tenait beaucoup, pour sa part, à avoir une allure parfaite : « Le matin, avant l'école, elle se coiffait elle-même, d'une main, tout en faisant ses devoirs d'anglais de l'autre », raconta plus tard sa mère. Eva aimait avoir l'air chic, moins par goût du luxe que pour se donner en représentation et être reconnue. On l'appâtait facilement avec les signes extérieurs du pouvoir. Un jour, un ami lui prêta une moto ; elle la lui rendit en disant simplement qu'elle préférait les limousines – et ce n'était pas une simple question de confort.

La rumeur veut qu'elle ait entretenu toute sa vie le désir de devenir une grande star. Une chose est sûre : sa carrière professionnelle débuta dans une boutique qui avait un rapport avec l'image. Son père avait entendu dire qu'une place d'apprentie était libre chez Hoffmann-Photo, au 50 de la rue Schelling à Munich. Hoffmann avait une préférence pour les jeunes filles qui se laissaient exploiter. Mais une autre de ses qualités joua un bien plus grand rôle dans le destin d'Eva : il s'était hissé au rang de photographe attitré du parti ouvrier allemand national-socialiste, le NSDAP, dont il avait été l'un des premiers membres. Il était à tu et à toi avec Hitler. Dans les photos de lui que prenait ce fidèle serviteur, le chef nazi ne cherchait pas seulement un reflet : il voulait que ses poses fassent impression, transmettent au public la conscience de la mission qu'il devait accomplir. Il passait donc régulièrement au studio. Avec les dames qui y étaient employées, il se montrait galant, il distribuait de généreux baisemains et ne manquait jamais d'apporter de petits présents.

Comment Eva Braun fit-elle la connaissance de son futur amant ? Un soir de 1929, Hoffmann entra dans la boutique avec Herr Wolf – car ce patronyme, monsieur Loup, était celui qu'Hitler s'était choisi comme nom de guerre : c'est en loup qu'il comptait s'introduire dans le troupeau de ses adversaires.

Plus tard, Eva raconta l'épisode à sa sœur cadette, Gretl : « Le patron entre, accompagné par un homme d'un certain âge, avec une moustache bizarre et un manteau anglais en tissu clair, un grand chapeau de feutre à la main. Je les regarde par-dessus mon épaule, sans me retourner, et je constate que l'homme observe mes jambes. Ce jour-là, justement, j'avais raccourci ma jupe et je ne me sentais pas très bien, parce que je n'étais pas tout à fait sûre d'avoir réussi l'ourlet. Je descends et Hoffmann nous présente : "Monsieur Wolf." »

Hitler, *alias* Wolf, fit des compliments à Eva, ce qui éveilla sa curiosité. Mais elle ne savait manifestement pas à qui elle avait affaire. Après leur rencontre, Hoffmann lui demanda :

« Tu n'as pas deviné qui est ce monsieur Wolf ? Tu ne regardes jamais nos photos ?

– Non », répondit-elle.

Il était difficile de donner une meilleure illustration du manque d'intérêt absolu qu'elle éprouvait à l'égard de la politique. Mais désormais, elle avait des raisons de fouiller les tiroirs pour y trouver les portraits de l'inconnu.

Lorsque, rentrée chez ses parents, elle demanda qui était cet Hitler, c'est le père Braun qui lui répondit : « Un de ces jeunes blancs-becs qui croient avoir inventé le fil à couper le beurre. Celui-là, quand on le rencontre, mieux vaut changer de trottoir. » Eva ne laissa pas échapper le moindre mot sur sa rencontre avec le « jeune blanc-bec ». Ils se fixèrent en secret leurs premiers rendez-vous. Hitler invitait la petite Munichoise soignée au théâtre et au restaurant. Elle avait souvent du mal à assimiler ses torrents de paroles. Mizzi Joisten, une amie d'Eva, se rappelle que ces oraisons « ennuyaient effroyablement » la jeune femme. Elle devait aller feuilleter le dictionnaire pour comprendre les monologues qu'il avait tenus. Et pourtant, elle savait qu'elle voulait le revoir.

Il est certain qu'aucune relation amoureuse ne s'établit d'emblée entre Hitler et Eva. Mais lui appréciait cette jeune fille fraîche et naturelle, joyeuse et ingénue ; quant à elle, elle trouvait intéressant cet homme plus âgé qu'elle et qui lui faisait des compliments.

Les invitations à des parties de campagne avec pique-nique en Bavière alternaient avec des rendez-vous dans les cafés l'après-midi. Hitler était en permanence entouré d'une troupe de partisans, de chauffeurs et d'aides de camp. Cela impressionnait la foule – y compris, sans doute, les généreux donateurs qui lui rendaient visite en Mercedes et étaient flattés de parrainer pareille célébrité.

En 1930-1931 aussi, les relations demeurèrent platoniques. Il fallut attendre 1932, selon la logeuse Anni Winter, pour qu'Eva devienne la maîtresse d'Hitler, dans le logement qu'il habitait sur la place du Prince-Régent. C'est en tout cas ce qu'Eva laissa entendre à sa sœur Gretl.

« Si Hoffmann n'avait pas joué les marieuses, ils ne se seraient jamais mis ensemble. Mais Hoffmann n'a jamais cédé, il s'est obstiné dans son rôle d'entremetteur, il lui a pour ainsi dire servi Eva Braun sur un plateau d'argent, jusqu'à ce qu'il morde », raconte Herbert Döhring, le régisseur de la propriété du Berghof – dont l'épouse, Anna, était déjà au service d'Hitler au début des années 1930.

Hoffmann n'était pas du même avis : « Ni moi ni personne d'autre n'a remarqué l'intense intérêt qu'Hitler lui portait. Ce n'était pas le cas d'Eva. Elle a raconté à ses amies qu'Hitler était amoureux d'elle, et qu'elle parviendrait certainement à le convaincre de l'épouser. » Même si le photographe dément être sciemment intervenu dans cette histoire, la liaison d'Hitler et d'Eva Braun l'arrangeait beaucoup. Elle consolidait la relation sociale qu'il entretenait avec cet homme important. La boutique de photo prit son essor.

D'emblée, c'est Hitler qui fixa le rythme de sa relation avec Eva. Quand et où se rencontrer ? À quelle fréquence ? Il exigeait la plus grande discrétion. Ses objectifs politiques, et tout ce qui lui paraissait important pour les servir, passaient avant tout – y compris les contacts avec la « bonne société », avec les dames bienveillantes et fortunées. Il s'entourait volontiers de « riches et de belles » : c'est elles qui le rendaient fréquentable. Eva en tremblait de jalousie : pour les autres femmes, manifestement, il trouvait du temps.

C'est avec celles-là qu'il se montrait. Elle, Eva, il la gardait cachée.

Hitler voulait une liaison sans exigences, sans soucis et sans obligations. « Pour l'amour, j'ai une fille à Munich », répondit-il un jour à la question de son aide de camp, Weidemann. Et bien entendu, on vérifia le pedigree de la jeune fille. Bormann, l'auxiliaire dévoué, passa au crible l'arbre généalogique des Braun pour s'assurer qu'ils étaient bien de purs « aryens ».

La « bécasse » ne serait jamais une véritable interlocutrice pour Hitler. Cet homme impérieux n'en cherchait d'ailleurs aucune. « Les gens très intelligents doivent prendre une femme primitive et bête. Vous vous rendez compte, si j'avais en plus une femme qui se mêle de mon travail ! Pendant mon temps libre, je veux être au calme. Je ne pourrai jamais me marier ! » dit-il un jour à Albert Speer. Mais plus le temps passait, plus Eva faisait de lui le centre de sa vie. « Il a eu du pouvoir sur elle. Il a utilisé ce pouvoir, et s'il a pu le faire, c'est uniquement parce qu'elle s'est laissé exploiter », estime la cousine d'Eva, Gertraud Weisker, à propos de cette comédie. Attendre Hitler devint la principale activité d'Eva Braun.

En 1932, elle habitait toujours chez ses parents et téléphonait à Hitler en utilisant un appareil qu'Hoffmann lui avait fait installer, officiellement pour des raisons professionnelles ; elle parlait souvent sous sa couette, pour que ses parents n'entendent rien. Mais lui donnait de plus en plus rarement de ses nouvelles. Son obsession, désormais, était de prendre le pouvoir. Depuis les élections de 1930 au Reichstag, l'agitateur disposait de cent sept députés nazis. Une nouvelle campagne électorale était en cours. Ce séducteur la menait par des moyens modernes, en utilisant l'avion et en déployant des techniques de propagande impressionnantes. Il voulait que les Allemands le croient omniprésent, qu'ils le voient descendre du ciel planant vers eux, comme un messie. En consacrant autant de temps à la démagogie, il pouvait difficilement en trouver pour la petite Munichoise. Au cours de la dernière phase de la campagne électorale de novembre, il ne donna plus aucune nouvelle.

La patience d'Eva Braun avait déjà été mise à rude épreuve. Cette fois, la jeune femme sombra dans le désespoir. Elle s'installa dans son rôle de victime. Elle caressait de plus en plus souvent l'idée de mettre fin à ses jours. Pourquoi ne songeait-elle pas à se séparer d'Hitler ?

Il est significatif qu'elle ait plus volontiers envisagé la mort qu'une séparation. On peut spéculer sur ses motifs. Il ne fait aucun doute qu'elle était attirée par cet homme étrange qui allait vers son zénith. Le sentiment qu'elle avait de sa propre valeur semblait en outre totalement lié à la réussite de cette relation. Jalouse et, dans une certaine mesure, orgueilleuse comme elle l'était, elle ne voulait sans doute pas non plus l'abandonner à une autre. L'oncle Alois écrit : « Pour elle comme pour tant de femmes, Hitler était la grande tentation. Qui pourrait reprocher à la petite Eva d'avoir finalement succombé à la fascination de cet homme ? Qui ne le comprendrait pas ? Des femmes d'une tout autre envergure intellectuelle et personnelle avaient déjà été plus ou moins séduites par lui. »

Elle le voulait certainement tout entier pour elle et ce quelle qu'en fût la raison – fascination, érotisme du pouvoir ou fierté. En tout cas, aucune marche arrière n'était plus possible. Sa cousine tente de comprendre : « À dix-sept ans, elle rencontre un homme au regard d'hypnotiseur et de vingt-trois ans son aîné. Il pourrait être son père. Cet homme s'intéresse à la jeune créature simple et joyeuse qui ne cache pas son admiration. Quelle fille n'éprouverait aucune fierté à être admirée par un homme plus âgé qu'elle ? C'est une histoire d'amour toute simple, mais aussi le début d'une catastrophe. Cet homme apprécie la discrétion de sa jeune amie, qui n'a même pas mis sa famille au courant. Quand il le peut, il lui apporte son aide. Mais la petite ne peut lui être que d'une utilité provisoire ; il a déjà un objectif : devenir chancelier du Reich. Pour y parvenir, tous les moyens sont bons, et la gamine est souvent une gêne. Elle lui barre la route, il ne s'intéresse pas assez à elle, lui qui s'entoure des plus belles femmes du cinéma et de la bonne société. Pour Eva, la fille mineure et séduite, c'est un enfer, d'autant plus qu'elle ne peut en parler à personne...

Mais elle a tout réglé toute seule, jusqu'à ses tentatives de suicide.»

Au bout de trois mois sans aucun contact avec Hitler, Eva Braun décida de mettre fin à ses jours. Le 1er novembre 1932, elle écrivit une lettre d'adieux, puis se tira une balle dans la poitrine avec le pistolet de son père. Sa sœur la trouva couverte de sang; la blessure pouvait mettre sa vie en péril. Elle survécut pourtant.

Hitler lui rendit aussitôt visite: il voulait être sûr qu'elle avait sérieusement tenté de se suicider. «Elle a visé le cœur, lui garantit le médecin, nous l'avons sauvée de justesse.»

À ses parents inquiets Eva fit croire que c'était un accident. Même s'il s'agissait d'un geste calculé, Hitler se sentit flatté par cette passion. Sans doute aussi ne voulait-il pas perdre tout contrôle sur Eva, et devinait-il que sa mort pourrait lui causer du tort.

Ce n'était pas la première fois qu'une femme tentait de mettre fin à ses jours pour lui. L'une d'entre elles était morte. Dans un autre cas, on avait frôlé le scandale.

Hitler avait une préférence pour les jeunes filles qui l'adulaient et ne le contredisaient pas. «Il n'est rien de plus beau que d'éduquer une jeune créature: une jeune fille de dix-huit ou vingt ans, malléable comme de la cire.» Il en ensorcela certaines au point qu'elles crurent ne pouvoir lui échapper que par le suicide. «Voici la petite Mizzi», dit-il lorsqu'il présenta fièrement la photo de Maria Reiter, âgée de dix-sept ans, à Henriette, la fille du photographe Hoffmann, future Mme von Schirach. C'était en 1926. Hitler faisait la cour depuis un certain temps à cette jolie blonde, vendeuse de textiles à Berchtesgaden. Ils s'étaient déjà embrassés. Elle tricotait avec zèle des bas à varices et rêvait de leur mariage. Mais même dans ses rêves les plus audacieux Hitler n'envisageait pas une union durable. Ce qui ne l'empêchait pas d'écrire avec emphase: «Ma chère enfant, j'aimerais tant avoir ton gracieux petit minois devant moi pour te dire de vive voix ce que ton plus fidèle ami peut t'écrire», et il concluait: «Ensuite, j'aimerais tant être auprès de toi, te regarder dans tes chers yeux et oublier le reste. Ton Loup.» Mais Mizzi Reiter attendit longtemps son Loup; pour son anniversaire, il lui envoya deux volumes de *Mein Kampf* assortis de cette dédicace : « Lis-le d'un bout à l'autre, et, je le crois, tu me comprendras mieux. » Elle ne le lut pas et ne comprit pas davantage Hitler. Lorsqu'elle se pendit à un pilier de portail, sa famille la sauva *in extremis*.

« Mon épouse, c'est l'Allemagne. » Hitler ne cessait de répéter ces mots avec ferveur. L'Allemagne, c'était en tout cas sa carrière ; il exprima plusieurs fois ses scrupules à l'idée que les femmes puissent empêcher son ascension. Et puis sa vanité lui faisait craindre que le peuple ne lui pardonne pas s'il se mariait, de la même manière qu'une star du cinéma perdait sa popularité en même temps que son statut de célibataire. Déjà, il s'exaltait pour une autre créature, une douce jeune fille âgée de dix-sept ans à peine : sa nièce Geli Raubal, fille de sa demi-sœur Angela. En 1929, Hitler, son aîné de vingt-trois ans, la prit auprès de lui. Il entoura cette Autrichienne jeune et simple d'un mélange de paternalisme et d'attentions de collégien. Geli avait certes un certain penchant pour son oncle, mais ne pouvait être une interlocutrice pour lui. Il l'encouragea, lui fit prendre des cours de chant, se rendit avec elle à l'opéra et au restaurant ; il veillait jalousement sur toutes ses fréquentations et régissait son emploi du temps. Un jour où le chauffeur d'Hitler, Emil Maurice, embrassa cordialement la jolie nièce sur les joues, son patron fut pris d'un accès de rage : « J'ai cru qu'il allait m'abattre », raconta plus tard le chauffeur. Les derniers temps, Geli Raubal eut sans doute l'impression d'être prisonnière dans l'appartement de la place du Prince-Régent ; cette surveillance permanente étouffait son envie de vivre. Tandis qu'Hitler menait sa campagne électorale à travers l'Allemagne, Geli l'attendait dans l'appartement munichois, cloîtrée et mécontente de cet oncle que l'on ne voyait pratiquement jamais à la maison et qui se comportait en tyran lorsqu'il était présent. Elle se suicida après une dispute.

« Il n'y avait aucune espèce de relations intimes entre eux » – Henriette von Schirach, qui était l'amie de Geli, en était persuadée. Les historiens considèrent pourtant que Geli Raubal fut le seul véritable amour de ce narcisse notoire. La chambre de Geli dans l'appartement de la place du Prince-Régent était verrouillée, nul autre que lui n'était autorisé à y pénétrer. On apprit bien plus tard que dans la résidence du Berghof il existait aussi une « chambre de Geli ».

Entouré de tableaux, de photos et de bustes de sa nièce, Hitler s'y livrait à un véritable culte funéraire. On dit que des larmes lui montaient aux yeux lorsque quelqu'un prononçait le nom de la jeune fille. Il présentait la morte comme l'unique grand amour de sa vie. Le régisseur du Berghof, Herbert Döhring, raconta même que son épouse avait vu Hitler à deux doigts de se suicider : « Il était sous le choc, décomposé, il n'a pas mangé. Ensuite, il s'est enfermé dans la chambre de Geli. Le pistolet chargé sur la table. » « Je vais me tuer, ma vie est finie », aurait-il dit. « Mon épouse a emporté le pistolet. Plus tard, elle l'a regretté. » Mais aurait-il vraiment appuyé sur la détente ?

Au bout du compte, Hitler n'aimait que lui-même. L'attention qu'il avait refusée à Geli de son vivant, il la lui offrait à présent dans la mort. Mais là encore, il craignait que le suicide de sa nièce ne lui nuise politiquement ; si triste qu'il fût, cette pensée le tourmentait. Il existait en effet contre lui des soupçons de meurtre, que rien ne vint corroborer. La semaine même de la mort de Geli Raubal, il tint un discours fanatique devant dix mille partisans. Après le drame, selon Henriette von Schirach, tout sentiment de tendresse disparut et Hitler n'eut plus non plus à subir la douce critique qu'il avait dû accepter de la part de sa nièce. « C'est à cette époque que s'est développé en lui le germe de l'inhumanité » – c'est du moins ce qu'Hoffmann, le photographe, prétend avoir ressenti.

« Je crains de ne pas porter chance aux femmes », déclara Hitler en 1939, après qu'une autre admiratrice eut tenté de mettre fin à ses jours. Cette fois, c'était une prestigieuse aristocrate britannique, Unity Mitford, qui désirait partager tous les instants du Führer. Celui-ci avait voulu utiliser ses services pour établir des contacts avec l'élite britannique. Quelques heures après le début de la guerre, elle se tira une balle dans la tête, sur un banc public, au Jardin anglais de Munich. Elle survécut, mais mourut quelques années plus tard des conséquences de son geste.

« Je crois qu'il existe des gens qui attirent la mort, disait

Henriette von Schirach, et Hitler était très certainement l'un d'entre eux. » Jusqu'au suicide de Geli Raubal, Eva Braun ne savait pas qu'elle avait une rivale, bien qu'on ne lui eût pas dissimulé les photos de la nièce d'Hitler. Il semble qu'elle ait voulu, par la suite, imiter le style de Geli. Est-ce une réplique de la jeune morte que voulait le dictateur ? C'est en tout cas l'opinion de l'oncle Alois : « Dans un premier temps, Hitler ne considérait pas Eva comme son grand amour, mais comme un substitut de Geli. Quant à Eva Braun, la jeune fille inculte et influençable, elle ne voyait pas en Adolf Hitler son idéal masculin, mais une possibilité de se distinguer et de forcer son destin. »

Eva, laborantine chez un photographe, avait vingt ans et huit mois la première fois qu'elle voulut se suicider à cause d'Hitler – c'était à la Toussaint de 1932. Le chef nazi ne pouvait pas se permettre un nouveau scandale : « À l'avenir, je devrai mieux m'occuper d'elle. Ne serait-ce que pour éviter qu'elle commette encore une bêtise de ce genre » – Hitler amoureux, c'était cela.

Le 30 janvier 1933, date à laquelle le vieux Paul von Hindenburg, président du Reich, nomma Hitler au poste de chancelier du Reich, ne fut pas un jour de joie pour Eva Braun. Quel rôle jouerait-elle à présent ? Aucun de ceux qui l'avaient porté au pinacle ne devinait encore le véritable caractère de l'homme qui détenait désormais le pouvoir. Aucun ne connaissait son goût pour les jeunes filles mineures, une préférence qui frôlait le pathologique. On ignorait aussi la capacité de cet homme, qui n'avait pas beaucoup de relations et aucune espèce de scrupule, à marcher sur des cadavres si la chose se révélait nécessaire.

Hitler, chancelier du Reich, alla s'installer à Berlin ; Eva, quant à elle, dut rester à Munich. Le jour du vingt et unième anniversaire de la jeune fille, le 6 février 1933, Hitler avoua certes solennellement à son amie le penchant qu'il avait pour elle, mais cette déclaration ne changea rien à ses intentions. Dans la capitale, il rencontrait quand cela lui plaisait des admiratrices, politiques ou autres. La deuxième épouse d'Hoffmann le photographe voulut (manifestement animée par de bonnes intentions) montrer à Eva l'absurdité de cette relation, pour éviter qu'elle ne s'y enferme – en réalité, elle remua le couteau dans la plaie : « Comme me l'a aimablement et sans le moindre tact appris Mme Hoffmann, il m'a trouvé une remplaçante », se plaignit Eva. Et elle recommença à attendre, à attendre des nouvelles, un coup de téléphone ou une rencontre avec l'homme qu'elle aimait. Hitler sut, en répondant à certains de ses désirs, la dissuader de commettre un nouvel acte de désespoir.

En 1934, elle fut autorisée à siéger à la tribune d'honneur du congrès du parti nazi à Nuremberg. Et ce fut le premier éclat. La demi-sœur d'Hitler, Angela Raubal, la mère de Geli, présidait aux destinées de la maison Wachenfeld, qui fut aménagée plus tard pour devenir le Berghof, et elle accompagnait de temps en temps son frère. À Nuremberg, elle lui fit la leçon. Herbert Döhring, le régisseur, raconte l'épisode : « Mme Raubal, mais aussi Mme Goebbels, et toutes ces femmes de ministre, elles la connaissaient déjà, Eva, et elles étaient joliment choquées que cette gamine capricieuse qui regardait tout d'un air mécontent soit assise à la tribune d'honneur. Mme Raubal le lui a reproché. Ça a profondément déplu à Hitler. Il n'admettait pas qu'on lui fasse la leçon sur ce sujet-là – et surtout pas sur un ton d'adjudant-chef. Il a interdit à sa sœur tout séjour sur l'Obersalzberg, et cette mesure prenait effet sans délai. Elle a dû faire ses bagages dès le lendemain. Ce fut un cataclysme. Le prétexte, c'était Eva. » On comprit ainsi qu'Hitler attribuait désormais à Eva Braun une vraie place dans sa vie. Elle y jouirait de son affection et de sa protection – notamment contre les remarques caustiques des dames arrogantes de la bonne société.

Le congrès du parti et tous les autres événements qui survinrent dans le Reich, la mise au pas de l'État et de la société, la discrimination ouverte à l'égard des Juifs, le boycott des magasins juifs, y compris au centre-ville de Munich, la bouffonnerie sanglante que fut la Nuit des longs couteaux, que les nazis présentèrent comme une tentative de coup d'État mais qui fut en réalité un crime d'État d'Hitler contre une fraction de ses partisans – tout cela, Eva Braun ne le vit qu'à travers le prisme de sa relation avec le Führer. Ses journaux en témoignent.

Il en est resté tout juste vingt-deux pages, et elles concernent uniquement la période allant du début de février à la fin de mai 1935. Mais elles sont instructives : « D'accord, y écrit-elle, il a eu l'esprit accaparé par les problèmes politiques pendant tout ce temps, mais les choses ne sont-elles pas en train de s'arranger ? Et puis quelle était la situation l'année dernière ? Röhm ne lui a-t-il pas lui aussi causé beaucoup de souci ? Pourtant, il a trouvé du temps pour moi. » L'histoire du monde est mesurée à une seule aune : mon bien-aimé a-t-il ou non du temps à me consacrer ? Ce fragment de journal reflète aussi les oscillations de l'humeur d'Eva. La fierté (« Moi, l'aimée du plus grand homme d'Allemagne et de la terre »), mais aussi la déception, l'amertume et l'envie de mourir.

Le 11 mars 1935, elle notait : « Je suis désespérée… » Et, plus loin : « Il n'a besoin de moi qu'à des fins tout à fait déterminées. » Ce n'est pas la seule preuve du fait qu'il existait aussi entre eux des contacts intimes. Mais Hitler la laissait dépérir. Ces hésitations permanentes l'avaient exténuée. Elle écrivit plus tard : « Pourquoi me tourmente-t-il, pourquoi n'en finit-il pas tout de suite ? » Et : « J'ai décidé d'en prendre trente-cinq. Cette fois, ce sera vraiment la mort à coup sûr. » Les « trente-cinq » en question étaient des cachets de somnifère, du Phanodorm. C'était sa deuxième tentative de suicide ; elle la commit dans la nuit du 28 au 29 mai 1935. Cette fois encore, elle survécut, grâce à l'intervention de sa sœur Ilse.

En était-ce fini de la relation entre Eva Braun et Hitler ? Non : celui-ci trouva un biais. Toujours obsédé par la mort de Geli, il imagina un jeu compliqué. À partir de ce jour, il fit tout pour donner à Eva des nouvelles quotidiennes – même pendant la guerre, comme le rappela plus tard son officier radio, Schulz. Elle obtint des privilèges, put être présente en quelques occasions officielles, même si c'était seulement en tant que « secrétaire ». Et elle ne fut plus forcée de travailler. « Quand même, qu'il me laisse encore faire des courbettes devant des étrangers ! » s'était indignée la maîtresse du Führer lorsqu'elle était encore l'employée d'Hoffmann. Elle prit alors avec sa sœur Gretl un appartement dans la Widenmayer Strasse – entre autres pour échapper aux injures de ses parents, qui ne s'accommodaient toujours pas de cette «relation clandestine». C'était un trois pièces confortable, doté de tout l'équipement moderne et du chauffage central. Hitler lui faisait adresser par virement, *via* Hoffmann, l'argent du loyer et le salaire de la femme de ménage hongroise.

Le père d'Eva considérait comme une honte pour la famille le fait que ses filles aient ainsi échappé à la tutelle de leurs parents. L'oncle Alois évoque une rencontre bruyante avec M. Braun: «Friedrich voulait me dire ce qu'il avait sur le cœur, mais il ne tenait pas à le faire à la maison. La brasserie Hofbräuhaus lui semblait être exactement le bon endroit. Dans la salle du premier étage, nous trouvâmes une table inoccupée. Alors, Friedrich déballa tout, il me raconta que des années durant il avait eu de sombres pressentiments, qu'il avait ensuite tenté de détourner Eva de cette amitié "idiote", qu'il avait supporté avec rage les remarques arrogantes de ses relations et que ce "type" avait brisé sa vie de famille. Friedrich se laissa emporter par la colère, multiplia les expressions énergiques en dialecte bavarois, et réagit à mes mises en garde d'une manière d'autant plus déplacée que je craignais très sérieusement qu'un homme de la Gestapo dissimulé parmi les clients ne mette un terme dramatique à cette envolée passionnée. Friedrich me parla aussi à cette occasion d'une lettre qu'il avait écrite à Hitler et dans laquelle il lui demandait de ne pas toucher à Eva.»

C'est la lettre d'un père de famille qui a les pieds sur terre et qui s'inquiète pour son enfant. En voici les grandes lignes:

«Monsieur le chancelier du Reich! Vous, le Führer de la nation allemande, avez de tout autres soucis, certainement bien plus importants. Ma famille est désormais déchirée, parce que mes deux filles Eva et Gretl se sont installées dans un appartement que vous avez mis à leur disposition, et parce que moi, le chef de famille, j'ai été placé devant le fait accompli. Par ailleurs, je continue à défendre, d'un point de vue moral, une idée peut-être démodée: les enfants ne peuvent échapper à la tutelle des parents qu'au moment de leur mariage. Telle est ma notion de l'honneur. Sans même parler du fait que mes enfants me manquent beaucoup... »

La fureur du père fut encore décuplée par le fait qu'il n'obtint jamais de réponse. Il avait donné la lettre à Hoffmann, qui ne l'avait pas transmise à son véritable destinataire, mais à Eva elle-même, laquelle avait détruit ce document gênant. Hitler se contenta de donner à la jeune femme l'impression qu'elle jouissait d'une plus grande liberté et qu'elle était appréciée à sa juste valeur. À la demande du Führer, Hoffmann acquit un an plus tard, pour trente mille Reichsmark, une maison bâtie en 1925 à Munich, 12, Wasserburger Strasse, dans le quartier de Bogenhausen. C'est là qu'Eva emménagea avec sa sœur le 30 mars 1936. C'était certes une petite maison sans prétention, mais l'aménagement intérieur était du dernier cri ; Hitler s'occupa lui-même des détails de décoration. Les lambris de la salle à manger furent ainsi réalisés en bois exotiques. Au fil du temps, les cadeaux du Führer remplirent le domicile : une tapisserie d'Aubusson, des tapis précieux, des meubles anciens, de l'argenterie. Pour Eva, cette maison était avant tout un signe de reconnaissance, une sorte de symbole de son statut social – en réalité, c'était plutôt une consolation. Plus tard, la propriété des lieux fut transférée par acte notarié à la « secrétaire » Eva Braun. De la Wasserburger Strasse on pouvait rejoindre à pied l'appartement d'Hitler sur la place du Prince-Régent. Lorsqu'il venait à Munich, raconte la gouvernante des Braun, Margarete Mitlstrasser, « Eva se mettait en route avec une petite valise ».

Mais il venait rarement à Munich, et les portes de la chancellerie du Reich, à Berlin, restèrent closes pour Eva Braun. Hitler compensa aussi cette frustration-là : après tout, il disposait d'une autre résidence, le Berghof, près de Berchtesgaden. En 1928, le leader national-socialiste avait acquis la maison Wachenfeld, sur l'Obersalzberg, un édifice qu'il louait déjà auparavant, qu'il réaménagea et, surtout, qu'il étendit. On conserva le plan de base en se contentant d'augmenter les volumes. Le résultat était certes parfaitement monstrueux – une sorte de billot planté dans le cadre idyllique des Alpes, avec de gigantesques fenêtres panoramiques, mais les lambris en bois torsadé et

Hitler et Eva Braun posent au Berghof.

Elle ne voulait pas entendre parler de politique, elle voulait être aimée, c'était tout. Et ils se sont aimés, voilà tout.

Wilhelm Mitlstrasser, chauffeur d'Eva Braun

Elle n'aimait pas beaucoup les enfants. Elle ne jouait avec eux que pour les séances photo.

Margarete Mitlstrasser,
femme de chambre d'Eva Braun

On ne les a jamais vus prendre une pose d'amoureux, ni même d'amis très proches.

Herbert Döhring, régisseur
d'Hitler au Berghof

les sculptures de runes germaniques assuraient, avec des tableaux non « dégénérés », un décor plutôt conventionnel. Ce n'étaient pas les hôtes étrangers en voyage diplomatique, les puissants et les grands de son Reich qui rythmaient la vie quotidienne d'Hitler dans sa maison à la montagne, mais sa famille de substitution : le cercle étroit des médecins privés, photographes personnels, gardes du corps, secrétaires et aides de camp. C'était un cercle familier et sans façons. Mais là, au centre de la tempête, régnait le silence funèbre de la soumission absolue.

C'est en 1936 qu'Hitler fit venir Eva Braun auprès de lui au Berghof, et qu'il l'intégra à cet univers illusoire. Seul le premier cercle de ses proches apprit qui elle était vraiment : « En 1937, lorsque je me suis retrouvé sur l'Obersalzberg, avec Ribbentrop et Hitler, une jeune et gentille créature est arrivée et a dit : "Il faut venir manger, maintenant, je vous prie." Je me suis demandé : Qui donc ose parler au Führer sur ce ton ? À l'époque, j'avais l'impression de me trouver sur le mont sacré du Graal. Et celle qui m'accueillait n'était pas une dame distinguée, mais une petite bonne femme. Alors je suis allé voir l'Obergruppenführer Brückner, le premier aide de camp, et je lui ai demandé : "Qui est cette femme ?" Voilà ce qu'il m'a répondu : "Écoute, mon cher, tu viendras souvent ici, et cette femme, tu la verras fréquemment. Mais tu vas l'oublier. Le Führer a le droit d'avoir une vie privée ; si tu en parlais, que ce soit avec ta famille, avec des amis ou d'autres, cela ne te réussirait pas" », se rappelle Reinhardt Spitzy, le correspondant de Ribbentrop auprès d'Hitler.

Entre 1936 et 1945, Eva Braun passa les deux tiers de son temps sur l'Obersalzberg. C'était son petit empire à elle : « Pour nous, c'était elle, et non Hitler, qui dirigeait le Berghof », dit l'ancienne femme de chambre Anni Plaim. Mais vis-à-vis de l'extérieur, elle restait la maîtresse cachée, celle dont on ne parlait pas. Si le personnel directement placé sous ses ordres la vénérait, les aides de camp et les personnes chargées de veiller sur la santé et la sécurité du Führer ne lui témoignaient aucun respect. « Ce n'était qu'une fille toute simple, et je ne la laissais pas me marcher sur les pieds », souligne encore aujourd'hui Krause, l'ancien valet de chambre d'Hitler. Une fois, à cinq heures du matin, elle lui demanda de lui apporter des skis. Il refusa, disant qu'il était au service du maître des lieux et que pour bien faire son travail il devait dormir tout son soûl. Les plaintes de la jeune femme ne servirent à rien : à l'issue de cette épreuve de force, elle n'eut pas le dessus. La femme de chambre d'Eva, Margarete Mitlstrasser, s'efforçait de faire respecter la maîtresse du patron : « Toutes les femmes qui venaient au Berghof avaient droit au "chère madame". Elle, on ne l'appelait jamais que "mademoiselle Braun". Je lui ai demandé si l'on ne pouvait pas faire quelque chose. Eva a demandé à Hitler, qui m'a approuvée. Ensuite, j'ai été autorisée à introduire le "chère mademoiselle". » Le serviteur du Führer crut dans un premier temps que cela ne le concernait pas. « Mais il a bien dû finir par courber l'échine. Et du seul fait qu'on devait désormais lui donner du "chère mademoiselle", on lui accordait plus de reconnaissance. » Hitler aimait tout de même rappeler à sa jeune amie les limites à ne pas dépasser, y compris, si nécessaire, en présence du petit personnel. Une fois, comme cela lui arrivait souvent à la fin de la soirée, il méditait au-dessus de ses cartes géographiques – le régisseur, Döhring, venait de lui en déployer de nouvelles – lorsque Eva Braun entra dans la pièce.

« On frappa à la porte qui séparait la chambre d'Hitler de son bureau. Mais le Führer n'entendit pas. On frappa une nouvelle fois, il n'entendit pas non plus. Soudain, la porte s'ouvrit et Eva Braun entra. Elle me regarda, étonnée, et me dit : "Eh bien, vous êtes toujours là, vous ? Qu'est-ce que vous faites ici ?" Puis elle se rapprocha de lui et lui parla – pas de réponse. Elle lui parla une deuxième fois ; de nouveau, pas de réaction. Et puis tout d'un coup, il s'emporta : "Te revoilà une fois de plus ? Mais tu vois bien que j'ai du travail, ici, un travail de fou ! Tu viens toujours à des heures parfaitement impossibles, tu ne m'es d'aucune utilité dans cette pièce pour l'instant." Et elle, furieuse, le visage cramoisi, redressa la tête et me dévisagea. Elle sortit en claquant la porte à en faire trembler le chambranle. Et c'est alors que j'ai vu la mine du Führer, un sourire cynique qui exprimait la jouissance... »

Hitler ne semblait pas non plus faire une grande confiance à sa maîtresse. Quand il était absent du Berghof, le régisseur devait se montrer particulièrement vigilant : « "Döhring, me disait Hitler, nous fermons tout à clé, ma chambre à coucher, on verrouille tout, même le bureau. Que personne n'entre ici. Vous fermez tout et vous conservez la clef sur vous – et là, personne n'entre plus, même la bonne." Mais en réalité, c'était toujours Eva Braun qui était visée, c'est à elle qu'il ne faisait pas confiance, il pensait qu'elle entrerait et qu'elle irait fouiner dans les papiers ou ailleurs. Ça résumait bien la situation. »

On trouve aussi des récits qui vont dans l'autre sens, où l'on évoque constamment les mots aimables et la courtoisie appuyée du Führer. Les rapports entre Hitler et Eva Braun étaient tout à fait ambigus, c'était la carotte et le bâton. Si Eva outrepassait ses prérogatives, il l'humiliait ; s'il croyait être allé trop loin, il la flattait.

« Nous sommes allés nous promener, et je lui ai dit, d'une manière presque provocatrice : "Mademoiselle Braun, vous êtes la femme la plus enviée d'Allemagne", puisqu'à cette époque elle était auprès d'Adolf Hitler. Elle a répondu : "Ah, je ne suis qu'une prisonnière dans une cage dorée" », se rappelle le cameraman du Führer, Walter Frentz. Le dictateur savait exactement comment traiter Eva Braun pour éviter qu'elle ne sombre dans un désespoir complet. « En ma présence, il lui parlait sur un ton aimable », dit Traudl Junge, la secrétaire d'Hitler. Sur des photos privées, rares et tenues strictement secrètes, on peut le voir faire un baisemain jovial à Eva ; on les voit aussi monter côte à côte, étroitement enlacés, l'escalier du Berghof. Mais la plupart des clichés expriment la distance : nous y voyons deux personnes issues d'univers qui semblent totalement différents. Et cela aussi était symptomatique : « Ils n'échangeaient jamais de gestes de tendresse en présence de tiers », se rappelle Traudl Junge.

Eva Braun, qui porta officiellement et jusqu'à la fin de la guerre le titre de secrétaire en service détaché et percevait un salaire mensuel de quatre cent cinquante Reichsmark, avait son rôle à jouer sur l'Obersalzberg. Le déroulement des journées au Berghof était aussi bien réglé que monotone.

Hitler dormait longtemps. La journée débutait peu avant midi. Ensuite, c'étaient les réceptions, les promenades en voiture, les discussions, tout cela au gré du Führer. Les soirées laissaient parfois chez les participants le « souvenir d'un vide étrange » : on regardait des films, on causait, on échangeait des platitudes, des banalités sentimentales, trois ou quatre heures durant ; le personnel, qui faisait partie de cette famille de remplacement, avait lui aussi accès à ces soirées. Lorsqu'on projetait un film interdit dans le Reich, ou importé des États-Unis, tout le monde était rassemblé. Hitler était toujours assis au premier rang, avec Eva Braun. Même pendant ses interminables monologues, elle ne bougeait guère de la place qu'elle occupait à son côté. « C'est elle qui donnait le signal du départ lorsque l'entourage du Führer ne pouvait plus s'empêcher de bâiller. Elle s'arrogeait aussi le droit de donner à Hitler son opinion personnelle sur les affaires privées : elle critiquait son uniforme et ses costumes, elle défendait avec rage et résolution ses deux scotch-terriers contre ses bergers à lui, et son caractère caustique s'exprimait dans certaines remarques acérées sur les faiblesses et l'arrogance de ses proches », écrit l'oncle Alois. Eva, qui aimait le jazz, mettait de temps en temps un disque en l'absence d'Hitler. Celui-ci aurait dit un jour : « Joli, ce que tu passes. » Elle répondit : « Ça, ton ami Goebbels vient de l'interdire. » Contrairement à ce qu'aurait requis l'esprit national-socialiste, Eva fumait aussi des cigarettes, même si ce ne fut jamais en présence de son seigneur et maître. Exercer sa critique sur des choses sans importance, imprimer sa marque sur des futilités : tel était le petit pouvoir d'Eva Braun.

Le cercle officiel était rigoureusement séparé du cercle privé. Au cours de la deuxième moitié des années 1930, l'Obersalzberg devint peu à peu le lieu où se décidait la politique du Reich. C'est là qu'on recevait les chefs d'État étrangers et que les généraux venaient prendre leurs instructions. « Dans ces cas-là, Eva, guidée par son instinct autant que par les désirs d'Hitler, disparaissait en coulisse. Pour ce genre d'invités, elle demeurait la jeune femme plus ou moins invisible, mièvre et dépourvue de conscience politique qui ne se mêlait jamais des sales affaires du pouvoir, mais d'autant plus des belles choses de la vie, des mondanités, de la musique, de la nage et du ski, des robes et des fleurs, ces éternelles futilités féminines. » Ce portrait psychologique brossé par l'oncle Alois souligne bien ses priorités.

Elle tenait à son élégance : elle faisait faire ses tailleurs chez des couturiers berlinois et parisiens de premier plan ; il lui arriva d'acheter personnellement ses chaussures chez Ferragamo, à Florence. Parfois, cette passion prenait les traits d'une manie : il lui arrivait de se changer sept fois par jour. Une petite coiffeuse se chargeait de lui inventer des mises en plis toujours différentes. Eva avait souvent envie de changer d'allure. Hitler, lui, estimait qu'elle devait porter en permanence les vêtements qu'il trouvait à son goût et – c'est Eva qui s'en plaignait – « en avoir si possible mille exemplaires en réserve ». Lui-même, après tout, ne changeait jamais de style. Il détestait la nouveauté. Contrairement à Eva Braun, il se méfiait du changement.

Sa maîtresse cachée n'avait guère l'occasion de présenter ses tenues sophistiquées en public. On ne l'invitait jamais aux réceptions officielles, elle n'était pas autorisée à entrer dans la grande salle lors des entretiens politiques ou militaires. Les jours de visites importantes, elle devait demeurer dans sa chambre. Si les hôtes restaient plus longtemps, on la logeait ailleurs. Et il y eut beaucoup d'invités de marque au Berghof dans les années 1930 : l'amiral Horthy, Neville Chamberlain, le roi Boris de Bulgarie, l'Aga Khan, le cardinal Pacelli... Mais ce qui toucha le plus douloureusement Eva, ce fut de ne pas être présentée au duc et à la duchesse de Windsor, dont l'histoire d'amour tragique la passionnait. Et lorsqu'elle était autorisée, de temps en temps, à assister à une réception, elle devait vouvoyer Hitler devant les invités. Elle n'était autorisée à le tutoyer que devant leur entourage familier ; mais même là, elle lui donnait du « mon Führer ».

Pour dissiper l'ennui et la monotonie qui régnaient sur l'Obersalzberg, Eva s'occupait non seulement de mode, de musique et de sport, mais aussi de cinéma et de photographie. Quatre heures et demie de documents tournés par elle et une vingtaine d'albums de photos privées donnent un aperçu de la vie qu'on menait au Berghof. Ces images

Le sport pour juguler l'ennui au Berghof.

C'est en 1940, au Berghof, que j'ai vu Eva Braun pour la première fois. Et les camarades m'on dit que c'était elle, la patronne, au Berghof.

Rochus Misch, radio au bunker du Führer

Il fallait toujours qu'elle soit la meilleure. La meilleure nageuse, la meilleure gymnaste à la barre fixe. Et de ce point de vue-là, elle était très, très ambitieuse. Je crois que pour le reste elle n'a pas fait preuve de beaucoup d'ambition. Mais pour ce qui concernait le sport, elle était très, très orgueilleuse.

Gertraud Weisker, cousine d'Eva Braun

mettent parfois en scène des rituels rigides et crispés. Elles montrent aussi combien Eva se pliait à son destin. L'ironie et la nonchalance transparaissent parfois dans les légendes de ces albums. Le 12 août 1939, elle prit une série de clichés éloquents : elle filma d'abord depuis sa fenêtre, avec sa caméra portable seize millimètres, l'arrivée du ministre italien des Affaires étrangères, le comte Galeazzo Ciano. Celui-ci la remarqua et demanda qui était cette jeune femme. Hitler donna l'ordre de fermer immédiatement la fenêtre. Elle se mit alors à photographier avec un téléobjectif, dissimulée derrière le rideau. Légende de la photo : « Ordre : fermez la fenêtre ! Ou comment retourner les choses. » Un autre instantané pris par Hoffmann, le photographe, montre le comte Ciano de côté, levant les yeux vers elle. Cette image-là aussi est collée dans l'album, avec cette légende triomphante : « Là, en haut, il y a quelque chose d'interdit à voir : moi » – une petite victoire secrète dans le monde étriqué d'Eva Braun.

Les autres habitants de marque du Berghof ne savaient parfois pas très bien non plus quel était leur rôle. Les seconds d'Hitler, Göring, Bormann et Speer, avaient eux aussi élu domicile dans ce décor alpin : « Il arriva donc que Mme Göring, en l'absence d'Hitler, invite à l'Obersalzberg toutes les dames de la bonne société – et prenne Eva Braun pour la secrétaire, parce qu'elle n'était pas encore au courant de la situation réelle. Lorsque Hitler eut vent de cet incident, il se mit en colère et interdit immédiatement ces réunions », raconte Herbert Döhring. Eva devait certes jouer à la secrétaire ; mais Hitler était trop vaniteux pour tolérer que d'autres personnes de son entourage la considèrent comme telle. Tout cela était un jeu absurde. Le même incident se produisit lors d'un voyage en Italie. Eva aimait se rendre dans ce pays allié, ne fût-ce que pour y acheter des chaussures à la mode. Parfois, sa mère était de la partie. En 1938, Eva rencontra Mussolini lors d'une visite d'État en Italie – et elle tenait le rôle de secrétaire. Elle était ainsi exclue du programme officiel réservé aux épouses, ce qu'elle n'accepta pas. On l'admit donc à la parade officielle de la flotte, dans le golfe de Naples. Ce ne fut cependant pas en tant que compagne, mais en tant qu'employée d'Hitler.

Et le jeu se poursuivit secrètement. En dehors du Berghof, presque personne n'était au courant. À Berchtesgaden, tout proche, rares furent ceux qui entendirent parler de cette liaison. D'ailleurs, qui osait en parler ouvertement ? La crainte d'être pris sur le fait par la Gestapo était trop grande. Certaines personnes, sur place, firent certes la connaissance d'Eva Braun, mais en ignorant totalement à qui elles avaient vraiment affaire. « Je traversais assez souvent le Königsee avec mon père dans ce que l'on appelle un *Landauer*, un de ces longs bateaux qui ressemblent aux gondoles de Venise, se rappelle Josef Grösswang, à l'époque adolescent et fils d'un hôtelier local. Nous allions jusqu'à la chute du Königsbach et nous débarquions sur la langue de terre qui s'avance dans le lac. Une fois, il y avait là une dame qui prenait le soleil sur une couverture. Nous l'avons saluée et nous avons échangé quelques mots sur le climat et la température de l'eau. Ensuite, la dame est allée nager, puis elle s'est recouchée ; moi, je suis allé chercher mon accordéon dans le bateau, et j'ai joué. Le lendemain, nous sommes revenus à la chute d'eau, et la dame était là. Elle a dit : "Tiens, vous aussi, vous êtes revenus." Nous avons discuté, et j'ai de nouveau joué de l'accordéon. Nous nous sommes rendus à peu près cinq ou six fois à la chute du Königsbach, et à chaque fois nous avons retrouvé cette dame. »

Les « retrouvailles » suivantes n'eurent lieu qu'après la fin de la guerre. Au début de mai 1945, les vainqueurs firent leur entrée à Berchtesgaden, d'abord les Français, et quelques heures plus tard les Américains. « Ils sont venus dans notre hôtel, ils s'y sont installés poursuit Grösswang. Le soir, un Français a jeté une série de photos sur la table et m'a dit – il avait à peu près mon âge, c'est-à-dire dix-neuf ans : "Tiens, regarde, jolies filles, non ?" Alors j'ai dit : "Oh, celle-là, je la connais !" Il a répondu : "Non, celle-là, tu ne peux pas la connaître. – Pourquoi pas ? – Eh non, tu ne peux pas la connaître, parce que c'est Eva Braun, la petite amie d'Hitler, celle qui est devenue sa femme." Ensuite, je n'ai plus rien dit : à cet instant, j'ai compris que la dame dont j'avais fait la connaissance près de la chute d'eau et pour laquelle j'avais joué de l'accordéon était la femme d'Adolf Hitler. Et je ne savais pas comment le soldat réagirait si je lui en disais plus. »

Les occupants cherchèrent à recueillir autant d'informations que possible sur Hitler et Eva Braun. Le personnel du Berghof donna aussi des détails sur la répartition de l'espace dans la résidence, entre-temps ravagée par les bombes. Les deux appartements, au premier étage, n'étaient séparés que par un petit couloir. Il existe une photo qui montre la porte donnant sur ce corridor, dans un coin de la chambre à coucher d'Eva. À côté se trouvait une commode, et au-dessus un sombre portrait du Führer qui plaisait manifestement à sa maîtresse. De l'autre côté du couloir se trouvait la chambre à coucher d'Hitler. À côté de la porte, on avait installé un divan. Ils pouvaient se retrouver là sans témoins.

On continue à débattre pour savoir si Adolf Hitler et Eva Braun formaient un véritable couple On ne trouve pas beaucoup de chapitres, dans la vie du dictateur, qui soient aussi fortement tissés de légendes rocambolesques. Certains auteurs affirment que le « démon » était aussi atteint de perversité sexuelle, et en donnent des exemples douteux. D'autres estiment qu'il était impuissant – et cela non plus n'est pas démontrable. D'autres encore pensent qu'il ne lui manquait pas grand-chose pour faire un vrai Casanova. Le Führer aurait eu des contacts sexuels régulièrement, pendant une longue période, avec sa maîtresse Eva Braun et sa demi-nièce Geli Raubal, et il en aurait « vraisemblablement » eu, « de manière occasionnelle », avec deux douzaines d'autres femmes. Parmi ces partenaires, on évoque des femmes mariées, princesses et comédiennes étrangères, comme Inga Ley ou Margarethe Slezak, fille d'un chanteur lyrique. Hitler, dit-on, aurait aussi confondu relations intimes et relations internationales : avec Martha Dodd, la fille de l'ambassadeur américain à Berlin, avec Unity Mitford et quelques autres. Mais une bonne partie de tout cela relève du pur et simple fantasme. Les seules indications concrètes dont on dispose concernent les relations entre Hitler et Eva Braun. Certains éléments plaident en faveur

Portrait d'Hitler dans la chambre d'Eva au Berghof.

C'était une relation entre un homme et une femme, et si quelqu'un s'imagine qu'ils se contentaient d'habiter l'un à côté de l'autre et qu'il n'y avait rien entre eux, il se trompe. Bref, pour nous, ils étaient mari et femme.

Wilhelm Mitlstrasser, chauffeur d'Eva Braun

Ma femme était curieuse, elle regardait toujours le linge avant de faire la lessive, quand Hitler était parti. Rien, rien, rien, elle ne voyait rien du tout. Pas le moindre indice, rien.

Herbert Döhring, régisseur d'Hitler au Berghof

de l'idée que tous deux furent surtout intimes au cours des années munichoises. On l'a vu, la femme de chambre d'Eva, Margarete Mitlstrasser, raconte que la maîtresse partait très souvent pour l'appartement d'Hitler sur la place du Prince-Régent avec une petite valise spéciale à laquelle elle avait donné le surnom de Malusli, pour « malle à ustensiles pour le lit ». Et sur l'Obersalzberg ?

« C'était une relation entre un homme et une femme, et si quelqu'un s'imagine qu'ils se contentaient d'habiter l'un à côté de l'autre et qu'il n'y avait rien entre eux, c'est qu'il ne sait pas ce qu'il raconte. Bref, pour nous, ils étaient mari et femme », explique Willi Mitlstrasser, employé au Berghof. Le régisseur Herbert Döhring n'est pas de cet avis : « Ma femme était curieuse, elle regardait toujours le linge, avant de faire la lessive, quand Hitler était parti. Rien, rien, rien, elle n'a rien vu du tout. Pas le moindre indice, rien. » Et le valet de chambre Krause ajoute : « Je ne sais pas s'ils passaient la nuit ensemble, c'était fermé à clé. »

L'une des personnes les plus proches d'Eva était sans doute Margarete Mitlstrasser. Elle est sûre de ce qu'elle dit : « Je sais parfaitement qu'ils formaient un couple : quand il venait la voir et qu'elle avait ses règles, le docteur lui donnait quelque chose pour les arrêter. La plupart du temps, c'est moi qui allais chercher ça chez le médecin, alors pour moi il ne fait aucun doute que c'est bien de ça qu'il s'agissait. »

En temps de guerre, cependant, la libido de ce chef de guerre qui vieillissait très vite s'est peut-être considérablement réduite : le médecin personnel d'Hitler a indiqué, lors d'une audition devant une commission américaine, qu'Eva Braun l'avait prié, au cours des dernières années, de stimuler le désir sexuel déclinant du Führer.

Dès 1938, l'atmosphère se transforma au Berghof. La résidence d'Hitler était devenue le centre où se prenaient les décisions politiques. Ce fut le temps de ce qu'on appela en Allemagne les « guerres des fleurs » : à l'Anschluss, le « rattachement » de l'Autriche, en mars 1938, succéda l'invasion des Sudètes. À la veille de la guerre, le Führer était au zénith de sa popularité. Eva Braun joua-t-elle un rôle dans tout cela ? « Elle ne voulait pas entendre parler de politique, dit Willi Mitlstrasser. Elle voulait qu'on l'aime. Rien d'autre. Et elle l'a aimé, c'est tout. » Rien ne pouvait la dissuader de regarder le monde entier sous l'angle de sa relation avec Hitler. Le « retour au Reich » brutal de l'Autriche présentait surtout pour Eva Braun, selon Herbert Döhring, des avantages logistiques : « Au fond, ça ne l'a pas particulièrement impressionnée. Elle pensait de nouveau aux robes, à la mode, aux chaussures élégantes. Elle en trouverait désormais à Salzbourg, où les boutiques étaient superbes et les vêtements élégants. » L'intégration de l'Autriche fut d'abord, pour Eva Braun, une extension du marché intérieur. Et tandis qu'Hitler faisait occuper les Sudètes, il lui attribua, dans son premier testament privé, une pension mensuelle de mille Reichsmark, puisés dans la caisse du parti. Elle prenait ainsi la première place parmi les favorites, suivie par la sœur du Führer, Paula, par sa demi-sœur Angela et par d'autres parentes. C'était la première fois que le nom d'Eva Braun apparaissait dans un texte officiel signé Hitler. En revanche, dans l'annuaire téléphonique détaillé du Berghof, qui comptait tout de même cent quarante entrées, elle était introuvable.

Sa sécurité financière était ainsi assurée en cas de malheur. Plus encore : dès l'été 1938 on aménagea dans la cave de la maison de la Wasserburger Strasse un abri antiaérien avec rations de survie.

Eva Braun, cependant, ne considérait pas son amant comme un va-t-en-guerre, mais comme un porteur de paix qui ne reculait devant rien pour épargner le pire à son peuple. Elle évitait toutefois de trop y réfléchir, et il était rare qu'elle soit personnellement témoin de décisions politiques. Alors que le ministre national-socialiste des Affaires étrangères, Ribbentrop, marchandait encore à Moscou avec son collègue soviétique, Molotov, les termes du pacte de non-agression, Hitler, à bout de nerfs, attendait fiévreusement les nouvelles de la capitale russe. Eva consacra à cet événement historique une petite série de photos, accompagnée d'un commentaire naïf expliquant que son bien-aimé voulait empêcher la guerre « par tous les moyens ». Il est vrai que d'autres contemporains beaucoup mieux informés se sont laissé prendre à ces sons de fifre grotesques.

Lorsque Hitler, le 1er septembre 1939, au Kroll-Oper, mentit une fois de plus au monde en présentant l'agression contre la Pologne comme un acte d'autodéfense, Eva se trouvait parmi les invités. Mais pour elle, être présente dans la capitale était moins une question d'engagement politique qu'une chance d'affirmer sa présence sur ce qu'elle pensait être le territoire de ses pires rivales. Depuis le début de 1939, elle possédait dans la chancellerie du Reich son propre appartement. Mais là encore elle n'était que la maîtresse cachée. Elle devait passer par l'entrée du personnel et prendre ses repas seule dans sa chambre. Pour Hitler, il allait de soi que sa place n'était pas au siège du gouvernement, et il trouvait toujours les mots pour le lui expliquer : « Eva, tu n'es pas faite pour cette vie mondaine. Tu es trop précieuse pour moi. Je dois protéger ta pureté. Berlin est la ville du péché. Le monde, à l'extérieur, est sale et vulgaire. »

La guerre, plus que jamais auparavant, révéla le gouffre qui séparait leurs deux univers : « Il arrivait souvent qu'Hitler ne lui prête pas la moindre attention, qu'il ne la voie pas. C'était la guerre, désormais, et la question prioritaire était de savoir ce qu'il fallait faire et ce qui allait se produire. Tout l'univers féminin avait disparu pour lui avec le début de la guerre. Il a fallu attendre les premières victoires pour que cela se normalise de nouveau un petit peu », se rappelle Herbert Döhring.

L'invasion de la Pologne créa un nouveau concept militaire, celui de *Blitzkrieg*, la « guerre éclair ». La campagne française fut elle aussi achevée en l'espace de quelques semaines, ce qui plongea Hitler dans l'exaltation. Après la victoire sur l'ancien « ennemi héréditaire », en juin 1940, il se trouvait au sommet de son prestige. Le général Keitel affirma qu'il était « le plus grand chef de guerre de tous les temps ». Combien de ses anciens adversaires comptaient désormais au nombre des « convertis », qui reconnaissaient au moins ses victoires militaires ? Face à ses incontestables succès, la plupart d'entre eux ne devinrent certes pas des nationaux-socialistes, mais parfois, et dans certains cas à leur corps défendant, des admirateurs d'Hitler. Et Eva Braun ? Elle a peut-être éprouvé une certaine fierté ; mais si l'on en croit des témoins de l'époque, elle attendait avec impatience le moment où elle pourrait, au côté du Führer, savourer enfin ces instants de gloire. Sur l'Obersalzberg, elle se serait même imaginé qu'après la victoire finale (y compris, bien entendu, sur les États-Unis) tout cela donnerait lieu à une grande épopée hollywoodienne, qui présenterait enfin au monde l'histoire de son amour caché pour Hitler. Elle vivait dans un univers de carton-pâte.

Au cours de la campagne de l'Ouest, ce n'est pourtant pas Eva Braun qui occupait les pensées d'Hitler. En juin 1940 eut lieu au Berghof une étrange passation de pouvoir : « Hitler avait fait appeler mon épouse et lui avait demandé quelque chose, raconte le régisseur Döhring. Elle s'est vite rendue dans notre appartement, et elle est revenue immédiatement avec une grande enveloppe grise. J'ignorais ce qu'elle contenait. Nous sommes montés ensemble le voir, et j'ai annoncé : "Mon Führer, nous sommes là, comme vous l'avez ordonné." Et il était fou de joie. Il a marché vers ma femme : "Anna, cela, je ne l'oublierai jamais." Puis mon épouse lui a donné l'enveloppe et il en a sorti un portrait de Geli, un cliché magnifique. C'est Geli qui l'avait donné à ma femme avant de mourir. Elle y était assise sur un tabouret, avec une superbe étole de fourrure, mondaine, très élégante. Hitler savait que c'était mon épouse qui possédait ce portrait. Lui n'en avait pas. Il lui avait demandé : "Serais-tu assez bonne pour me prêter cette photo ? Je l'emporte dans mon quartier général. Et quand nous serons sortis de ce pétrin, je te la rendrai." »

Cette scène eut lieu dans le bureau du Führer. « Juste à côté, à trente mètres, peut-être, à vol d'oiseau, se trouvait Eva Braun, sa maîtresse adorée ou sa maîtresse tolérée – je ne sais pas. Et lui vouait un culte à sa Geli. Eva Braun n'en a jamais rien su. Nous nous sommes tus », raconte Döhring. Geli Raubal était restée le véritable amour d'Hitler.

Le 22 juin 1941 débuta l'opération Barberousse, l'attaque contre l'Union soviétique. Alors que le Führer organisait depuis l'Obersalzberg une campagne d'extermination sans précédent et le massacre de millions de personnes à l'arrière du front, la vie quotidienne d'Eva, dans son décor alpin et estival, ne se transforma guère. Dès qu'Hitler partait pour son quartier général sur le front de l'Est, Eva invitait des amis, souvent aussi sa sœur Gretl : « Une fois, il est parti six jours. Nous avons découvert une tout autre Eva. Elle était drôle, joyeuse, libre. Elle a aussitôt organisé une fête, elle a invité tout le personnel de la maison, et l'on dansait lorsque c'était possible. C'était l'autre Eva. Là, elle était décontractée. Mais lorsque le chef était là, elle se retirait », se rappelle le téléphoniste et opérateur radio d'Hitler, Rochus Misch. Le Führer avait interdit au début de la guerre tout amusement sur l'Obersalzberg, où l'on mit même en circulation des tickets de rationnement. « Et elle, elle ne voulait renoncer à rien. Elle continuait à demander des oranges – même pas pour les manger : pour les presser. Et puis de la soupe à la tortue – c'était son plat préféré, de la soupe à la tortue, tard le soir, et d'autres choses raffinées. Ma femme devait passer des commandes spéciales », raconte Döhring. Aux yeux d'Eva, le confort du Berghof était une faible compensation pour tout ce à quoi il lui fallait renoncer dans sa relation avec Hitler. Mais pourquoi le fallait-il ? En tout cas elle avait mis un moment à s'en accommoder.

Un E et un B, les initiales d'Eva Braun en forme de feuille de trèfle, ornent la reliure d'un album photo qui vient d'être découvert aux États-Unis : l'un de ses trois albums confectionnés à l'attention de ses meilleurs amis. Il a été dédicacé et signé à l'occasion du troisième Noël de la guerre, en 1941. Il contient plus de cent photos, dont beaucoup étaient inconnues jusqu'alors. Cette découverte illustre la biographie d'Eva Braun à travers un choix de belles images, des poses le plus souvent impeccables où elle porte des vêtements à la mode, fait du sport ou se baigne dans les plus beaux lacs de Bavière. Quant à l'amant, Hitler, on ne le voit guère. Ce qui est frappant, c'est la date à laquelle ce recueil a été composé. C'était à la fin de l'automne, alors que la guerre d'extermination contre l'Union soviétique durait déjà depuis des mois et que des centaines de milliers de personnes, notamment des Juifs, étaient assassinées à l'arrière du front. On ignore ce qu'Eva savait de tout cela à cette époque. Mais depuis longtemps elle avait appris à ne plus rien entendre.

Elle aimait filmer et photographier. Elle aimait tout autant être prise en photo. Les images d'un photographe de Bad Reichenhall, Ernst Baumann, lui plaisaient tout particulièrement : « Elle a exprimé le vœu que l'on fasse encore d'autres photos d'elle. C'est mon beau-père qui a livré les tirages, c'était une commande strictement privée », raconte le gendre du photographe, Rudolf Baumann-Schicht.

Mais Baumann, avec son appareil, se trouvait à une proximité dangereuse de la maîtresse d'Hitler. Certaines de ses photos sont dans l'album cadeau – elles ne sont pas nombreuses. Celles-ci aussi ont été découvertes récemment, dans les archives de Baumann. Elles montrent Eva Braun à la fin de l'été 1941, détendue, couchée au soleil, faisant de la gymnastique ou se baignant dans le Königssee. On trouve aussi dans la collection des photos de sa sœur Gretl, sur sa chaise longue, un verre de vin rouge à la main, ou posant avec un ami. « Ces photos n'ont jamais été destinées à être publiées », explique Baumann-Schicht. Mais il est possible que Martin Bormann, le secrétaire d'Hitler et son suppléant sur l'Obersalzberg, les ait eues en main : « Vers la fin de 1941, mon beau-père a été envoyé sur le front du jour au lendemain. Après la guerre, un ancien supérieur lui a appris qu'en réalité il aurait dû être affecté à l'un des postes dont on ne revenait pas. » Le photographe a survécu – et avec lui ses prises de vue.

Ernst Baumann ne fut pas le seul, dans l'entourage d'Eva, à être atteint par les foudres du Reichsleiter Bormann. Sa femme de chambre, Anni Plaim, dut elle aussi quitter le Berghof. Herbert Döhring en est encore indigné aujourd'hui. « J'ai dit : "Comment ça ? C'est ma femme qui l'a embauchée, on ne lui donnera pas son congé." » Anni Plaim se souvient : « Eva Braun a déclaré : "Je ne l'accepterai pas. Vous êtes mon employée, je vais immédiatement téléphoner au Führer." » C'est Margarete Mitlstrasser qui raconte la suite : « Eva a parlé à Hitler. Et celui-ci a répondu qu'il ne pouvait rien faire si Bormann en avait décidé ainsi. » Le motif de ce licenciement était l'éducation et l'entourage religieux de la jeune fille : « On l'a mise dehors parce que ses parents étaient profondément conservateurs et catholiques, et qu'ils faisaient souvent des dons à l'Église. » Eva dut céder à son tour : elle n'avait rien à dire. Elle protesta mollement, et pas très longtemps.

Bormann ne l'aimait pas – et elle le lui rendait bien. Lui considérait Eva Braun comme « une fainéante, une flemmarde, un parasite ». Quant à elle, elle le considérait comme un mufle insensible. Mais elle avait besoin de lui en tant qu'administrateur des fonds d'Hitler. Grâce à lui, elle pouvait de temps en temps faire son choix dans une joaillerie sans avoir à demander le prix. Elle était consciente du fait que la parole de Bormann avait auprès du Führer plus de poids que la sienne, et elle en tenait compte en se soumettant. Willi Mitlstrasser se rappelle un épisode caractéristique. « Je venais de Munich, il y avait eu un bombardement, environ deux cent cinquante morts. J'ai raconté ça à ma femme, et elle l'a répété à Eva. Celle-ci l'a à son tour raconté à Hitler. Le lendemain, Hitler en a reparlé à Eva, qui a dit à mon épouse : "Vous vous êtes trompée, il n'y a eu que vingt-cinq morts, c'est ce qu'a dit le Reichsleiter Bormann." » Peut-être Eva éprouva-t-elle de la reconnaissance envers Bormann à cette occasion : oublier les horreurs de la guerre, ou les minimiser, était de plus en plus nécessaire à l'équilibre psychique de la jeune femme. Après tout, elle était la maîtresse de cet homme qui n'avait jamais parlé que de guerre, et qui portait la responsabilité de ce qui se produisait.

Peut-être sentait-elle aussi qu'Hitler lui-même, secrètement, pensait que la guerre était perdue. On avait des raisons de le croire : « À cette époque, il nous est arrivé de parler en tête à tête, raconte Herbert Döhring. "Vous pensez que ça va finir bien ? Vous pensez que ça va finir bien ?" Elle n'arrêtait pas de poser cette question. » C'était en 1942. « Évidemment, je ne répondais pas clairement. Un jour, je lui ai dit : "Une fois de plus, nous n'avons pas atteint l'objectif militaire." Alors elle a été déprimée. Et puis il y a eu Stalingrad ; ça, ça l'a achevée. »

Pour elle, accorder du crédit aux slogans appelant l'Allemagne à tenir bon était aussi une sorte de fidélité et de loyauté à l'égard de l'homme qu'elle aimait. On dit qu'un

Eva Braun et Martin Bormann.

Pour nous, c'était elle le chef à la maison : ça n'était pas le Führer, c'était Eva Braun.

Anni Plaim, domestique au Berghof

Le phénomène Eva, ça n'a pas été grand-chose, car elle était totalement apolitique. Elle n'exerçait aucune influence non plus. Elle n'aurait pas pu le faire, car de toute évidence son entourage nazi ne lui portait aucune estime.

Gertraud Weisker, cousine d'Eva Braun

jour elle aurait même giflé sa sœur parce qu'elle s'était laissée aller à dire que de toute façon la guerre était perdue. Lorsqu'une amie lui demanda d'intercéder auprès d'Hitler afin d'obtenir une permission pour ses deux fils qui se battaient sur le front, Eva répondit : « Allons, soyez donc fière que vos fils se battent pour la patrie ! »

Que savait-elle du génocide des Juifs, ce crime sans précédent ? « Sur l'Obersalzberg, au service de M. Hitler, croyez-le ou non, nous n'avons rien, mais alors strictement rien su de ces atrocités. Bien sûr, on connaissait le camp de concentration de Dachau. On disait : celui qui ne rentre pas dans le rang, chez Hitler, il va à Dachau, mais c'était tout... » déclare Herbert Döhring.

On peut sans doute considérer qu'Eva ne savait rien du massacre systématique des Juifs dans les camps. Mais elle avait entendu parler de la discrimination et de la déportation. Il ne pouvait pas lui avoir échappé qu'Hitler faisait tuer des gens selon son bon plaisir, perpétrait des massacres lorsque c'était « nécessaire ». Elle en savait peut-être assez pour être sûre de ne pas vouloir en savoir plus.

Un jour, un éclat eut lieu au Berghof. La secrétaire du Führer, Traudl Junge, raconte un incident qui survint lorsque la fille d'Hoffmann, Henriette von Schirach, parla dans un cercle d'intimes du traitement barbare qu'on réservait aux Juifs en Hollande. Elle déplora le triste sort qu'on infligeait à ces pauvres gens. Aussitôt, selon Traudl Junge, Hitler bondit de son siège et s'exclama, la mine pétrifiée : « Pleurnicheries humanitaires ! » Puis il sortit de la pièce à grands pas. Mme von Schirach ne fut plus jamais invitée. Elle avait brisé un tabou : la politique avait fait irruption dans la sphère privée.

Le fait qu'Hitler, dans sa vie personnelle et durant ses loisirs, n'ait rien eu d'un monstre fait partie de ce tableau schizophrénique. L'être qui méprisait ses semblables et les traitait sans le moindre scrupule n'apparaissait pas dans le cadre idyllique du Berghof. Ses secrétaires parlent encore aujourd'hui avec exaltation de l'« amabilité » de leur patron, de son charme élégant. C'est le double visage du dictateur : ici le Führer, les fidèles et le chien sur la terrasse, avec en arrière-plan le ciel bleu de la Bavière et les sommets des

Hitler évitait les manifestations publiques d'affection.

Il n'a jamais aimé qu'une seule femme : sa nièce Geli Raubal. Lorsqu'elle s'est suicidée, il a pris Eva Braun. Il la tolérait plus qu'il ne l'aimait. Il se sentait coupable envers elle parce qu'elle avait tenté à deux reprises de se suicider pour lui. Je crois qu'Hitler était incapable d'aimer une femme : sa seule passion, c'était l'Allemagne.

Leni Riefenstahl

Eva Braun critiquait sans arrêt Hitler à cause de ses vieux uniformes, de sa vieille casquette, et parce qu'il marchait tout courbé, avec les épaules tombantes. « Tu ne sais pas quel poids gigantesque pèse sur mes épaules », lui a-t-il répondu un jour.

Herbert Döhring, régisseur d'Hitler au Berghof

Alpes – là-bas, les êtres torturés, martyrisés, battus à mort dans les camps d'extermination. Ici, *Autant en emporte le vent* dans la salle de projection, là-bas, les nuits de bombardements dans les villes allemandes. Il faisait le baisemain aux femmes, mais signait une condamnation à mort comme on règle une note de restaurant. Il s'engageait avec passion – sous les applaudissements de ces dames – en faveur de la protection des animaux, et considérait qu'il était normal que des millions d'hommes allemands meurent sur les champs de bataille de sa guerre d'extermination. Il avait de la pitié pour les animaux, pas pour les humains. Meurtre, charme, trivialité – tout cela était conciliable dans sa vie quotidienne.

Pas de mauvaise conscience – et de quoi, d'ailleurs ? La « cause » justifiait tout. Hitler n'a jamais visité un camp de concentration ; lui-même n'a jamais commis de violence directe. Il tenait l'horreur à distance. Peut-être le monde factice des Alpes idylliques lui a-t-il même facilité plus d'une décision atroce. Dans cette mesure, Eva Braun était un élément du système.

Elle respectait la zone de tabou. Lorsque le personnel ou les invités évoquaient, au Berghof, les événements politiques, elle éludait ; des témoins disent même qu'elle posait son index sur sa bouche, indiquant ainsi qu'il ne fallait pas poser d'autres questions, pour ne pas ébranler encore plus la fragile façade.

Les parents Braun, qui étaient très réservés au début, se laissèrent prendre, à la fin, au charme du Berghof. Le « mode de vie immoral » d'Eva ne les choquait plus beaucoup. Après tout, ils éprouvaient une sorte de fierté pour ce « quasi-gendre » ; et puis cette relation n'allait pas non plus sans avantages pour eux. L'oncle Alois décrit ainsi l'évolution des choses : « Les relations d'Eva avec ses parents ont été plus ou moins intenses lorsqu'elle était la maîtresse de maison du Berghof. Une fois que les choses se furent décantées, c'est-à-dire après l'échec de leur tentative pour ramener Eva dans la communauté familiale, ses parents, Friedrich et Fanny, s'accommodèrent de leur rôle de spectateurs certainement pas extérieurs, mais dépourvus de toute influence ; ils avaient peu de contacts avec Eva, même s'il arrivait qu'elle les invite de temps en temps à venir prendre le thé l'après-midi sur l'Obersalzberg. Il est possible qu'Hitler ait considéré ce genre d'invitations comme des gestes d'amitié – mais il était tellement imbu de lui-même que l'on peut en douter. »

L'oncle Alois écrit aussi que Friedrich Braun garda ses distances politiques avec le régime national-socialiste Ce n'est certainement que partiellement vrai. Même sur les films privés tournés par Eva Braun, on distingue son insigne du parti où il était entré à la fin des années 1930.

L'image de Friedrich Braun donnée par l'avocat Otto Gritschneder, qui le défendit après la guerre devant la chambre de dénazification, est sans doute la plus exacte. Il cite ses propos : « Je n'ai jamais diffusé ni reconnu l'idéologie nationale-socialiste, mais les succès d'Hitler m'ont impressionné. Il a construit des autoroutes, il a éliminé le chômage et il a vaincu la France, ce qui, d'un point de vue militaire, était une performance. » Tout cela, selon Gritschneder, a transformé en reconnaissance la répugnance initiale du père d'Eva Braun. Mais il n'était pas le seul de ses contemporains à être dans ce cas-là.

Le rôle de la famille Braun ne s'arrêta pas là. Elle fut convoquée pour des noces somptueuses au Berghof alors que la guerre déclenchée par Hitler menait de plus en plus clairement à la défaite. Les Alliés préparaient l'assaut contre la forteresse Europe, le deuxième front allait être ouvert en juin 1944 en Normandie. Trois jours avant le D-Day, le 3 juin, la sœur cadette d'Eva, Gretl, épousa sur l'Obersalzberg le Gruppenführer SS Hermann Fegelein. En mars 1944, le Reichsführer SS Heinrich Himmler avait rendu visite à Hitler sur l'Obersalzberg. Il était accompagné du nouveau « commandant de liaison de la Waffen-SS auprès du Führer » – ce même Fegelein. Celui-ci était sans doute l'un des carriéristes les plus écœurants de l'élite nazie. Il portait une part de responsabilité dans les dizaines de milliers d'assassinats de femmes et d'enfants perpétrés à l'arrière du front de l'Est en 1941 – mais il faisait une très forte impression sur les dames qui côtoyaient Hitler. Ce mariage avait été arrangé. Fegelein voyait dans ses relations avec la sœur d'Eva une possibilité de poursuivre son ascension.

Eva Braun elle-même aurait avoué à des amies que Fegelein lui plaisait beaucoup en tant qu'homme: «Si j'avais connu Fegelein dix ans plus tôt, j'aurais demandé au chef de me libérer», aurait-elle dit à son amie Marion Schönmann. Le mariage de sa sœur montre qu'elle s'était résignée à son sort. «Après l'échec de quelques tentatives pour marier sa sœur cadette à des hommes de l'entourage d'Hitler, Eva Braun n'eut plus qu'un seul objectif: marier Fegelein à Gretl», affirme la secrétaire du Führer, Christa Schroeder. Et c'est finalement sous la tutelle d'Eva que les noces se déroulèrent: «Je voudrais que tout se passe comme si c'était mon propre mariage», déclara la maîtresse du Führer – ce qui était une manière de faire passer un message sans équivoque: «Ma petite sœur est à présent une femme mariée; moi, au bout de seize ans, je suis toujours la petite amie.» Telle est du moins l'interprétation de la cousine d'Eva, Getraud Weisker. Eva Braun voulait-elle ainsi montrer à Hitler de quoi elle rêvait?

On peut douter que ce message soit parvenu à son destinataire – surtout dans cette phase de la guerre où Hitler avait le dos au mur. Quelques jours après les noces de Gretl Braun et de Fegelein, les troupes alliées avaient déjà investi les côtes de Normandie. La marche vers le Reich avait débuté. Et ce ne fut pas la seule épreuve de l'été 1944.

Le 20 juillet, à sept heures du matin, un avion spécial décolla de l'aérodrome de Rangsdorf, à Berlin. À bord se trouvaient le comte Stauffenberg, colonel de la Wehrmacht, et son aide de camp von Haeften. La serviette de Stauffenberg contenait deux bombes d'un peu moins de un kilo chacune. Les gardes du quartier général d'Hitler, la Wolfschanze (le Repaire du Loup), près de Rastenburg, en Prusse-Orientale, laissèrent passer le colonel, sans autre formalité, à 10 h 30. Ils ne pouvaient pas deviner qu'il s'agissait de l'un des chefs de la résistance militaire contre le Führer. À 12 h 42, une détonation assourdissante déchira le silence. La bombe que Stauffenberg avait déposée sous la table des cartes, dans la salle de conférences, avait explosé. L'auteur de l'attentat, persuadé que l'opération avait réussi, rentra en toute hâte à Berlin.

Au même moment, Eva Braun se baignait avec des amis

dans le Königssee. Margarete Mitlstrasser raconte ce qui se passa en début d'après-midi : « Tout d'un coup, Zechmeister, le chauffeur, est arrivé à toute vitesse. Je lui ai demandé : "Eh bien, qu'est-ce que tu fais déjà ici ?" Et il m'a dit : "Quelque chose d'épouvantable est arrivé. Un attentat contre le chef !" À ce moment-là, Eva avait apparemment déjà vu que nous étions tous livides. Elle a dit : "Nous rentrons immédiatement à la maison." Nous sommes partis pour l'Obersalzberg, et nous n'étions pas encore descendus de voiture lorsqu'elle a déclaré : "Margret, préparez les bagages, je pars pour Berlin." J'ai répondu : "Madame, ça ne se peut pas, le Führer nous a dit que vous deviez rester au Berghof quoi qu'il arrive." »

Eva écrivit aussitôt à Hitler, sans doute avec le sentiment et l'espoir que celui-ci pourrait désormais avoir besoin d'elle. « Mon aimé, je ne suis plus moi-même. Je meurs d'angoisse, je me sens proche de la folie. Ici, le temps est si beau, tout paraît si paisible que j'ai honte... Tu sais que je ne vis que pour ton amour. Ton Eva. »

L'échec de l'attentat marque peut-être un tournant dans leur relation. Le ton d'Hitler, en tout cas, devint plus aimable. Après l'attentat du 20 juillet 1944, selon Nerin Gun, il aurait écrit : « Ma chère petite bécasse, je vais bien, ne te fais pas de souci, je suis peut-être juste un peu fatigué. J'espère revenir bientôt et pouvoir me reposer dans tes bras. J'ai un grand besoin de repos, mais mon devoir envers le peuple allemand passe avant tout. Je t'ai envoyé l'uniforme que je portais le jour de l'accident. Il prouve que la providence m'a protégé et que nous n'avons plus à craindre nos ennemis. De tout cœur. Ton A.H. »

On ne peut reconstituer dans le détail les différents lieux où séjourna Eva au cours des mois suivants. Elle fut tantôt à Berlin, tantôt à Munich, tantôt sur l'Obersalzberg.

En janvier 1945 débuta l'offensive finale des Soviétiques. Leur cible était Berlin. La capitale du Reich était depuis longtemps transformée en champ de ruines. Presque chaque jour, les Alliés déversaient leur chargement de bombes sur la métropole. Et presque chaque jour, Hitler s'entretenait avec Eva Braun. Il lui conseillait de ne pas venir à Berlin.

Au début de mars, elle se résolut tout de même à faire

le voyage, comme le raconte sa confidente Margarete Mitlstrasser : « Elle est partie volontairement pour Berlin assiégé le 7 mars 1945 par le train spécial. Et puis elle est restée là-haut – bien qu'Hitler, horrifié, ait voulu la renvoyer immédiatement. Mais on ne pouvait plus la faire changer d'idée. Qu'elle soit restée pour un type pareil, qu'elle ait voulu mourir avec lui... »

Bêtise autodestructrice ou ultime preuve d'amour ? « Il apparut alors que l'amitié d'Eva pour Hitler était plus que l'affection intéressée d'une jeune femme avide de vivre qui spéculait sur l'avenir ; on vit aussi, alors, qu'elle était plus pour Hitler qu'un jouet destiné à passer quelques heures », écrit l'oncle Alois. Ce qu'elle recherchait, c'était la reconnaissance à laquelle elle aspirait depuis si longtemps – même si ce n'était pas obligatoirement au prix de sa vie. Elle acceptait son destin.

L'architecte et ministre de l'Armement d'Hitler, Albert Speer, a décrit en détail, fin avril 1945, sa visite d'adieux : « Nous avons pu discuter tranquillement, car Hitler s'était retiré. En réalité, c'était Eva Braun la véritable personnalité capable d'affronter la mort dans ce bunker ; elle faisait preuve d'un calme admirable et réfléchi. Tandis que tous les autres étaient portés par une exaltation héroïque, comme Goebbels, cherchaient à sauver leur vie, comme Bormann, étaient éteints, comme Hitler, ou effondrés, comme Mme Goebbels, Eva Braun affichait une décontraction presque joyeuse... "Que diriez-vous d'une bouteille de champagne pour les adieux ? Et d'un peu de confiserie ? Cela fait longtemps, certainement, que vous n'avez pas mangé." Le simple fait qu'elle soit la première à se dire, après de nombreuses heures passées dans le bunker, que je pourrais avoir faim m'apparut comme une émouvante preuve d'attention. Le serviteur apporta une bouteille de Moët et Chandon, des gâteaux, des bonbons. »

La fin, dans le bunker du Führer, fut un chant du cygne mélodramatique, dans le style d'un opéra de Wagner, avec trahison, mariage, testament, suicide et incinération. Pendant les derniers jours passés dans ces catacombes, l'humeur du dictateur oscilla entre fureur et dépression. Après quelques instants de clarté, il replongeait dans les affres de

Un document rare sur l'intimité du couple.

C'était simplement une jeune fille prise dans une relation amoureuse et qui a maintenu cette relation jusqu'à la mort. Mais on ne peut pas dire qu'elle ait été coupable. Si mon partenaire est coupable et que je l'aime, je ne partage pas automatiquement sa culpabilité.

Gertraud Weisker, cousine d'Eva Braun

Elle a refoulé beaucoup de choses. Notamment sa volonté, qu'elle ne pouvait pas imposer ou mettre en œuvre avec Hitler.

Herbert Döhring, régisseur d'Hitler au Berghof

Eva Braun est une jeune femme intelligente qui compte énormément aux yeux du Führer.

Joseph Goebbels, journal, 10 août 1942

ses visions obsessionnelles. C'est dans cette ambiance de fin du monde qu'arriva, au soir du 23 avril, un télégramme du Reichsmarschall Göring dans lequel il annonçait, sous forme d'ultimatum, qu'il prenait le pouvoir en Allemagne. Hitler était fou de rage : il était inouï, disait-il, qu'un paladin « m'ait trompé, moi-même autant que ma famille, et m'ait laissé seul ! [...] Il ne me reste plus rien à présent, plus de fidélité, plus d'honneur, il n'est pas une déception que je n'aie vécue ». Il s'installa dans le rôle de la victime. Même ceux qui, depuis le début, l'avaient accompagné sur son chemin politique n'étaient plus ses amis. Au soir du 28 avril tomba le deuxième message de malheur : Himmler, annonçait une dépêche de l'agence Reuters, négociait la paix avec le comte suédois Bernadotte. Encore une trahison ! Et de la part du « fidèle Heinrich », pour couronner le tout ! « Il était hors de lui, on aurait dit un dément », se rappelle la pilote Hanna Reitsch.

La mort de son ami Mussolini accrut encore la panique. Des partisans avaient abattu le dictateur italien et sa compagne, et les avaient pendus par les pieds à Milan. Hitler était sous le choc. Le destin de son ancien modèle fut peut-être pour lui un avertissement. Et pour Eva Braun ? « La seule chose que je puisse dire, c'est qu'Hitler a eu de la chance avec elle, estime Reinhardt Spitzy, qui se rendit régulièrement en visite au Berghof entre 1937 et 1939. Elle lui est restée fidèle jusqu'à la fin, au moment où tous les généraux cherchaient à se défiler, et où même les huiles du parti disparaissaient dans la nature. En tout cas, elle est restée auprès de lui, et elle l'a très noblement accompagné dans la mort – comme la Petacci avec Mussolini. »

Eva sentit que grâce au naufrage elle pouvait jouer le rôle dont elle avait si longtemps rêvé. Elle voulait être plus proche d'Hitler que quiconque. « Pauvre Adolf, tous t'ont quitté ! Tous t'ont trahi ! » se lamentait-elle. Elle voulait juste montrer qu'elle était la seule à lui rester fidèle. Elle n'avait pas conscience qu'en parlant ainsi elle ne faisait qu'attiser la démence du dictateur, en lui faisant croire qu'il était la véritable victime et en l'incitant à se réfugier dans des mondes irréels.

Elle ne pensait plus qu'à lui. Elle ne se montra même

Aux heures sombres de la guerre.

À partir de Stalingrad, à partir de 1943, il ne fit aucun doute que tout était perdu. Mais on ne pouvait pas le faire savoir publiquement. Eva le savait aussi. Et elle s'en est servi. À partir de ce moment-là, elle a compris qu'Hitler ne s'intéressait plus à un grand nombre de choses ; alors elle pouvait plus souvent imposer sa propre volonté et ses souhaits.

Herbert Döhring, régisseur d'Hitler au Berghof

En faisant tout ce qu'elle a fait, elle voulait lui prouver quelque chose : « Je vaux peut-être beaucoup plus que tu ne l'as cru jusqu'ici. Je suis celle qui reste. Et maintenant, tu me vois peut-être telle que je suis réellement. » Elle est restée de bout en bout fidèle à elle-même. Et elle a accepté la brouille passagère avec sa famille. Mon père mais aussi mon oncle et mon grand-père étaient critiques envers le régime. Et elle est restée fidèle à cet homme.

Gertraud Weisker, cousine d'Eva Braun

pas vraiment touchée lorsque l'Obergruppenführer SS Fegelein, l'époux de Gretl, arrêté alors qu'il s'enfuyait avec une valise pleine de bijoux et de devises, fut exécuté comme bouc émissaire au nom d'une prétendue complicité dans la trahison d'Himmler. Le fait que Fegelein ait été le beau-frère d'Eva n'avait pas attendri Hitler, et rien n'indique qu'elle-même ait plaidé avec énergie en sa faveur.

Le déferlement des obus de l'Armée rouge assourdissait tout le monde lorsque Hitler demanda à sa secrétaire Traudl Junge de le suivre. C'était le soir du 28 avril 1945. Il lui dicta deux testaments – sans pause ni correction. Dans son testament politique, il laissa un dernier témoignage sur le monde de démence dans lequel il vivait. Mme Junge sténographia un texte plein de haine et d'accusations. En phrases brèves et frustes, le dictateur tentait de justifier ses crimes bestiaux. Il attribuait la responsabilité de la guerre au «judaïsme international».

Dans son testament privé, beaucoup plus concis, il annonçait ce qui allait suivre quelques heures plus tard, son mariage avec Eva Braun: «Bien que pendant les années de combat j'aie estimé que je ne pouvais assumer la responsabilité d'un mariage, je me suis résolu, peu avant la fin de ma vie, à épouser la femme qui, après de nombreuses années d'une amitié véritable, est venue me rejoindre dans Berlin presque entièrement encerclé afin de partager mon destin. Suivant son propre vœu, elle me suivra dans la mort après être devenue mon épouse.» Le reste du document contient des instructions concernant la répartition de son patrimoine. Suivent les mots décisifs: «Mon épouse et moi-même choisissons volontairement la mort pour échapper à l'infamie d'un renversement ou d'une capitulation. Notre vœu est que l'on incinère nos corps immédiatement, sur le lieu où j'ai accompli la plus grande partie de mon ouvrage quotidien pendant les douze années où j'ai été au service de mon peuple.»

Ce qu'Hitler avait annoncé à propos de son mariage trouva sa sobre expression dans des noces improvisées, sans le moindre ornement. Mis à part l'officier d'état civil Wagner, détaché en toute hâte d'une unité des dernières troupes levées et rassemblées pour combattre à proximité de la chancellerie du Reich, n'étaient présents que les deux témoins du mariage, Joseph Goebbels et Martin Bormann. Quelques minutes plus tard, tout était fini. L'épouse était tellement émue qu'elle commença par signer le document de son nom de jeune fille. Lorsqu'on attira son attention sur l'erreur qu'elle était en train de commettre, elle raya le « B » et écrivit : « Eva Hitler, née Braun. » La cérémonie s'acheva par une petite collation prise dans les appartements de l'époux. Parmi les rares invités se trouvaient les secrétaires et la cuisinière du Führer. Ce furent des noces macabres, au cours desquelles il parla de suicide après avoir reçu des vœux de bonheur.

Personne n'osa appeler Eva « madame Hitler ». Mais elle avait obtenu ce qu'elle voulait. « J'avais le sentiment que, de son vivant, elle était toujours restée dans l'ombre, et qu'elle n'avait vraisemblablement aucune chance d'y changer quoi que ce soit, dit Traudl Junge. Je pense qu'elle s'est imaginé qu'au moins, ainsi, elle entrerait dans l'histoire comme l'amante héroïque, la femme du Führer. Je crois que c'était son idée. C'est ce qui lui a donné la force d'aller jusqu'au bout. »

C'est sans doute le seul sens qu'Eva Braun ait pu donner à sa vie. Certains ont porté à son crédit ce sacrifice fait par amour ; d'autres n'y voient que la conséquence de cette relation autodestructrice dans laquelle elle s'était engagée volontairement, d'où elle aurait pu sortir à tout instant mais d'où, par aveuglement, elle ne voulut jamais s'échapper.

L'Armée rouge se trouvait sur la Potsdamer Platz, le jardin du Tiergarten était conquis. Les troupes de Staline n'avaient plus que quelques mètres à parcourir pour atteindre la chancellerie du Reich lorsque Hitler et Eva Braun prirent congé de leurs derniers fidèles. Le 30 avril, vers 15 h 30, retentit dans le bunker un unique coup de feu, couvert par le feu roulant de l'artillerie russe. Dans ses appartements, effondré sur son divan ensanglanté, Hitler gisait à côté d'Eva Braun. L'ancien chef de la Jeunesse du Reich, Artur Axmann, décrit ce qu'il a vu dans cette sorte de crypte : « Adolf Hitler était assis sur le côté droit du divan, son buste était légèrement penché, la tête inclinée vers l'arrière. J'ai vu Eva Braun effondrée sur le divan à côté d'Hitler, les yeux fermés. Je n'ai pas pu constater la moindre blessure externe. Elle s'était empoisonnée et donnait l'impression de dormir. »

Il n'y a jamais eu aucun doute sur la cause de la mort d'Eva Hitler. Elle s'est suicidée en avalant une capsule de cyanure. Dans le cas de son époux, on a longtemps discuté pour savoir s'il avait mis fin à ses jours en se tirant seulement une balle dans la tête. Il est aujourd'hui certain qu'il a commencé par mordre dans une capsule de cyanure, et qu'il s'est ensuite tiré une balle dans la tempe droite.

Des hommes de la SS et des employés portèrent les corps, enveloppés dans des couvertures, par les escaliers étroits du bunker. Ils les déposèrent devant la sortie. Un bloc de béton armé, muni d'une petite porte, séparait les catacombes du monde extérieur. Dehors, les obus soviétiques éclataient sans interruption. L'aide de camp d'Hitler, Günsche, porta Eva à environ trois mètres cinquante de l'entrée. Là, les deux cadavres furent arrosés d'essence – on disposait au total d'environ trois cents litres de carburant. Une boule de papier enflammée déclencha l'incendie – mais le feu ne prit pas immédiatement. « Le patron ne brûle pas ! » aurait crié le chauffeur d'Hitler, Kempka.

Depuis l'entrée du bunker, Martin Bormann et Joseph Goebbels observaient en silence les deux corps en flammes – le cadavre de cet homme qui avait causé tant de souffrance à des millions de personnes dans le monde, celui qu'ils avaient suivi jusqu'à sa fin en lui obéissant aveuglément, et la dépouille de sa compagne cachée, qui n'était devenue son épouse que dans la mort.

Le 1er mai, la Radio de la Grande Allemagne diffusa sa version des événements : Adolf Hitler était « tombé pour l'Allemagne à son poste de commandement, dans la chancellerie du Reich, en combattant jusqu'à son dernier souffle ». Ce fut le dernier mensonge du régime. On ne parla pas de la présence d'une femme à ses côtés.

Gertraud Weisker apprit en juin 1945 la mort de sa cousine et en tira une conclusion très personnelle : « Pour elle, c'était l'ultime conséquence. Elle a fait, concrètement, ce qu'elle avait voulu faire toute sa vie. Et son objectif, c'était d'épouser cet homme, à n'importe quel prix. Comme il n'y avait plus aucune possibilité de le faire de son vivant, elle l'a fait en mourant. Cela paraissait l'unique épilogue possible pour cette histoire d'amour d'une fille de dix-sept ans. »

Le jugement que les historiens portent sur elle n'est pas très gratifiant. Hugh Trevor-Roper a écrit un jour : « Eva Braun est une déception de l'histoire. » De fait, elle n'a joué aucun rôle dans les décisions qui ont mené aux pires crimes du XXe siècle. Hitler était trop narcissique, il était trop enfoncé dans sa propre démence pour se laisser convaincre de quoi que ce soit par une jeune fille munichoise. Mais elle fut un élément de sa vie privée, une amante cachée qui lui procurait un équilibre et un appui. Cela lui permit peut-être de commettre ses atrocités avec d'autant plus d'obstination.

Winifred Wagner

La muse

En réalité, mon national-socialisme était exclusivement lié à la personne d'Adolf Hitler. Tout le reste m'inspirait assez peu d'intérêt.

Entre 1925 et 1933, à quelques reprises, Hitler a fait de brèves haltes à Wahnfried pendant ses voyages entre Berlin et Munich. Dans le cercle familial, il pouvait se comporter comme un homme parmi les autres et se reposer de l'activité exténuante qui était la sienne, celle de propagandiste du parti.

Je connaissais tout de même Hitler depuis vingt-deux ans, et il ne m'avait jamais inspiré la moindre déception humaine. Enfin, hormis les choses qui se déroulaient à l'extérieur, mais cela ne me touchait pas.

Si je suis restée plus ou moins fidèle jusqu'à la fin tragique, c'est que je connaissais cet homme sous les traits d'un être aimable, distingué et secourable. C'était l'homme qui me plaisait, pas le parti.

Au théâtre des festivals de Bayreuth, on n'a jamais demandé aux gens s'ils appartenaient ou non au parti : on leur demandait de bien faire leur métier.

Il y avait entre nous un lien purement humain, personnel et familier, qui reposait sur l'admiration et l'amour pour Richard Wagner.

Je suis en mesure d'établir une distinction complète entre l'Hitler que je connais et tout ce qu'on lui fait porter aujourd'hui sur les épaules.

Winifred Wagner

Ma mère avait une conception idéaliste de la foi en cette « rénovation nationale » prônée par Hitler.

Wolfgang Wagner,
Lebens-Akte, *1994*

Elle a intégré Richard Wagner dans cette union diabolique avec le Reich allemand, dans cette relation très personnelle avec son Führer ; en agissant ainsi, elle a fait de Richard Wagner, à titre posthume, un complice et un acteur politique du déclin national.

Hans Jürgen Syberberg, réalisateur

Après 1945, bien entendu, le festival de Bayreuth ne pouvait plus mettre en scène l'antisémitisme ni la glorification des idées nationales-socialistes. Alors par la suite, ma grand-mère s'est exprimée dans un cercle un peu plus intime. On connaissait son jeu de mots « *USA, unser seliger Adolf* », notre saint Adolf.

Gottfried Wagner, petit-fils de Winifred Wagner

Hitler était un petit-bourgeois qui cherchait à s'élever dans la haute société. S'il y est parvenu, c'est aussi grâce à Winifred.

Erika Jansen, figurante au festival de Bayreuth

Winifred avait l'oreille du pouvoir et pouvait s'en servir à n'importe quel moment pour tirer d'un camp un médecin juif de Bayreuth ou une relation juive qui avait disparu. Plus de trente lettres de remerciements adressées par des Juifs témoignent en sa faveur.

Nike Wagner, petite-fille de Winifred Wagner

Nous sommes à la mi-mai 1945 : le suicide d'Hitler et la capitulation de la Wehrmacht ont enfin libéré l'Allemagne du fracas des combats et de l'odeur du sang. Alors que la plupart des Allemands, hébétés, se demandent encore s'ils doivent désormais se sentir vaincus ou délivrés, les vainqueurs partent à la recherche des responsables de la catastrophe. Klaus Mann, fils de l'écrivain émigré Thomas Mann, porte un uniforme d'officier américain et traque une femme inscrite en très bonne place sur sa liste. Il la trouve dans un petit village retiré de Haute-Franconie, Oberwarmensteinach. C'est là, dans une petite maison de vacances estivales, que Winifred Wagner, belle-fille du plus allemand de tous les compositeurs, le reçoit avec autant d'amabilité que de détermination :

« Monsieur Mann, il est inutile de me poser la question : je n'ai pas couché avec Adolf Hitler. »

Dès ce premier interrogatoire, elle montre ce que des biographes bienveillants ont présenté comme une « saine franchise », et que sa petite-fille Nike a qualifié pour sa part d'« incapacité à expier ». Klaus Mann, quant à lui, a constaté avec ahurissement qu'il lui avait fallu rouler « presque jusqu'à la frontière tchèque » pour trouver en Allemagne une personne qui admette avoir été partisan d'Hitler. « Elle fut la seule à ne pas prendre autant de distances que possible avec le dictateur, mais à admettre ouvertement l'amitié qui les liait. Nous avons parlé d'Hitler ! "Si nous étions amis ? Mais certainement ! *Certainly! And how!*" Elle paraissait même en être très fière ! J'avais devant moi une walkyrie au format imposant et à la tranquillité impressionnante, plantureuse, la tête bien droite. "Il était délicieux, me déclara-t-elle, agressive. Je ne comprends pas grand-chose à la politique, mais je m'y connais en hommes. Hitler était charmant. Un Autrichien, vous savez ! Plein d'allant, sympathique ! Et son humour était tout simplement merveilleux !" »

Elle ne changea pas d'avis. Au cours de ses deux passages devant la chambre de dénazification, Winifred Wagner chercha certes à édulcorer son comportement sous le régime national-socialiste, à le présenter comme apolitique et exclusivement voué à l'héritage de Richard Wagner. Mais elle ne laissa jamais planer le moindre doute sur ses bonnes relations avec l'homme privé qu'était Hitler. Ses deux fils, Wieland et Wolfgang, eurent toutes les peines du monde, lorsqu'ils reprirent le festival en 1951, à faire oublier l'incorrigible amie du Führer. Ils y parvinrent jusqu'en 1975. Cette année-là, la vieille dame accorda au réalisateur Hans Jürgen Syberberg plus de cinq heures d'entretien qui firent scandale. « Si Hitler entrait aujourd'hui par cette porte, disait-elle d'une voix assurée, je serais tout aussi joyeuse et heureuse de le voir ici et de l'avoir chez moi que dans le passé. » Son ami aux mains ensanglantées était toujours pour elle une « personnalité unique en son genre ».

Ce sont des propos déconcertants. Winifred Wagner reste une énigme – après la mort de son admirateur, Hitler, plus encore qu'au cours des années de son sinistre Reich. Un être doué d'intelligence et sachant ce qui s'est passé à Auschwitz peut-il chanter les louanges de cet assassin comme s'il s'agissait d'un simple « charmeur » ? Pourquoi une vieille femme ayant toutes ses facultés intellectuelles a-t-elle voulu déclencher la colère du public – laquelle, bien entendu, ne se fit pas attendre ? Et surtout : qu'est-ce qui avait fasciné la « grande dame de Bayreuth » au point qu'elle fût incapable d'échapper à ce charme ?

Un regard sur sa biographie l'explique en partie. Ni Hitler ni Winifred Wagner n'étaient nés allemands, et c'est sans doute pour cette raison qu'ils nourrissaient ce nationalisme fanatique qui caractérise les pièces rapportées de toutes les nations. Hitler, issu de la région autrichienne de l'Inn, avait classé « secret défense » son curriculum vitæ. Mais jusqu'à la fin, il semble avoir été en quête d'une famille de substitution ; c'est ce qu'il venait chercher, pour de brèves périodes, chez Winifred.

Celle-ci, en revanche, ne faisait pas mystère de son origine : Winifred Williams est née en 1897 à Hastings, sur la côte de la Manche, en Angleterre. Son père, John Williams, était un écrivain médiocre, sa mère Emily avait travaillé comme comédienne sur des scènes de province. Winifred, orpheline à trois ans, fut ballottée entre différents membres de sa famille et se retrouva finalement sous la surveillance rigoureuse de religieuses dans un sombre orphelinat gothique au sud de Londres. Elle y passa « des années très malheureuses », admit-elle dans sa vieillesse, et l'on peut supposer que c'était une litote.

Deux traits essentiels lui sont restés, reliques évidentes du temps passé à l'orphelinat : d'une part cette dureté et cette impassibilité qui la laissaient rarement afficher ses sentiments. Son petit-fils, Gottfried Wagner, a reproché cette froideur à sa grand-mère et à son père, Wolfgang. Mais elle avait aussi un puissant esprit de famille, qui touchait à l'abnégation. Winifred fut une mère et une grand-mère aimante, et sur bien des points exemplaire. Jusqu'à un âge avancé, elle aida à langer les bébés et à faire la cuisine. Elle se montra prête à pardonner à sa fille rebelle, Friedelind, alors que son livre impitoyable intitulé *Nuit sur Bayreuth* avait servi de base à l'accusation devant la chambre de dénazification. Elle assuma tout naturellement, après la guerre, la responsabilité de l'héritage nazi de Bayreuth, afin que ses fils, libérés de leur passé de protégés d'Hitler, puissent assurer la pérennité du festival.

À la fin de l'école primaire, Winifred Williams tomba malade. Un médecin recommanda le « climat continental » ; elle se retrouva ainsi dans le foyer du couple Klindworth, de lointains parents habitant à Berlin. Ce fut sans doute le tournant décisif de sa vie. Karl Klindworth, un vieux musicien à barbe blanche qui avait été jadis lié d'amitié avec Richard Wagner, entretenait toujours d'étroites relations avec Bayreuth. Il devint le père adoptif de Winifred, lui fit découvrir les opéras de Wagner et les idées du « national-populisme » qui, notamment chez les wagnériens allemands, s'étaient tissées autour des livrets de *Parsifal,* des *Maîtres chanteurs* ou de *L'Anneau du Nibelung.* Lorsque la jeune Anglaise phtisique fut devenue une charmante jeune femme, Klindworth servit d'entremetteur auprès de la veuve de Wagner, Cosima, et présenta sa pupille à la famille du « maître ». Ses leçons de « wagnérianisme » portèrent leurs fruits plus tard : Winifred ajouta à son prénom celui de Senta – d'après le personnage légendaire du *Vaisseau fantôme* qui doit sauver le marin maudit en lui vouant une « fidélité jusqu'à la mort ».

À l'époque où la maladie et le hasard conduisaient la jeune Winifred dans la maison d'un ardent admirateur de Wagner, un jeune Autrichien vivait une « expérience d'éveil » au parterre de l'opéra de Linz. On y donnait *Rienzi* de Wagner. August Kubizek, un ami de jeunesse d'Hitler et, comme celui-ci, un partisan enflammé de Wagner, a raconté cette soirée lyrique à laquelle ils assistèrent ensemble en novembre 1906 : « Nous vécûmes bouleversés la chute de Rienzi, et bien qu'en général, lorsqu'une expérience artistique l'avait ému, il eût eu l'habitude de s'exprimer immédiatement et de critiquer la représentation sans prendre de gants, Adolf garda longtemps le silence après celle-ci. » Dans l'histoire du tribun populaire romain qu'était Rienzi, qui voulut libérer son peuple et finit au bout du compte sous les ruines du Capitole après avoir été trahi, le jeune Hitler avait eu la vision de son propre avenir. Kubizek raconte que son compagnon, en « images grandioses et saisissantes », lui parla soudain d'une « mission » qui le ferait guider le peuple allemand « vers les sommets de la liberté ». « On aurait dit, poursuit Kubizek, qu'un autre moi s'exprimait en lui, et lui inspirait le même saisissement qu'à moi-même. » En 1939, Hitler qui avait fait depuis longtemps du thème de *Rienzi* l'hymne des congrès du parti nazi décrivit d'une voix vibrante à Winifred Wagner cet instant qu'il avait vécu à Linz : « C'est à cette heure précise que tout commença ! »

Dès sa jeunesse, il avait ainsi établi sa patrie intellectuelle dans le monde scénique légendaire de Wagner, qui paraissait empli d'abîmes et de messages de salut. « D'un seul coup, je fus comme captivé », écrivit-il à propos de sa rencontre avec la musique de Wagner dans *Mein Kampf* (*Mon combat*), son livre programme, dont le titre faisait écho à celui de l'autobiographie de Wagner, *Ma vie*. À un reporter américain il révéla qu'à cette époque il allait écouter les opéras de Wagner « comme d'autres se rendaient à l'église ». Bûchers enflammés, châteaux des dieux qui s'effondraient, rédemption dans l'ivresse – c'est à l'opéra qu'Hitler, le catholique, allait communier. Mais il faudrait attendre les premières années de sa dictature pour mesurer toute l'emprise du compositeur sur lui.

Winifred Williams, elle, assista à son premier opéra de Wagner au cours de l'été 1914, pendant ces semaines fatidiques qui précédèrent la Première Guerre mondiale et qui marquèrent la fin d'une époque. Un exalté serbe venait d'assassiner le prince héritier d'Autriche-Hongrie François-Ferdinand. Mais cette jeune fille de dix-sept ans avait autre chose en tête. Elle aussi, elle le raconta plus tard, fut « profondément émue » par les cascades sonores qui la submergèrent depuis la fosse d'orchestre lors d'une répétition générale du *Vaisseau fantôme*. Elle fut fascinée par ce qui se passait sur la scène, encore rigoureusement « naturaliste » à cette époque, avec des arbres artificiels, des barbes enfumées et des casques teutoniques à cornes de taureau. « Depuis ces heures-là, s'exaltait-elle encore des décennies plus tard, il n'a plus existé pour moi que Wagner et l'univers de Bayreuth. » Est-ce l'ivresse des accords ou le plaidoyer de Klindworth qui poussa Winifred à se prendre aussi de passion pour le fils de Richard Wagner, Siegfried ? Un an plus tard à peine, le 22 septembre 1915, ils se mariaient.

Guerre mondiale ou non, on était heureux à Bayreuth. La veuve du maître, Cosima, voyait enfin se dissiper les soucis que lui inspirait la conservation de la lignée. Son fils Siegfried, dit « Fidi », avait tout de même quarante-six ans le jour de son mariage. Il avait certes déjà eu un enfant naturel avec une fille de pasteur, mais pour maintenir le

Siegfried Wagner et sa « petite Winnie ».

À Wahnfried, il n'y a pas de cadavre dans les placards.

Wolfgang Wagner

L'homosexualité de son époux était pour Winifred Wagner un sujet très problématique. Dans les années 1920, naturellement, c'était un sujet tabou.

Gottfried Wagner

pouvoir de la famille sur la Colline verte, l'aire du théâtre des festivals, il était hors de question de faire appel à ce rejeton illégitime. Siegfried était considéré comme un compositeur tout à fait compétent, et un digne héritier de Wagner. Seules ses nombreuses relations amoureuses avec des femmes aussi bien qu'avec des hommes troublaient son prestige – bien que cette attitude parût témoigner d'une certaine fidélité à la tradition familiale : Cosima ne pouvait dire en toute certitude qui était le père de sa fille Isolde. Mais avec l'âge, la sensuelle épouse du compositeur était devenue une gardienne très morale du Graal qui devinait suffisamment de choses sur les escapades de Fidi pour ne pas vouloir en savoir plus. Il semble plus que douteux que la jeune Cendrillon – Winifred – ait eu vent de tout cela. On avait besoin de la « petite Winnie » pour préserver la dynastie. Peu avant les noces, elle écrivait à son Siegfried comme si elle récitait des vers de Senta : « Par mon corps et par mon âme je me confie à présent à toi, guide-moi à travers la vie, modèle-moi telle que tu voudrais m'avoir. J'ai tant rêvé de l'amour. »

Parce que sa « folie devait trouver ici la paix », Richard Wagner avait baptisé Wahnfried, « la paix de la folie », sa somptueuse villa de Bayreuth. Mais lorsque la jeune Winifred s'y installa, ce n'est pas le repos et la paix qui l'attendaient. Deux sœurs jalouses de Siegfried, toutes deux mariées et sans enfants, lui compliquèrent l'existence en multipliant les marques d'hostilité. La vieille Cosima lui prescrivit un emploi du temps rigoureux, et elle aimait que sa jeune belle-fille s'adresse à son époux, Siegfried, en lui donnant du « très cher maître ». En hiver, on s'installait dans le petit bâtiment qui jouxtait Wahnfried, parce qu'on pouvait le chauffer à moindre coût.

Malgré toutes ces brimades, Winifred ne déçut pas. Tous les ans, elle produisit de petits Wagner : en 1917, ce fut d'abord l'héritier de la lignée, Wieland, puis Friedelind, Wolfgang et pour finir, en 1920, Verena. Ces grossesses à répétition renforcèrent sa position dans le clan. Lorsqu'elle arriva pour la première fois à Wahnfried avec le petit Wieland, elle déposa ostensiblement l'héritier dans les bras de Cosima.

D'une manière générale, Winifred semble avoir participé dès le début – avec « obstination » selon son fils Wolfgang – aux luttes de pouvoir à Wahnfried et autour de la propriété. Lorsque l'une de ses belles-sœurs mal-aimées, Daniela Thode, lui offrit en toute bienveillance un trousseau de mariée et des vêtements pour les années à venir, elle renvoya toute cette garde-robe à l'église de Bayreuth « pour qu'on la donne aux pauvres ». Elle voulait choisir ses vêtements elle-même. La « petite Winnie » devint rapidement un personnage respecté. Un visiteur italien décrivit en termes vigoureux cette transformation qui s'exprimait aussi d'un point de vue purement physique : « Lorsqu'elle eut mis quatre enfants au monde, on ne la reconnut plus. Elle avait presque doublé de volume. Elle passait pour une mère exemplaire, une vache à lait productive qui avait apporté au mariage un patrimoine tout à fait sain et vital. Siegfried avait beaucoup à faire pour se mettre à sa hauteur. »

La relation avec Fidi, de vingt-huit ans son aîné, se transforma peu à peu en une simple communauté utilitaire. Une fois leur descendance assurée, chacun suivit son propre chemin. L'époux reprit sa vie de célibataire et entretint ses amitiés homosexuelles. L'un de ses amants était l'Anglais Clement Harris, qui se vantait volontiers d'avoir partagé la couche d'Oscar Wilde. Siegfried fit des sentiments mitigés que lui inspirait ce bonheur conjugal affiché le thème d'un opéra à clé portant un titre évocateur : *Le Bonheur amoureux*. Il ne restait d'autre solution à Winifred que d'étendre le voile du silence sur les goûts de son époux, même si elle en était profondément offensée. Des commentaires publics sur l'homosexualité du fils de Wagner auraient profondément déplu à la clientèle conservatrice du festival. Mais les compagnons de Siegfried s'en servirent assez fréquemment pour exercer un chantage sur la famille.

Winifred Wagner, et c'est une illustration de son pragmatisme, se consacra pourtant à la vie familiale à Wahnfried. Quatre enfants pleins d'énergie, des belles-sœurs mesquines et Cosima, qui s'éteignait doucement, avaient besoin de soins. De temps en temps, Siegfried faisait une apparition ; sans rien laisser paraître de la situation réelle, il accompagnait volontiers les siens dans leurs excursions en pays franconien. Il s'agissait surtout, comme l'explique son fils Wolfgang, de se présenter « à l'extérieur » comme une famille intacte. Winifred, la première femme à avoir obtenu son permis de conduire à Bayreuth, était au volant. C'était une conductrice passionnée, elle avait le plus souvent une cigarette au coin de la bouche et ne répugnait pas à assurer elle-même réparations et maintenance. Wolfgang Wagner se rappelle qu'elle fit même creuser une fosse pour pouvoir effectuer plus facilement les vidanges.

Conditionnée politiquement par Klindworth, qui mourut en 1916, Winifred reprit à son compte l'« esprit national » qui soufflait sur Wahnfried. Eva, la deuxième belle-sœur, avait épousé le philosophe d'extrême droite Houston Stewart Chamberlain, qui se sentait appelé à conserver le message de Richard Wagner. En 1905, bien avant qu'Hitler n'ait commencé à s'en occuper, Chamberlain écrivait sur la « vision aryenne du monde » et voulait « libérer le Reich de l'écrasante étreinte des Juifs ». Cela lui valut les félicitations de l'empereur Guillaume II en personne. « Dieu a envoyé votre livre au peuple allemand, et il vous a envoyé à moi » : telle fut la dédicace du monarque à cet Anglais qui se faisait tant de souci pour l'avenir des Allemands.

Puisant dans les pensées de Richard Wagner, Chamberlain avait constitué un ensemble à l'idéologie assez floue en ne retenant que les passages qui cadraient avec les idées « nationales-populistes ». Les propos antisémites du compositeur y étaient particulièrement mis en valeur : « Le communisme et le capital boursier », écrivait-il, étaient le « démon rampant du judaïsme » ; ou bien encore : la « race juive » était selon lui l'« ennemi juré de l'humanité ».

On a beaucoup discuté de l'antisémitisme de Richard Wagner, qui a transité par Chamberlain pour atterrir, plus tard, dans la tête des nazis. Les œuvres de Wagner sont-elles porteuses de thèmes antisémites ? Les sombres personnages de ses opéras, Mime dans le *Ring*, ou Beckmesser dans *Les Maîtres chanteurs*, sont-ils des projections de ses fantasmes concernant les Juifs ? Son texte *Le Judaïsme dans la musique* pouvait-il constituer la justification théorique d'un programme d'extermination ? Le compositeur est-il même ce « prophète » que suivit un Hitler réduit au

Winifred Wagner et trois de ses enfants devant la tombe de Richard Wagner.

Orpheline et épouse d'un mari homosexuel, elle devint une wagnérienne à cent pour cent.

Gottfried Wagner

Hitler a souhaité voir la maison dans laquelle le Maître avait travaillé et se rendre sur sa tombe. Winifred, avec sa spontanéité habituelle, lui a dit : « Venez donc prendre le petit déjeuner demain. » Ce qu'il a fait.

Walter Schertz-Parey,
biographe de Winifred Wagner

rôle d'exécutant, comme l'a récemment prétendu, dans une thèse provocatrice, Joachim Köhler ? Les wagnériens lui répondent que leur idole donna parfois la préférence à des chefs d'orchestre juifs et que seules les interprétations ultérieures de certains metteurs en scène ont éveillé des associations d'idées entre les personnages de Mime ou de Beckmesser et le judaïsme.

Une chose est certaine : Richard Wagner n'était pas exempt d'un antisémitisme largement répandu à son époque. Mais il ne songeait pas, bien évidemment, à faire massacrer plusieurs millions de personnes – du reste, on ne trouve au XIXe siècle aucun penseur ayant concrètement imaginé l'Holocauste. Son idée était plutôt d'« assimiler » les Juifs allemands jusqu'à ce que le baptême les « sauve » de leur judaïsme. L'antisémitisme de Wagner reposait par conséquent sur des ressentiments religieux et culturels, et non sur une hostilité « raciale ». C'est seulement à la fin du XIXe siècle, après sa mort, que des conceptions plus extrémistes se mêlèrent à cet univers mental. Bayreuth, avec Cosima en gardienne du Graal et Chamberlain en fournisseur d'idées, devint l'une de ces couveuses où le chauvinisme populiste allemand se transforma en programme agressif. Cet agglomérat de plus en plus explosif influença aussi la formation politique de la jeune Winifred Wagner. Fondamentalement, c'était une réactionnaire, une nationaliste rigoureuse et hostile à la république. À toutes les fêtes, pour tous les jours fériés, on enverra depuis Wahnfried des témoignages de dévouement à l'empereur parti en exil.

Dès 1919, Bayreuth apprit qu'un nouveau porteur d'espoir était arrivé. Des amis demeurant à Munich racontèrent qu'un soldat répondant au nom d'Hitler attirait l'attention sur lui par ses discours enflammés. Cet ancien combattant de la Première Guerre mondiale recherchait encore à l'époque une patrie politique et un avenir professionnel. Son succès auprès des officiers nationalistes de droite semblait être un début prometteur. Mais sans l'assistance des cercles munichois influents, la notoriété de l'agitateur n'aurait sans doute jamais dépassé l'atmosphère enfumée des tavernes berlinoises. Ce sont les familles Bechstein et

Bruckmann, facteurs de pianos et éditeurs fortunés, qui participèrent le plus activement à la naissance de l'homme politique Hitler. C'est dans leurs salons que l'ancien pensionnaire de foyer pour sans-abri perdit ses manières paysannes et apprit à faire le baisemain, à manger du homard et à choisir ses vêtements en fonction des circonstances. Il n'y eut qu'une seule chose que ses mécènes n'eurent pas à lui apprendre : curieusement, le jeune homme savait déjà tout de la musique préférée de ce cercle. Les connaissances d'Hitler sur Wagner contribuèrent beaucoup à l'intérêt que lui porta la société munichoise « raffinée ».

Dans l'histoire officielle du festival de Bayreuth, mais aussi dans la version que donna Winifred après coup, elle ne rencontra Hitler que le 1er octobre 1923 à Wahnfried. Cette première entrevue sur le « sol sacré » de la maison Wagner convient fort bien à la dramaturgie hitlérienne, mais des contacts avaient sans doute eu lieu avant cette date. Winifred, lorsqu'elle était lycéenne à Berlin, avait assez souvent été l'hôte des Bechstein. Edwin Bechstein avait même assuré un temps son éducation, en tant que tuteur. Devant Hitler, elle appelait les Bechstein « nos amis communs », et sa fille Friedelind écrivit, à propos de l'enthousiasme que le mouvement nazi inspirait à Winifred : « C'est pendant l'une des visites chez les Bechstein, à Munich, que ma mère fut contaminée par cette fièvre. » Un autre indice laisse penser qu'elle a certainement rencontré Hitler avant ce 1er octobre 1923, et qu'il ne s'agissait pas d'un hasard. Un rapport de la police bavaroise, en décembre 1923, note que « les membres féminins de la maison Wahnfried, en particulier, pratiquent ouvertement le culte d'Hitler ». Un « culte » sans fard après une unique rencontre ? La familiarité presque intime qui s'exprime dans leur première correspondance et les colis qu'elle lui enverrait pendant sa détention ne permettent eux non plus aucune autre conclusion : Hitler et sa muse se connaissaient bien, et depuis longtemps.

On comprend aussi, dès lors, la réception amicale qui fut réservée à Hitler lors de cette première visite à Wahnfried. La veille au soir, il avait participé au « Congrès allemand » à Bayreuth, une manifestation « nationale-populiste » de divers partis d'extrême droite, et y avait prononcé un discours acclamé par des milliers de personnes. Au matin, il se retrouva enfin dans la maison du compositeur, qu'il allait bientôt qualifier de « plus grand des Allemands ». Friedelind Wagner décrit ce moment avec ironie : « Il va et vient sur la pointe des pieds et s'arrête, comme s'il était ensorcelé, devant chaque souvenir. On dirait qu'il inspecte les reliques d'une cathédrale. » Ensuite, Hitler traverse le jardin qui donne sur la tombe de Richard Wagner, une plaque de pierre massive et sans ornement. Il y passe quelques minutes dans un « silence recueilli », dit Winifred. Puis, l'air grave, il se tourne vers les descendants de son idole et promet qu'il restituera au festival le droit exclusif de jouer *Parsifal* « si jamais il doit exercer un jour une influence quelconque sur le destin de l'Allemagne » – une promesse qu'il ne tint d'ailleurs pas.

La première apparition d'Hitler dans le cercle de la famille Wagner laissa des sentiments mitigés : alors que les tantes avaient été littéralement choquées de voir leur visiteur se présenter dans ce sanctuaire en culottes de peau, Winifred et Siegfried étaient sous le charme. Cet homme paraissait déborder de vitalité. Et puis, Winifred ne cessait de le répéter, il avait « de tels yeux », « un tel charisme ». Peu après, Siegfried écrivit à une relation : « Dieu soit loué, il existe encore des hommes allemands. Hitler est un être magnifique, la véritable âme populaire allemande. Il y arrivera forcément. »

À une heure tardive, dans la soirée qui avait précédé cette entrevue à Wahnfried qui devait plonger dans un tel ravissement certains membres de la famille Wagner, Hitler avait rendu une visite mémorable au « gardien » des idées de Richard Wagner. La version donnée par le parti nazi transforma cette rencontre avec un Houston Stewart Chamberlain alité en un « passage de flambeau » idéologique au cours duquel la « flamme » conservée à Bayreuth avait allumé le « feu de la révolution nationale » : « Ils se serrèrent la main. Le visionnaire génial, l'homme qui annonçait le Troisième Reich sentait que le destin heureux de l'Allemagne allait s'accomplir en cet homme simple, venu du peuple. » On ignore de quoi discutèrent exactement le vieux philosophe et la jeune tête brûlée lors de leur entretien nocturne. Quelques années plus tard, Hitler expliqua seulement que ce 30 septembre 1923, il avait visité le lieu sur lequel Wagner d'abord puis Chamberlain avaient forgé l'« épée intellectuelle avec laquelle nous combattons aujourd'hui ». Chamberlain, pour sa part, écrivit dans une lettre ouverte qu'après avoir fait la connaissance d'Hitler il avait acquis la certitude qu'il ne devait plus avoir peur pour l'avenir de l'Allemagne. Pour la première fois depuis longtemps, il avait trouvé un « long sommeil réparateur », et en réalité « il aurait pu ne jamais plus se réveiller ».

Récemment, des historiens ont estimé que la version nazie de la rencontre entre Chamberlain et Hitler présentait un fond de vérité. Ce soir-là, selon eux, l'antisémitisme de Wagner a été transmis à Hitler sous la forme d'un programme d'extermination. Cette théorie audacieuse a suscité de vives critiques, et elle aura beaucoup de mal à s'imposer – d'autant qu'aucune note n'a été prise durant cette entrevue. La seule chose incontestée, c'est la proximité qui existait avant même cette date entre les textes de Chamberlain et l'« idéologie » d'Hitler. Leur dénominateur commun fut le fondement du futur régime national-socialiste. Les slogans étaient proches : « révolution nationale », « solution de la question juive », « communauté du peuple ». Mais il semble plus que douteux que Chamberlain ait fixé les jalons décisifs de l'avenir lors de son unique entretien avec le futur dictateur. Celui-ci portait depuis très longtemps en lui son antisémitisme haineux, et des dizaines d'orateurs nationaux-populistes s'exaltaient depuis novembre 1918 sur l'idée d'une « révolution nationale » qui serait la réaction à la révolution « rouge ». L'importance de la rencontre entre ces deux antisémites tient donc sans doute beaucoup plus au fait que le vieux penseur accepta d'adouber le mouvement nazi encore à peu près insignifiant avec l'épée du château du Graal, Bayreuth, et de lui transmettre l'héritage de Richard Wagner. Par la suite, une aura de noblesse intellectuelle entoura Hitler, qui sut s'en servir dans sa propagande à chaque fois que la situation l'exigeait.

Le 9 novembre 1923, le couple Wagner fit une halte à Munich, où Siegfried devait diriger un concert. Mais il n'en fut rien : ce jour-là, l'homme qui s'était recueilli quelques semaines plus tôt sur la tombe de Wagner allait écrire une page de l'histoire. Winifred et Siegfried vécurent ainsi de très près la « marche sur la Feldherrnhalle », cette tentative de coup d'État dont on célébrerait l'anniversaire, plus tard, sous le nazisme, au son de *La Mort de Siegfried*, un grand passage de l'opéra wagnérien ; mais ils assistèrent aussi à son échec lamentable. Depuis leur chambre d'hôtel, ils virent les putschistes s'enfuir ou tomber sous le feu défensif des policiers bavarois. On est en droit de supposer que les Wagner avaient suivi avec quelque espoir ce premier germe de « révolution nationale », et qu'ils furent consternés par son issue. Désormais, le porteur du flambeau aurait encore plus besoin de leur aide. À la demande de Winifred, Siegfried quitta directement Munich pour Innsbruck, où Göring, blessé, était soigné dans un hôpital. Le fils de Richard Wagner paya la note du médecin et veilla à ce que le héros de guerre et son épouse soient transportés à Venise, où ils seraient en sécurité.

Winifred rentra à la maison et raconta avec ferveur le déroulement du putsch au groupe local du parti nazi à Bayreuth. Un témoin dit avoir vu la jeune femme de vingt-six ans, surexcitée, monter sur une table, à l'auberge Lieb, pour décrire les « hauts faits » d'Hitler et de ses comparses. Un peu plus tard, le 12 novembre, elle rédigea une lettre ouverte qui fut reproduite dans la *Oberfränkische Zeitung*, un journal régional de Haute-Franconie. « Depuis des années, nous suivons avec une très grande sympathie et en l'approuvant tout à fait le travail constructif d'Adolf Hitler », lisait-on dans cette profession de foi qui s'achevait sur cette promesse : « J'admets sans détour que nous sommes sous le charme de cette personnalité, que nous avons été avec lui dans les journées de bonheur et que nous lui restons fidèles en ces jours de détresse. » Cette prise de position publique de Winifred, soutenue par Siegfried, jette une lumière caractéristique sur les rapports de force politiques en Bavière à cette époque. Ces conservateurs que Thomas Dehler a justement désignés comme le « marécage bavarois » considéraient les putschistes, qu'attendaient un procès et la prison, comme les véritables héros d'une nation blessée. C'est à eux que l'avenir semblait appartenir. Et, en prenant publiquement position, les époux Wagner misaient sans la moindre ambiguïté sur cet espoir. Le jour de Noël 1923, Siegfried écrivait : « Juif et jésuite vont bras dessus, bras dessous pour éliminer la germanité. Mais peut-être, cette fois-ci, Satan se trompe-t-il. Mon épouse se bat comme une lionne pour Hitler, elle est magnifique. »

En réalité, Winifred ne se contenta pas de se battre, mais déploya des efforts touchants pour que la geôle déjà très confortable d'Hitler à Landsberg soit aussi agréable que possible. Elle envoya des colis alimentaires, des lettres chaleureuses (« Vous savez que vous êtes avec nous par l'esprit ») et fournit aussi le papier et les crayons nécessaires à Hitler pour qu'il puisse écrire les premières pages de ce qui deviendrait dix ans plus tard, sous le titre *Mein Kampf*, le best-seller indigeste de l'époque nazie. Le titre mais aussi certaines phrases essentielles du livre étaient empruntés à Richard Wagner. Le compositeur avait écrit dans *Ma vie* : « Je décidai de devenir musicien » ; le détenu écrivait à présent : « Je décidai de devenir homme politique. » Hitler n'oublierait jamais les courriers reçus de Bayreuth. Même dans ses monologues nocturnes au quartier général de la Wolfschanze (le « Repaire du Loup »), il se rappellerait avec mélancolie les cadeaux qu'on lui faisait « à l'époque où nous étions au plus mal ».

C'est au cours de l'été 1924 que l'on fut enfin prêt à organiser un festival – le premier depuis la fin de la guerre. Siegfried avait rassemblé les fonds nécessaires en donnant des concerts dans la moitié de l'Europe. Lui-même et Winifred prévoyaient de se rendre en Amérique, au début de l'année, pour convaincre d'autres mécènes fortunés. Mais les articles de la presse libérale américaine sur l'opinion politique des Wagner soulevèrent des obstacles inattendus. Au bout du compte, les collecteurs de fonds ne rapportèrent que huit mille dollars, fruit, pour l'essentiel, des conférences de Winifred et des concerts de Siegfried. Même leur rencontre avec le milliardaire de l'automobile Henry Ford ne se déroula pas comme ils l'avaient souhaité – du moins officiellement. L'industriel, sympathisant politique des fascistes allemands, ne tenait pas à avoir mauvaise presse ; on l'a cependant soupçonné d'avoir fait un don secret à la cause que défendaient ouvertement les Wagner. La grand-croix de l'ordre des Aigles allemands, qu'Hitler envoya en 1938 à Henry Ford avec ses remerciements, paraît plaider en faveur de cette thèse. C'était la plus haute distinction susceptible d'être accordée à un étranger.

Sur le chemin du retour en Allemagne, en mars 1924, les Wagner servirent encore une fois de messagers politiques à leur héraut emprisonné, et allèrent rendre visite à Mussolini qui, à Rome, avait déjà réussi sa prise de pouvoir. Mais le chef des Chemises noires italiennes ne leur fit pas bonne impression. « Tout en volonté, tout en force, presque en vitalité, notèrent les visiteurs. Pas de charisme comme chez Hitler et Ludendorff. »

Le festival de 1924 fut absolument prisonnier du contexte politique. Ce n'est pas le drapeau de la République de Weimar qui flottait devant le théâtre des festivals mais la bannière de l'empire allemand. Le général Ludendorff, qui avait défilé devant la Feldherrnhalle à côté d'Hitler, écouta *Parsifal* parmi les invités d'honneur. La presse démocratique critiqua violemment le slogan imaginé par Siegfried, qui évoquait un « festival de la rédemption de l'esprit humain ». Wagner à Bayreuth, cela ressemblait fort à une manifestation, mise en musique, contre la république des « criminels de Novembre », ceux qui étaient censés avoir provoqué la défaite de l'Allemagne. La Constitution de Weimar rédigée en 1919 ne prévoyait aucun mécanisme pour lutter contre les ennemis intérieurs de la démocratie. Il fallut que le public se lève, à la fin d'une représentation des *Maîtres chanteurs*, et entonne l'hymne allemand, pour que le directeur du festival trouve que les choses allaient trop loin. Siegfried Wagner fit coller sur les portes du temple des muses une affiche de rappel à l'ordre : « Ces lieux sont consacrés à l'art. »

Un an plus tard, Hitler assista à son premier festival. Des cinq années de prison qu'il aurait dû subir il avait tout juste purgé neuf mois. Son admission dans l'atmosphère sacrée du parterre et ses retrouvailles avec les Wagner l'emplirent de bonheur. Pendant la guerre, il devait se le rappeler avec précision. « J'arrivai à Bayreuth à onze heures du soir. Le lendemain matin, Mme Wagner vint m'apporter quelques fleurs. J'avais trente-six ans, je n'avais encore aucun souci, et je voyais l'avenir en rose. » Après sa libération, ses relations avec le couple Wagner se resserrèrent. Siegfried, auquel l'historiographie officieuse de Bayreuth prête volontiers une neutralité distante, s'entendait en réalité admirablement, lui aussi, avec celui qui serait si fréquemment l'hôte de Wahnfried. Une fois, se rappelle un visiteur, il posa les mains sur les épaules d'Hitler et lui dit : « Tu me plais, tu sais. »

Mais Winifred s'engagea plus encore. En 1926, sur les conseils d'Hitler, elle entra au parti – carte numéro 29349, celle d'une militante de la « vieille garde ». Sous le nazisme, cela lui vaudrait l'« insigne d'or du parti ». À ses enfants elle jouait, sur le piano qui avait jadis appartenu à Franz Liszt, les mélodies en vogue au sein du mouvement. Elles étaient plus faciles à chanter que les partitions de son beau-père. Wolf, « le Loup », puisque c'est ainsi que les enfants de Wahnfried appelèrent bientôt Hitler en usant du pseudonyme qu'il s'était choisi, était un invité de choix. Il pouvait jouer des heures durant avec les enfants et leur raconter des histoires pour les endormir. Wolfgang Wagner se rappelle encore ce gentil tonton : Wolf avait toujours « un comportement prévenant et aimable » et, contrairement à ce que certains affirmaient, « n'avait pas les dents qui rayaient le sol ».

Hitler devait surtout assumer bientôt, pour les deux fils Wagner, la fonction d'un « père de substitution », ce que confirmera ultérieurement l'épouse de Wieland Wagner, Gertrud. Friedelind, l'« éternelle mécontente de Wahnfried », parlera d'Hitler sur un ton un peu différent. « Ses ongles, racontera-t-elle une fois en Amérique, étaient toujours en piteux état, il les rongeait en permanence lorsqu'il discutait. »

Winifred, sa mère, avait d'autres priorités que la négligence du Loup en matière de manucure. Son ami lui offrait à maints égards un substitut de Siegfried, tenu éloigné par d'autres centres d'intérêt. Lorsqu'elle suivait Hitler en tournée électorale dans sa voiture, une Presto, et le retrouvait le soir dans des restaurants discrets, elle compensait sans doute un peu les renoncements de sa vie conjugale. Cette amitié étroite, du point de vue politique et personnel, faisait naturellement courir nombre de rumeurs à Bayreuth. Le Loup et Winifred avaient-ils une liaison ? Faute de preuve, on en est réduit à des spéculations.

Après la guerre, Winifred a constamment nié avoir eu le moindre contact intime avec Hitler. Mais des témoins fiables nous ont tout de même appris qu'après 1930 elle renonça à sa vertu et partagea le lit de Heinz Tietjen, le directeur artistique du festival. Eut-elle aussi des instants de faiblesse avec Hitler ? Ne faut-il pas plutôt se demander si celui-ci la désirait ? L'œuvre de Richard Wagner, surtout dans *Parsifal,* ne prône-t-elle pas l'abstinence, considérée comme une source de force ? La vénération quasi religieuse d'Hitler pour le compositeur se serait-elle accommodée d'une relation physique avec sa belle-fille ? En l'état actuel de nos connaissances, on ne peut répondre en toute certitude à ces questions. La légitimité de l'étrange jalousie dont fit preuve Siegfried au cours de ses dernières années à l'égard de ce Loup qui poursuivait son épouse de ses assiduités semble néanmoins plus que douteuse. Comme toujours, c'est dans un opéra qu'il exprima ses sentiments. Dans son opus 17, intitulé *Walamund,* un loup docile arrive sur la scène. À la fin de l'œuvre, il révèle sa véritable nature et taille un agneau en pièces. Le maître de Bayreuth exprimait aussi sa mauvaise humeur en médisant de temps en temps sur la corpulence de Winifred. « Wini, ne bouffe pas tant », lui lança-t-il un jour à table, devant des invités.

Les jalousies de l'époux se reflétèrent en outre dans le changement des rapports de force sur la Colline verte. Winifred tenait de plus en plus fermement la barre. Son militantisme inlassable, le mode de vie qu'elle imposait à Wahnfried et l'organisation de l'aspect social du festival exigeaient une vitalité que le jovial Fidi ne possédait pas. La différence d'âge entre les deux époux se fit de plus en plus sensible. En 1927, Siegfried Wagner allait vers la soixantaine, tandis que sa femme célébrait son trentième anniversaire. Son portrait parut dans le programme du festival, à côté de celui de son mari. Nous devons à Joseph Goebbels un instantané de cette époque : « Mme Wagner est venue me chercher pour le dîner, note-t-il le 9 mai 1926, à l'occasion d'une visite à Wahnfried. Elle m'avoue sa souffrance. Siegfried est tellement avachi. Pouah ! Il devrait avoir honte devant le maître. Son épouse me plaît. J'aimerais l'avoir comme amie. La jeune femme pleure parce que le fils n'est pas comme fut le maître. »

En 1929, les époux Wagner rédigèrent un testament commun. Siegfried jouissait certes, en apparence, d'une excellente santé, mais son soixantième anniversaire semble avoir été un prétexte suffisant pour préparer l'avenir. Ce document faisait de Winifred sa légataire universelle, et leurs enfants étaient considérés comme des héritiers de second degré – une grande preuve de confiance envers cette jeune femme qui ne connaissait rien au fonctionnement artistique du festival. Mais Siegfried Wagner y ajouta une clause décisive, manifestement dirigée contre le gentil « tonton Loup » : dans le cas d'un remariage de Winifred, le testament transmettait tous les droits et devoirs aux héritiers de second rang. Il s'agissait évidemment d'empêcher qu'Hitler ne prenne par le biais du mariage le pouvoir sur la Colline verte. Ce n'était certainement pas un soupçon injustifié de la part de Siegfried, car outre les rumeurs sur des rencontres secrètes avec Winifred il avait aussi entendu dire qu'Hitler réalisait déjà des esquisses de futurs décors et réfléchissait à des mises en scène.

Mais nul n'avait prévu la suite : un an plus tard seulement, il fallut appliquer les clauses du testament. Et celuici allait jouer un rôle déterminant dans le destin de Winifred Wagner. Sa belle-mère, Cosima, veuve du maître, décéda au début de 1930, à l'âge de quatre-vingt-douze ans. Pendant les dernières années de sa vie, l'ancienne vestale avait mené une existence de grabataire. Wolfgang Wagner se rappelle encore que les petits-enfants entouraient la vieille dame avec autant d'amour que d'irrespect. Wieland, Friedelind, Verena et lui-même sont parfois entrés dans les appartements de Cosima et ont chatouillé les pieds de la vieille dame alitée « pour voir si elle réagissait encore ». Ils auraient aussi volontiers « joué avec son dentier ».

L'inhumation de Cosima eut les dimensions de funérailles nationales. Siegfried semble avoir eu du mal à surmonter cette disparition. Il avait perdu son père à l'âge de quatorze ans ; depuis, il avait entretenu une relation très ambiguë avec sa mère. Il avait certainement beaucoup souffert des grands espoirs qu'elle avait placés en lui, mais la vénération qu'il lui vouait et sa gratitude pour l'énergie avec laquelle elle avait transformé le sanctuaire wagnérien étaient sans doute sincères.

Trois mois seulement après l'enterrement de Cosima, Siegfried fut victime d'une crise cardiaque pendant les répétitions du festival de 1930. Il sortit de scène soutenu par sa femme. Trois semaines plus tard, le 4 août, le fils de Richard Wagner mourait. On n'arrêta pas le festival pour autant. Pour l'enterrement, une colonne de la SA de Bayreuth défila. Hitler offrit une couronne qui parut « un peu disproportionnée » aux personnes présentes.

Avec son pragmatisme habituel, Winifred Wagner semble n'avoir pas mis trop longtemps à faire son deuil. Dès le lendemain de la mort de Siegfried, elle envoya une lettre aux collaborateurs du festival. Elle y annonçait que conformément au testament de son mari elle comptait désormais diriger le théâtre des festivals, et réclamait l'« assistance de tous » pour mener à bien cette « mission lourde de responsabilités ». Son règne absolu sur la Colline verte eut dès le début les traits d'une dictature. « La seule chose qui m'importe », expliqua-t-elle, c'est que l'on « donne les opéras comme je souhaite qu'ils soient donnés ».

Le grand maître Arturo Toscanini sanctionna la prise de pouvoir de la veuve, considérée comme un exemple d'ignorance musicale, en boycottant le festival de 1931 – par « désillusion artistique », déclara-t-il. Mais Winifred fut suffisamment perspicace pour trouver des remplaçants compétents. Wilhelm Furtwängler, un chef au moins aussi renommé, tint la baguette à la place de Toscanini ; comme décorateur elle engagea Emil Preetorius, qui allait jouer un rôle de précurseur à Bayreuth, et comme metteur en scène le directeur général du Théâtre national de Prusse, Heinz Tietjen. C'est son époux, avant de mourir, qui lui avait conseillé cette nouvelle distribution. L'élément le plus important pour Bayreuth et Winifred fut sans doute le choix de Tietjen, le petit homme à lunettes, que les enfants

Wagner n'appelèrent bientôt plus que par son surnom, « la Chouette ». Ce personnage scintillant, futur protégé d'Hermann Göring, était certes en apparence fidèle à la ligne : en réalité, ses choix politiques – entre adaptation et résistance – étaient aussi changeants que ses capacités artistiques étaient éclatantes.

L'élan de ces hommes neufs et le style énergique de Winifred imprimèrent un changement révolutionnaire aux représentations des œuvres de Wagner dans le Bayreuth du début des années 1930. Les décors branlants, dont une partie remontait à la fondation du théâtre des festivals, furent remplacés par des systèmes mobiles, modernes et efficaces. On toiletta les mises en scène en s'efforçant de les laïciser totalement, ce qui suscita naturellement une résistance virulente de la part de vieux wagnériens passionnés. Le conflit, au cours duquel les conservateurs se préoccupèrent surtout de conserver tous les éléments « sur lesquels l'œil du maître s'était posé », dura des années et toucha aussi certaines questions idéologiques. On reprocha à Winifred d'avoir admis, en nommant Tietjen et Preetorius, des collaborateurs racialement suspects ou du moins politiquement peu fiables. Mais grâce à son obstination – et au soutien que lui accorda Hitler après 1933 – elle sortit victorieuse de ce combat « contre le XIXe siècle ». Les deux belles-sœurs, qui faisaient partie des meneuses de l'opposition, furent mises sur la touche – « de la manière la plus indigne qui soit », comme le déplora Eva Chamberlain en 1932. Un vieux wagnérien répondant au nom de Zinstag pâtit lui aussi de cet affrontement brutal. On lui annonça, en termes lapidaires, que s'il voulait rester en bonne santé il valait mieux qu'il ne s'avise pas de « remettre les pieds sur le sol allemand ».

Winifred Wagner fit également table rase de son passé personnel. On aurait dit qu'elle voulait effacer l'époux de son souvenir. Elle prit ses distances avec les œuvres de son défunt mari. Elle s'employa avec un certain succès à en bloquer toutes les représentations. La mémoire du fils de Richard Wagner disparut pratiquement de l'historiographie du festival. Winifred transforma le bureau de Siegfried en mémorial Richard Wagner. Même un certain Walter

Aign, employé au théâtre des festivals comme répétiteur pour les solistes et fils naturel de Siegfried et d'une fille de pasteur, subit le grand nettoyage du passé pratiqué par Winifred : il fut congédié sans délai.

Tout cela ne traduisait-il que la légitime volonté d'émancipation d'une jeune veuve, comme le pensent les biographes bienveillants de Winifred, ou bien encore la vengeance tardive d'une femme qui avait supporté en silence les escapades humiliantes de Fidi ? L'énergie qu'elle déploya après la mort de Siegfried laisse au moins penser qu'un sentiment de libération se mêlait à sa tristesse.

Rien ne venait plus entraver ses rencontres avec l'oncle Loup. Presque à chaque fois que cet agitateur en vogue, dont le parti, le NSDAP, n'était plus un groupuscule depuis longtemps, faisait le voyage de Munich à Berlin, il s'arrêtait à Wahnfried. L'ambiance de guerre civile qui régnait dans cette république en décomposition le forçait, c'est du moins ce qu'il affirmait, à « respecter le plus grand secret ». Il arrivait désormais le plus souvent après la tombée de la nuit, et les histoires qu'il racontait aux enfants pour les endormir le soir étaient des récits de sa « périlleuse vie politique », comme se le rappelle, moqueuse, Friedelind Wagner. Il retrouvait Winifred dans des restaurants. On a relaté plusieurs rendez-vous à l'auberge du Moulin de Behringen.

Une fois, le galant se fit même conduire par l'automobiliste passionnée qu'était Winifred. Elle raconta plus tard cet épisode avec fierté : « J'étais assise au volant et lui à côté, ce qui lui parut d'abord extrêmement étrange, parce que lorsqu'il était en route, il criait à son chauffeur, à chaque fois qu'il apercevait une femme qui conduisait : “Une femme ! Attention, femme au volant.” Mais pour arriver ici incognito et dans la plus grande discrétion, il s'était assis effectivement près de moi dans la voiture, et trouvait même des mots agréables sur ma manière de conduire. »

Winifred pouvait désormais s'adonner à son goût du voyage sans avoir à tenir compte du planning d'un mari. Hors des périodes de festival, elle faisait parfois une apparition à Berlin, rendait visite à Tietjen, allait au cinéma

L'« oncle Loup » avec Winifred, Wieland et Wolfgang Wagner dans le jardin de Wahnfried.

Je dois avouer que cet homme, sa personnalité ont aussitôt produit sur moi une très forte impression. Son œil, surtout, était extraordinairement séduisant.

Winifred Wagner

Hitler la vénérait, précisément parce qu'elle avait succédé à Wagner. Wagner, pour lui, c'était tout. Et à Bayreuth, c'est toujours elle qui accueillait le Führer et le logeait.

Herbert Döhring, régisseur d'Hitler au Berghof

Winifred a nourri Hitler, l'a habillé, lui a enseigné les manières les plus élémentaires, l'a emmené à l'opéra, lui a donné de l'argent, a organisé des réunions mondaines pour lui présenter des gens influents.

Friedelind Wagner

avec Hitler, et se montra même une fois à l'opéra avec le nonce apostolique Pacelli, le futur Pie XII.

Mais le 30 janvier 1933, Winifred était chez elle, à Bayreuth. Wolfgang Wagner raconte que ce jour-là sa mère, surexcitée, l'appela pour qu'il vienne écouter la radio. Le speaker annonçait que le président Hindenburg venait de nommer Hitler chancelier. Son ami, celui qui avait fait jadis en culottes de peau le pèlerinage sur la tombe du maître à Bayreuth, était devenu chancelier! Winifred était plus consternée qu'heureuse. « Le pauvre Loup, je ne peux pas imaginer qu'il tienne longtemps », s'exclama-t-elle, selon les dires de Wolfgang. Cette crainte était le reflet d'une erreur de jugement largement répandue : beaucoup pensaient qu'à l'instar de ses prédécesseurs le cabinet d'Hitler ne survivrait que quelques mois. Mais oncle Loup n'avait pas l'intention de laisser un gouvernement constitutionnel suivre le chemin légal pour garder le pouvoir. À une vitesse stupéfiante, il allait jeter le masque et remplacer la République de Weimar par son Troisième Reich, une dictature fondée sur le mépris de l'être humain en utilisant un terrible mélange de terreur et de mise en scène.

Le festival de 1933 fut naturellement une grande parade de l'État nazi. Les gens étaient « comme ivres », raconta plus tard le chanteur qui jouait le rôle de Hans Sachs, Rudolf Bockelmann. Toute la ville de Bayreuth était ornée de drapeaux à croix gammée. Le long de la rampe menant au théâtre des festivals, des hommes de la SA formaient une haie d'honneur, et les rues retentissaient de *Heil Hitler!* Dans les librairies de Bayreuth, ce n'était plus *Ma vie* de Wagner qui occupait les vitrines, mais *Mein Kampf* d'Hitler. Lorsque le Führer gravit enfin la Colline verte avec son cortège de voitures, l'ambiance était proche des scènes de masse euphoriques des *Maîtres chanteurs*. Les prises de vues des actualités hebdomadaires montrent des moments d'enthousiasme tels qu'on n'en vit plus qu'en 1940, lors de la parade de la victoire qui suivit la campagne de France : des jeunes filles en larmes, l'ivresse collective, l'hystérie nationale. À l'entrée du théâtre attendait, en matrone, la maîtresse de maison, Winifred Wagner ; elle accueillit Hitler avec un sourire dévoué. Il l'appela « dame vénérée», et évita le tutoiement familier qu'ils avaient adopté lors de leurs nombreuses rencontres amicales. Elle lui répondit en l'appelant «mon Führer». On aurait dit que la gardienne du Graal, la grande prêtresse, déposait son trésor aux pieds du nouveau venu. À cet instant, Bayreuth sembla être devenu le centre sacré de la nouvelle Allemagne nazie.

Au théâtre des festivals, Hitler refusa quant à lui toute expression d'allégeance. Dans le sanctuaire, toute l'attention devait être dirigée vers Wagner. Aux spectateurs il avait fait distribuer des tracts portant le message suivant: «Sur ordre du chancelier: le Führer demande qu'à la fin de la représentation on s'abstienne de chanter l'hymne allemand ou le *Horst-Wessel-Lied* [l'hymne du mouvement nazi]. Il n'y a pas de plus sublime expression de l'esprit allemand que les œuvres immortelles du maître lui-même.» Hitler attendit que les lumières se fussent éteintes pour entrer dans la loge où, jadis, Louis II de Bavière avait écouté les œuvres de Wagner. Et comme à l'époque devant le souverain, le public se leva en silence et attendit pour se rasseoir qu'Hitler eût pris place. Les apparitions de l'oncle Loup étaient déjà profondément symboliques. En l'occurrence, on aurait dit qu'il prenait, avec la grandiloquence qui était la sienne, possession du temple fortifié où l'on conservait l'héritage de Wagner.

Il avait d'abord dû assurer, en coulisse, la pérennité du festival. Depuis le printemps 1933, Winifred avait constaté, effrayée, que des centaines de réservations en provenance de l'étranger avaient été annulées. Les ventes de billets en Allemagne avaient aussi été très limitées. Le budget affichait un déficit considérable, et toutes les tentatives pour obtenir une aide de l'État paraissaient vouées à l'échec. Hitler lui-même était apparemment tellement occupé à consolider son pouvoir que pendant des semaines il sembla ne pas entendre les appels de son amie de Bayreuth. «Nous nous trouvons dans une solitude glacée, nota la gouvernante des enfants, Lieselotte Schmidt, qui était la confidente de Winifred. L'agitation haineuse contre Bayreuth, qui est au bout du compte une pure création juive, ne recule devant aucun mensonge, aucune vulgarité.»

Mais Winifred parvint tout de même à joindre Hitler au téléphone. « Le Loup s'occupe de nos soucis, exulta la chère Lieselotte dans une autre lettre à ses parents. Il a appelé Mme Wagner à Berlin, elle a pris l'avion, et en l'espace d'un quart d'heure on venait à notre secours, et comment ! » Hitler avait demandé aux SA, aux Femmes nationales-socialistes et à l'Union des enseignants nationaux-socialistes d'acheter de grandes quantités de billets et de les distribuer aux camarades « méritants ». Un an plus tard, c'est le ministère de la Propagande du Reich qui serait chargé des achats de soutien ; il devrait verser trois cent soixante-quatre mille Reichsmark à Winifred – plus d'un tiers du budget du festival.

Du jour au lendemain, la prise du pouvoir par Hitler avait transformé l'entreprise familiale au bilan vacillant en une société semi-nationalisée et bénéficiant de subventions généreuses. Sa mission inavouée était de servir l'image que le régime voulait donner de lui-même. Il va de soi que le festival fut dispensé d'impôts sous le nazisme. Si l'on y ajoute les cinquante mille Reichsmark qu'Hitler puisait dans sa « cassette privée » pour chaque nouvelle mise en scène, on voit bien quelles dimensions prenait cette symbiose. Les frontières entre l'art et la politique s'étaient estompées. Thomas Mann, ardent wagnérien, affirma à juste titre que le festival de Bayreuth était devenu le « théâtre de cour d'Hitler ». La directrice, elle, se réjouit surtout de l'amélioration des finances : « J'ai enfin un sol sous les pieds », constata-t-elle après la saison 1934.

Même en dehors du festival, Wagner donnait le ton dans l'Allemagne d'Hitler. C'est le thème du chœur « Éveillez-vous ! » des *Maîtres chanteurs*, dans une légère variante, qui ornait les bannières du parti. Les célébrations du mouvement ressemblaient tout naturellement à des opéras de Wagner, et un air de *Rienzi* était joué en prélude aux congrès du parti nazi. La presse mise au pas regorgeait d'articles dans lesquels on soulignait la « mission » que Bayreuth avait à remplir dans le Troisième Reich. Alors que les artistes juifs et d'avant-garde étaient dénoncés comme « dégénérés », la musique de Richard Wagner servait de contre-exemple lumineux et illustrait l'« art national sain ».

Winifred Wagner et Adolf Hitler à Bayreuth.

Je suis en mesure de faire la différence entre l'Hitler que je connais et tout ce qu'on lui impute aujourd'hui.

Winifred Wagner

L'amour exalté qu'Adolf Hitler portait à Wagner lui servait à légitimer sa propre mission politique. Il a récupéré l'idée wagnérienne d'art national au profit de sa propre idéologie.

Wolfgang Wagner

Il ne fait aucun doute que ma grand-mère, jusqu'à son dernier souffle, est demeurée une nationale-socialiste convaincue. Et en particulier, elle a exprimé jusqu'au dernier moment, en public, la fascination que lui inspirait Hitler. Cela n'a jamais fait le moindre doute : elle soutenait totalement Adolf Hitler.

Gottfried Wagner

Pendant le premier festival organisé sous le signe de la croix gammée, Joseph Goebbels proclama : « Il n'existe sans doute aucune œuvre qui soit aussi proche de notre époque, de ses tensions spirituelles et intellectuelles, que *Les Maîtres chanteurs* de Richard Wagner. Comme si souvent au cours des années passées, des Allemands emplis de nostalgie et de foi ont ressenti le chœur bouleversant "Éveillez-vous, le jour s'approche" comme le symbole tangible du réveil du peuple allemand... »

Dans ce climat de revalorisation « nationale » de Bayreuth, des rumeurs de mariage ne tardèrent pas à courir. On était tenté de croire que le Führer et chancelier du Reich étayerait par une union officielle son alliance avec la « dame vénérée » de Bayreuth, démontrant ainsi que le « message » de Wagner était bien celui qu'incarnait le nouvel État. L'ami de Chamberlain Hans von Wolzogen évoquait déjà avec exaltation ce nouveau couple de rêve : on aurait dit, clamait le vieux poète, que les dieux de la mythologie nordique, Baldur et Fricka, « se prêtaient assistance ». À Berlin, la rumeur populaire se moquait déjà du nom protocolaire dont on pourrait affubler Winifred, qui avait de nombreux enfants : « Vénérable mère du Reich », peut-être ? La demi-sœur d'Hitler, Angela Raubal, raconta plus tard qu'elle avait entendu dire que Winifred elle-même avait proposé une solution de ce type pour renforcer par des liens dynastiques l'axe Bayreuth-Berlin.

Mais c'est sans doute la réaction d'Hitler qui fit taire ces rumeurs nuptiales. Il aurait affirmé que « si jamais il devait se marier Mme Wagner était une candidate appropriée » – mais justement : il ne le voulait pas. La fille de Winifred, Friedelind, se rappelle que lorsqu'elle était écolière elle répétait à qui voulait l'entendre : « Ma mère aimerait bien, mais l'oncle Loup ne veut pas. » La dernière volonté de Siegfried, selon laquelle sa femme ne pouvait se remarier que si elle acceptait de perdre le pouvoir à Bayreuth, joua sans doute un rôle plutôt subalterne. Un homme capable de démanteler entièrement un État constitutionnel ne se serait certainement pas laissé arrêter par un testament. En réalité, l'obstacle principal était sans doute la volonté d'Hitler de se présenter comme un être élu et solitaire qui avait besoin de toutes ses forces pour guider son peuple. Ce thème traversait aussi les opéras de Wagner. Comparées aux altitudes mythiques où se trouvait cet homme qui avait assisté avec passion aux représentations wagnériennes à l'opéra de Linz, les joies de la famille paraissaient indignes. Il répéta à plusieurs reprises à Winifred qu'elle ne pourrait pas, elle non plus, garder le rang d'une « reine » – c'est le terme qu'il employa – si elle ne restait pas célibataire.

Depuis l'époque de Richard Wagner, la Colline verte n'était plus seulement un grand centre lyrique ; elle était devenue un lieu de sombre rayonnement politique. Les principaux responsables en étaient Cosima, Siegfried et Winifred Wagner qui, en tant que directeurs du festival, avaient salué et encouragé cette évolution – mais aussi tous ces wagnériens nationalistes et conservateurs qui, tel Houston Stewart Chamberlain, paraissaient suivre comme une queue de comète le message supposé du maître. Après 1933, cet « antre national-populiste » devint partie intégrante du Reich d'Hitler, et le « message » de Wagner un ingrédient de la mixture idéologique des nazis. Quiconque osait critiquer cette récupération courait un risque personnel.

Lorsque Thomas Mann, dans une conférence sur « les souffrances et la grandeur de Richard Wagner » tenue en février 1933, dénonça l'instrumentalisation du compositeur et rappela la diversité de l'univers intellectuel wagnérien, il déclencha une tempête d'indignation. Des artistes de premier plan, dont Richard Strauss, rédigèrent une « lettre de protestation depuis la ville de Richard Wagner, Munich », et le journal national-socialiste *Völkischer Beobachter* parla de la « honte » que Thomas Mann, ce conservateur que les nazis présentaient comme un « demi-bolchevique », avait infligée aux Allemands en prononçant cette conférence. L'écrivain considéra, sans doute à juste titre, que cette campagne était une incitation à la violence, et il ne tarda pas à s'exiler.

La nouvelle « communauté du peuple », puisque c'est ainsi que les nazis appelaient désormais la société allemande, rappelait par bien des aspects l'atmosphère des représentations des *Maîtres chanteurs*. Ce n'est pas un hasard si Goebbels vanta cette œuvre de Wagner comme la « pure et simple incarnation de l'âme allemande », en estimant qu'elle recelait tout ce qui conditionne et anime l'« esprit de la culture allemande ». Il se référa explicitement, dans son éloge, à l'opéra préféré d'Hitler, *Rienzi* – bien que cette œuvre de jeunesse raconte l'histoire d'un Romain qui n'a rien de germanique et que ses qualités musicales soient douteuses au point qu'elle n'a jamais été donnée à Bayreuth.

Mais à l'époque, cela faisait longtemps que l'art n'était plus l'essentiel. Les archives nationales-socialistes qui n'ont pas été détruites sont pleines de commentaires de l'œuvre de Wagner exprimés d'un point de vue « idéologique ». Dans un pamphlet intitulé *Richard Wagner et la nouvelle Allemagne*, un certain Alfred Grunsky explique par exemple que *L'Anneau du Nibelung* est la « forme artistique la plus puissante qu'ait prise l'idée de la race ». Le *Völkischer Beobachter* s'enflamma lui aussi sur le même thème. « Ce qu'est le Juif, y lisait-on dans un éditorial de Goebbels, Richard Wagner nous l'a appris. Écoutons-le, nous que la parole et les actes d'Adolf Hitler ont enfin libérés de la servitude imposée par les sous-hommes. Il nous dit tout par ses écrits et par sa musique, dans laquelle chaque note illustre le pur caractère allemand. » Une énumération de toutes les citations nationales-socialistes se référant au compositeur remplirait un gros volume. Cela ne fait pas du compositeur le « précurseur de l'Holocauste » ; mais les précurseurs véritables, eux, se voyaient tout à fait dans la lignée de Richard Wagner.

Au fil des ans, les goûts wagnériens d'Hitler évoluèrent. Après la prise du pouvoir, il n'écouta plus aussi volontiers les « messages nationaux-populistes » des *Maîtres chanteurs*. Il préférait se laisser emporter par les passages particulièrement sombres et sensibles du monologue final de *Tristan*, ou par la musique de deuil du *Crépuscule des dieux*. Celui-ci devint sans aucun doute son opéra préféré. À plusieurs reprises, il attendit pour se rendre à Bayreuth que soit donnée la quatrième partie de la Tétralogie. On ne comprend sans doute la personnalité déviante de ce meurtrier de masse qu'en tenant compte de son faible pour les ambiances pesantes et enivrées. Ce n'était pas un politicien rationnel qui fondait ses décisions sur des considérations logiques. Le dictateur agissait d'abord en fonction de son humeur, et suivait une « voix intérieure » – il l'affirma à plusieurs reprises. Il croyait au rôle de la providence. Au début de son règne, cela lui apporta la réussite. Au bout de son parcours, son goût pour l'irrationnel avait précipité des millions de personnes dans la mort.

Les idées issues de l'œuvre tardive de Wagner *Parsifal* pourraient aussi avoir exercé une influence singulière sur son idéologie. Le ton solennel de cet « opéra religieux » semble avoir servi de modèle à un grand nombre de ces discours au cours desquels Hitler, la voix vibrante d'émotion, plongeait ses fidèles dans une sorte de bouleversement collectif. Si l'on regarde les films tournés sur les cérémonies funèbres du régime, par exemple la mascarade dégoulinant de musique wagnérienne organisée chaque année le 9 novembre en mémoire de la tentative de putsch à Munich, la parenté avec les éléments liturgiques de la messe est évidente. Les cérémonies nazies empruntaient aussi beaucoup à *Parsifal* : par exemple le culte des « bannières ensanglantées », les « flammes éternelles » sur les monuments aux morts, la longue psalmodie des noms des « martyrs du mouvement » et les étranges chorégraphies du célébrant – le 9 novembre, c'était le plus souvent Rudolf Hess, le substitut du Führer.

Une autre idée paraît avoir été empruntée à *Parsifal* : le fait de désigner des « élus » pour la quête d'un « Saint Graal » de la pureté du sang. La démence raciale, avec ses « certificats d'origine aryenne » et ses idées d'élevage, ne correspond-elle pas au principe de ces « élus » ? Pis encore, ne semble-t-il pas que l'on puisse se fonder sur *Parsifal* pour justifier la mission consistant à « purifier le sang » ? Un grave soupçon se fait jour : existerait-il dans l'opéra une sorte de message codé, des instructions destinées aux Himmler et aux Eichmann de la période nazie ? Présentée de manière aussi outrancière, cette affirmation que l'on entend çà et là depuis quelque temps ne résiste pas à l'examen des documents. Rien ne permet d'affirmer qu'il existe un lien direct entre l'opéra et le programme d'extermination mené par Hitler, ni que l'« élite » qu'était censée constituer la SS ait été inspirée par *Parsifal*.

L'ancien président du sénat de Dantzig, Hermann Rauschning, a affirmé que le dictateur lui avait présenté cet opéra comme l'expression d'une mission, la « purification du sang », confiée à une « légion choisie d'hommes possédant le vrai savoir ». Mais les historiens ont exprimé de sérieux doutes sur cette version. Il est vraisemblable que Rauschning ait interprété après coup les propos d'Hitler. C'est vrai, un tableau tristement célèbre peint en 1935 montre le Führer en armure scintillante, une tenue de gardien du Graal – mais pourquoi, alors, les représentations de *Parsifal* ont-elles été interdites dans le Reich dès le début de la guerre ? En réalité, si l'opéra de Wagner ne pouvait pas servir de modèle direct, c'est parce que du point de vue nazi son message était trop ambigu, pas assez radical. En effet, le futur chef de la « sainte communauté » ne devait être chez Wagner qu'un « simple d'esprit » ignorant, et Kundry, l'incarnation du « sang impur » dans *Parsifal*, n'est pas exterminé à la fin mais sauvé par le baptême.

« Parsifal est un crétin » – c'est en ces termes d'une simplicité déconcertante que les enfants de Winifred Wagner commentaient l'œuvre compliquée et lourdement symbolique de leur grand-père. Pour eux débuta avec le Troisième Reich une période de leur jeunesse aussi insouciante que privilégiée. Tous les quatre n'avaient à l'école que des résultats médiocres ; mais la noblesse d'État que leur avait en quelque sorte accordée Hitler compensait leurs défaillances. Lorsque les enfants de Winifred n'eurent plus envie de fréquenter la Jeunesse hitlérienne, une organisation quasi obligatoire, ils en sortirent sans autre forme de procès. Les bonnes relations de leur mère avec la chancellerie du Reich le permirent. Wolfgang Wagner se rappelle que pour eux, contrairement à ce qui ce serait passé pour n'importe quel autre jeune Allemand, cette défection ne pouvait avoir aucune conséquence : « J'ai raconté ça au Loup, et il a dit qu'il aurait fait exactement pareil. »

À l'école, les héritiers Wagner connurent en revanche une franche réussite grâce à leurs relations avec l'oncle Loup et aux récits de leurs rencontres. Hitler fit même aux

Photo de famille en 1938.

Hitler rendait visite à la famille, mais il ne s'y était pas intégré. Ma mère ne demandait pas non plus : « Qu'est-ce que tu en dis, Loup, tu trouves ça bien que Wieland fasse ceci ou cela ? » Elle ne lui demandait pas conseil.

Wolfgang Wagner

Elle a accepté que ses deux fils quittent la Jeunesse hitlérienne.

Walter Schertz-Parey,
biographe de Winifred Wagner

Chez nous, on ne parlait absolument pas de politique.

Winifred Wagner

deux fils de Winifred un honneur particulier en leur accordant le droit de le photographier – ils en avaient l'exclusivité dans tout le Reich, avec le photographe particulier d'Hitler, Hoffmann. Lorsqu'il posait pour Wolfgang et Wieland, selon les dires d'un témoin, il avait manifestement « tout son temps ». Comme Wolfgang Wagner possédait en outre une petite caméra, on a conservé dans la famille quelques prises de vues du Führer. Elles montrent un dictateur détendu, en costume gris, qui marche sur la pelouse en discutant avec Winifred et porte à ses lèvres une tasse – de thé, vraisemblablement. Quand on observe ces scènes idylliques au jardin, on ne peut s'empêcher de penser à cette « banalité du mal » dont parlait Hannah Arendt.

Ni sur le film d'amateur tourné par Wolfgang ni sur les photos on ne voit jamais Heinz Tietjen avec Hitler. L'habile manipulateur de Bayreuth, sans lequel il fut bientôt inimaginable d'organiser le festival, évitait volontairement la proximité du dictateur. Lorsque Hitler apparaissait à Bayreuth, Tietjen devenait « invisible ». On dit pourtant que Winifred aurait beaucoup aimé avoir sur la même photo le Loup et Heinz. Car ce dernier occupait désormais une place importante dans sa vie : il avait assez rapidement assumé la fonction qu'elle aurait volontiers confiée à Hitler si celui-ci n'avait pas fait tant de manières.

Cette femme pragmatique avait donc fait à son Heinz une offre sans ambiguïté, elle lui avait annoncé qu'il était l'« élu » et l'avait immédiatement nommé directeur artistique. Après la guerre, Tietjen présenta les choses en ces termes : « Elle m'a supplié, imploré. Il n'aurait pas fallu grand-chose pour qu'elle tombe à mes genoux. Je n'ai pas pu résister. »

Winifred avait alors trente-cinq ans. Elle avait toujours eu un faible pour les hommes à l'allure singulière. Tietjen, comme son défunt mari et comme le Loup, n'était pas vraiment un apollon. « La Chouette » paraissait malingre et faible, surtout à côté de la volumineuse Winifred. Mais comme le raconte Wolfgang Wagner, il pouvait tout de même se montrer charmeur, spirituel, intelligent et, d'une certaine manière, mystérieux. Lorsqu'il venait pour les répétitions à Bayreuth, Winifred s'en réjouissait à l'avance.

Hitler en compagnie de Winifred Wagner et d'Heinz Tietjen pour l'inauguration du festival en 1938.

Il est étrange et paradoxal que ma mère qui, en tant qu'Anglaise, avait un esprit démocratique et ne croyait nullement à l'autorité ait mis un dictateur en selle.

Wolfgang Wagner

C'était une femme de pouvoir, une existence sous le nom de Mme Winifred Hitler aurait été beaucoup trop peu pour elle. Il faut le dire très clairement. Il était plus important à ses yeux de diriger le festival, parce que cela lui donnait de tout autres possibilités de se produire en public.

Gottfried Wagner

« Mme Wagner est tout heureuse, comme transformée », constatait par exemple sa confidente, Lieselotte Schmidt. À Berlin, Winifred occupait un appartement annexe chez Tietjen, et nous savons par le chanteur Bockelmann que cette relation-là, au moins, dépassa le stade purement platonique. Une fois, a-t-il raconté, il avait voulu rendre une visite impromptue aux deux gardiens de Bayreuth dans le bureau berlinois de Tietjen et les avait surpris dans un « accouplement particulièrement comique ».

Du point de vue des mélomanes, Tietjen joua à Bayreuth un rôle extrêmement bénéfique. Comme il présidait aussi aux destinées des Opéras de Berlin, il pouvait engager les meilleures voix du Reich pour le festival. Avec lui, Preetorius et Furtwängler, le *Lohengrin* de 1936 atteignit par exemple un sommet artistique. Selon les experts, les enregistrements de cette époque soutiennent la comparaison avec les meilleures versions actuelles. Reste à savoir quel jugement moral il faut porter sur cette réussite musicale.

Beaucoup des artistes qui ont bénéficié sous le Troisième Reich de cachets généreux et de subventions de l'État ont affirmé après la guerre qu'ils avaient seulement cherché à sauver l'art durant cette sombre période. Bon nombre d'entre eux, y compris Winifred Wagner et Heinz Tietjen, ont en outre utilisé leurs relations pour aider les persécutés. Dans une lettre de justification, en 1945, Tietjen affirme qu'il n'a jamais servi la propagande et qu'il a toujours respecté une attitude de « refus intérieur ». En réalité, même pour les mises en scène de la période nazie à Bayreuth, on ne peut pratiquement pas relever d'abus à des fins de propagande. On ne voyait pas non plus de drapeaux à croix gammée dans le théâtre des festivals, contrairement à ce qui se passait dans de nombreuses autres salles de spectacles allemandes. Mais Tietjen, bien qu'il soit resté après la guerre en contact – assez peu étroit – avec les membres de l'ancien mouvement de résistance au nazisme dirigé par Witzleben et Goerdeler, ne peut éviter un reproche majeur : les artistes de Bayreuth ont offert à Hitler la plate-forme dont il avait besoin pour la mise en scène du régime. Il est vrai que quelques personnes persécutées pour leur homosexualité ou leurs convictions avaient trouvé refuge dans la

Winifred Wagner et « ses » artistes en 1939.

Pour ce qui concernait mes rapports avec les gens, je n'ai admis aucune consigne du parti : j'ai continué à entretenir des relations avec mes amis juifs ou juifs par alliance, je les ai aidés, eux et des Juifs qui m'étaient parfaitement inconnus, lorsque c'était en mon pouvoir.

Winifred Wagner

fosse d'orchestre. Mais pouvait-on encore parler d'art face à un parterre composé d'hommes qui allaient persécuter et massacrer des millions de personnes ? Le fait que le dictateur, en guise de remerciement, ait élevé Furtwängler et Tietjen au rang de conseillers d'État complique encore la tâche de ceux qui veulent pratiquer une évaluation loyale.

Ses relations avec les notables du régime permirent à Winifred Wagner de sauver un grand nombre de personnes. Elle aida bien sûr avant tout des musiciens ou des collaborateurs du théâtre des festivals. Le plus souvent, elle n'avait pas grand mal à obtenir ce qu'elle voulait : lorsqu'il s'agissait des serviteurs du temple de Wagner, les principes d'Hitler étaient d'une étrange souplesse. En 1937, par exemple, pendant le festival, il bavarda aux yeux de tous, détendu et aimable, avec le chanteur Max Lorenz et son épouse Lotte, alors que chacun savait que Lorenz était homosexuel et que sa femme, épousée pour préserver les apparences, était juive. Le couple survécut à la guerre sans être inquiété. Mais Tietjen et Winifred Wagner s'engagèrent aussi en faveur de parfaits inconnus. Dans quelques cas, ils apprirent grâce à leurs relations dans les sphères du pouvoir l'imminence d'une arrestation, et purent prévenir les personnes concernées. Après la guerre, le chef d'orchestre Leo Blech et le baryton Herbert Janssen ont affirmé dans leur déposition que c'est ce qui leur avait permis de quitter l'Allemagne à temps. Winifred tenait ici un double rôle délicat : un engagement trop ouvert ou trop fréquent contre la terreur exercée par l'État pouvait aussi, bien entendu, nuire à sa position. Lorsque Goebbels l'appela au téléphone en 1937, à la demande d'Hitler, pour qu'elle congédie tous ses collaborateurs homosexuels, elle fit donc preuve de bonne volonté. « Bayreuth est sévèrement encrassé, nota le ministre avec un malin plaisir, il faut y aller à l'aspirateur. Je parle avec Mme Wagner. Elle en est consternée. Mais elle reconnaît que les choses ne peuvent pas continuer ainsi. »

Hitler assista aux festivals des années de paix. En 1936, les représentations furent régulièrement interrompues pendant la durée des jeux Olympiques afin que le dictateur puisse participer alternativement aux deux manifestations.

À partir de cette année-là, il habita pendant la saison la maison Siegfried-Wagner, cette annexe désormais agrandie, située sur le côté gauche de Wahnfried, dans laquelle il s'installait avec toute son escorte : gardes du corps, valets de chambre et cuisinière diététicienne. C'est à la demande d'Hitler que Winifred avait mis ce bâtiment à sa disposition. Le chancelier mélomane insista également pour qu'un membre de la famille Wagner partage désormais chacun de ses repas lorsqu'il séjournait à Bayreuth.

Pour ceux dans l'entourage du Führer qui n'étaient pas du tout passionnés par Wagner, ces journées étaient assommantes. Le photographe Heinrich Hoffmann raconte : « Pour Hitler, le festival était une détente – il croyait donc aussi satisfaire son escorte lorsqu'il l'invitait à Bayreuth pour une semaine ou plus. Il payait les billets de sa poche. Mais l'invitation ne réjouissait pas tous ceux qui l'entouraient. Beaucoup auraient préféré partir à la montagne ou au bord de la mer plutôt que d'écouter Wagner tous les jours dans ce four qu'était la salle de concerts. Lorsque le devoir forçait quelqu'un à rester avec Hitler – en uniforme ou en smoking – dans la loge de Wagner, on ne pouvait lui tenir rigueur de piquer parfois du nez avec cette chaleur étouffante. Par précaution, les accompagnateurs se surveillaient les uns les autres pour faire cesser les premiers ronflements d'un coup de coude dans les côtes. » On dit aussi que le ministre de la Propagande, Goebbels, s'était laissé aller à un calembour sur la proximité entre le mot allemand pour folie *(Wahnsinn)* et le nom de la maison de Wagner (Wahnfried), d'où l'Allemagne était gouvernée pour quelques jours lorsque le Führer y séjournait.

Le soir, après les représentations, Hitler avait l'habitude de s'installer avec Winifred – mais aussi, plus tard, avec les enfants – devant la cheminée du salon, et de monologuer jusqu'au petit matin. Les relations de la maîtresse de maison avec Tietjen ne paraissaient pas le déranger outre mesure, d'autant qu'il ne rencontra presque jamais le metteur en scène, et que l'enthousiasme de Mme Wagner pour son Loup n'était nullement amoindri par cette relation. « Elle lui obéissait », se moquait encore Tietjen après la guerre. Et même si les nuits du festival étaient fréquemment d'une chaleur caniculaire, Winifred commandait toujours quelques bûches pour qu'Hitler puisse prolonger avec elle ses conversations au coin du feu.

Les récits divergent sur le thème de ces discussions nocturnes. Plus tard, Winifred a affirmé que l'on ne prononçait jamais un mot de politique, et qu'Hitler s'intéressait exclusivement à l'art. Son fils Wolfgang, qui était autorisé à les écouter, confirme que le Loup se livrait à des commentaires exubérants sur Wagner – « C'était un wagnérien passionné auquel on ne pouvait pas reprocher un manque de connaissances » –, mais il se rappelle aussi ses monologues politiques. Le Führer aurait ainsi plusieurs fois tenté de justifier par une comparaison historique les mesures de violence qu'il prenait. « Il a toujours soutenu que Charlemagne, en lançant sa croisade contre les Saxons, avait bien accompli un acte politique. » Friedelind se souvient d'une déclaration d'Hitler peu avant le début de la guerre. « J'espère, aurait dit l'oncle Loup à sa mère, que tu as bien conscience que dans la guerre qui va éclater la première bombe tombera sur le théâtre des festivals, et la deuxième sur Wahnfried. »

Tant que les temples du culte de Wagner demeurèrent intacts, la maîtresse de maison conserva sa position dans le Reich de son vieil ami. Elle dînait avec Mussolini à la chancellerie, brillait aux réceptions données à la Maison de l'art allemand et parlait sa langue maternelle devant une tasse de thé avec le ministre britannique des Affaires étrangères, Anthony Eden. La « dame vénérée » et le Führer se rappelaient en outre régulièrement l'estime qu'ils se portaient en s'offrant de précieux cadeaux. Un jour, par exemple, une somptueuse limousine de marque Benz se gara devant Wahnfried ; et pour le cinquantième anniversaire d'Hitler, Winifred remit pour la première fois au tyran des originaux de son beau-père. Il s'agissait du manuscrit de *Rienzi* et de partitions de *L'Or du Rhin* et de *La Walkyrie* – selon des témoins, ce fut le cadeau qui ce jour-là émut le plus le quinquagénaire. Winifred, à cette occasion, exprima de façon très spectaculaire l'affection qu'elle lui portait. Des photos prises le 20 avril 1939 attestent que, tandis que le Loup, dans le lointain Berlin, fêtait son anniversaire devant une gigantesque parade militaire, un portrait surdimensionné d'Hitler entouré d'une véritable forêt de drapeaux à croix gammée ornait la façade du théâtre de Bayreuth.

Les sombres nuages de la guerre planèrent sur le festival de l'été 1939. La dernière représentation de *Tristan et Ysolde* dut être donnée avec une chanteuse remplaçante : la Française Germaine Lubin, craignant l'emprisonnement, avait quitté le pays du jour au lendemain. De nombreux invités désertèrent aussi l'Allemagne en toute hâte. L'atmosphère de fin des temps du *Crépuscule des dieux* parut alors se propager hors de la scène. Au cours du festival, Winifred Wagner s'essaya au rôle d'ange de la paix et tenta d'organiser une rencontre entre Hitler et l'ambassadeur britannique Henderson, lui aussi présent sur les lieux. Après la guerre, elle expliqua que son mécène, à cette date, ne tenait plus à négocier. Si Henderson se présentait dans sa loge, annonça-t-il brutalement à sa vieille amie, il quitterait Bayreuth sur-le-champ.

Le déclenchement de la guerre toucha le point le plus vulnérable chez Winifred : la famille. Son aîné, Wieland, faisait certes partie des vingt-cinq « porteurs d'espoir » désignés pour la période qui suivrait la « victoire finale », et avait été exempté de service militaire. Mais Wolfgang partit se battre en Pologne. Une semaine seulement s'était écoulée depuis le début de la guerre lorsqu'un coup de téléphone informa sa mère qu'il était mort « pour le Führer, le peuple et la patrie ». Ce communiqué funèbre avait heureusement été envoyé trop vite : Wolfgang avait été grièvement blessé, sans doute par des balles allemandes, mais il était vivant. Winifred en fut profondément bouleversée. Un avion de la Wehrmacht transporta son fils à Berlin, où on le soigna et où son chef suprême, l'oncle Loup de son enfance, vint le voir en personne dans sa chambre d'hôpital, des fleurs à la main.

Friedelind, dite Mausi (« Souriceau »), posait elle aussi de sérieux problèmes à sa mère. Depuis l'automne 1938, cette « enfant difficile » séjournait en France et en Suisse – « pour des raisons politiques et personnelles », disait-elle. Winifred, accompagnée de Wieland, l'avait déjà suivie une fois à

Paris et avait vainement tenté de la faire changer d'avis. Mais désormais, en cet hiver 1939-1940, le temps était compté. Mausi avait annoncé son intention d'émigrer aux États-Unis. Au début de février 1940, Winifred se rendit donc à Zurich, bien décidée à ramener sa fille. Pour une personnalité haut placée disposant d'un accès direct au Führer, obtenir un visa de sortie ne fut naturellement pas un problème. Si l'on en croit le récit de Friedelind, sa mère, en se lançant dans cette mission, ne tenait pas tant à résoudre un problème familial qu'à empêcher une « haute trahison ».

L'entretien prit une tournure dramatique ; Winifred utilisa tous les moyens dont elle disposait. « Reviens à la maison », implora-t-elle, la voix brisée, en décrivant la grave blessure de Wolfgang, et en affirmant que son frère demandait instamment à revoir sa sœur. Constatant que tout cela ne produisait aucun effet, elle changea brutalement de ton et se mit à menacer sa fille : « Si tu ne m'écoutes pas, on donnera l'ordre de te liquider, de t'éliminer. » « Liquider » et « éliminer » – ces mots tirés du vocabulaire inhumain des nazis, c'est la directrice du festival de Bayreuth qui les prononçait dans une chambre d'hôtel à Zurich. Est-ce le Loup qui parlait à travers elle, celui qui, au coin du feu, lui avait révélé ses visions d'avenir ? Quel degré de fanatisme une mère devait-elle avoir atteint pour menacer ainsi sa fille ?

L'intervention de Winifred ne fit que renforcer Friedelind dans ses intentions : elle émigra en Amérique. Elle y survécut grâce à de petits jobs et on la promena de droite et de gauche pour servir d'émigrée exemplaire. En 1944, elle raconta ce qu'elle avait vécu à Bayreuth, notamment avec Hitler, dans un livre intitulé *Nuit sur Bayreuth*. Cet ouvrage au style fluide fourmille d'anecdotes. On peut ainsi y lire que le dictateur aurait volontiers fait monter sur scène dans le plus simple appareil les jeunes filles-fleurs de *Parsifal ;* qu'une fois, à table, il fut pris d'un tel accès de fureur qu'il en eut « l'écume à la bouche », et que lorsqu'il était de bonne humeur il acceptait de raconter des histoires drôles à Goebbels et à Göring. L'auteur a en outre la dent remarquablement dure envers sa mère et son amant, Tietjen.

Malheureusement, quelques éléments purement imaginaires semblent s'être mêlés au récit haut en couleur de Friedelind Wagner. Certaines des anecdotes qu'elle raconte ne résistent pas à l'examen, comme l'ont constaté les services secrets américains dans un rapport à l'époque confidentiel. Les agents de l'OSS jugèrent la petite-fille du compositeur « peu crédible, en quête de reconnaissance et bavarde ». Après la guerre, la majorité de sa famille – Winifred comprise – dénoncerait dans ce livre un « tissu de mensonges ». Mais on ne peut l'évacuer aussi simplement. Friedelind s'appuyait tout de même sur le journal qu'elle avait tenu minutieusement, et après 1945 de nombreux témoins sont venus confirmer ses dires. *Nuit sur Bayreuth* reste donc une source d'informations hautement appréciable, notamment parce que son auteur ne prend pas de gants – et même s'il faut lire ce récit avec précaution. Lorsque le Souriceau raconte, par exemple, sa conversation de Zurich avec Winifred, il faut mettre certains passages entre parenthèses ; mais sur le fond, le message terrifiant de sa mère était tout à fait crédible. On peut imaginer dans quel état d'esprit les deux femmes se sont séparées – Friedelind à bord du paquebot qui l'emportait outre-Atlantique, Winifred sur la route qui la ramenait dans un Bayreuth orné de croix gammées.

Au moins ses trois autres enfants ne lui causaient-ils pas de souci. Wieland et Wolfgang, qui guérissait peu à peu, ramenèrent bientôt à la maison de belles fiancées, se marièrent et eurent des enfants. La jolie Verena, celle de ses filles que Winifred surnommait « Nickel », fit le bonheur de sa mère en épousant un homme de la haute société, Bodo Lafferentz, un responsable fortuné de l'organisation nazie « La force par la joie » (KdF). Il fut chargé de rassembler un public suffisant pour que les « festivals de guerre » à Bayreuth puissent avoir lieu. Winifred avait voulu interrompre le festival pour la durée du conflit, et l'on s'attendait qu'elle ne tienne pas plus d'un ou deux ans. Pendant la Première Guerre mondiale, son défunt époux avait déjà fermé les portes de la Colline verte. Mais Hitler, sans qui on ne prenait pratiquement plus aucune résolution importante à Bayreuth, en décida autrement. On supprima désormais les billets gratuits ; c'est la caisse du KdF qui prit en charge tous les frais, y compris les cachets – et dix-sept pour cent du bénéfice net revenaient à la maison Wagner.

Désormais, le festival était une affaire d'État. Les « invités » que l'on charriait à Bayreuth par trains spéciaux n'étaient plus tout à fait les mêmes. Les « camarades méritants » pouvaient désormais se rendre à Bayreuth à des fins éducatives – et sans rien débourser. Hitler était enthousiaste : « À présent, en pleine guerre, j'ai pu mettre en œuvre ce que souhaitait Wagner : permettre à des gens sélectionnés parmi le peuple, les soldats et les ouvriers de fréquenter gratuitement le festival. » Tietjen, qui avait fait rapatrier son personnel envoyé au front, voyait les choses un peu différemment. Les invités connaissaient apparemment aussi bien la musique que lui-même le fonctionnement des usines d'emboutissage, plaisantait-il en 1940. Ensuite, les clients manchots ou culs-de-jatte se multiplièrent – et les plaisanteries restèrent coincées dans la gorge de tous ceux qui les voyaient. On aurait dit que l'on acheminait les blessés et les mutilés à Bayreuth pour que Wagner fasse un miracle.

C'est en 1940 que l'oncle Loup vint pour la dernière fois assister au festival. Au retour de sa victoire éclair sur la France, il fit arrêter son train spécial à Bayreuth et, ivre de son triomphe, assista à une représentation du *Crépuscule des dieux*. Ce fut l'avant-dernière rencontre avec Winifred – il y eut encore une brève visite de la « dame vénérée » dans le train du Führer. Au cours des années suivantes, ils n'échangèrent plus que des coups de téléphone et des télégrammes. Les fils Wagner, eux, rencontrèrent encore le chef de guerre à quelques reprises à Berlin. À chaque fois, ce fut à propos d'un projet qui devrait débuter « l'année où serait conclue la paix » : le réaménagement du théâtre des festivals.

On a conservé quelques esquisses du projet. Il n'a plus rien à voir avec un opéra traditionnel ; il ressemble plutôt à une sorte d'« Acropole dans le style de la Franconie », avec des dizaines d'annexes, des colonnades et des toits plats. Comme un lointain pendant aux gigantesques bâtiments à coupole que l'on prévoyait de construire à Berlin, la seule dimension de la colline du festival devrait témoigner de la grandeur de ses commanditaires. Le centre de ce témoignage de mégalomanie coulé dans le béton était un édifice

Winifred Wagner salue des soldats de la Wehrmacht venus assister au festival.

Pour elle, la guerre était la chose la plus effroyable qui fût.

Wolfgang Wagner

Chacun de nous a regretté le déclenchement de la guerre. Y compris chaque national-socialiste. Je veux dire que nous n'étions pas des fanatiques de la guerre.

Winifred Wagner

à coupole qui devait englober totalement l'ancien théâtre des festivals.

Wieland et Wolfgang avaient plus de vingt ans, désormais, et commençaient à revendiquer le droit de gérer l'héritage. Leurs visites chez le Loup leur permettaient d'évoquer l'extension prévue, mais aussi de discuter des futures mises en scène. Car même s'il ne se rendait plus à Bayreuth, Hitler n'avait pas perdu l'ardent enthousiasme que lui inspirait Wagner. À la plus téméraire – et la plus folle – de ses campagnes, l'attaque contre l'Union soviétique, il donna un nom qui avait déjà fasciné Richard Wagner: « Barberousse », le surnom de l'empereur Frédéric Ier. On a retrouvé un fragment d'opéra intitulé *Barberousse* qui témoigne de l'attrait exercé par ce souverain sur le compositeur. Wagner était surtout enthousiasmé par l'« ignorance grandiose, barbare, sublime et même divine du personnage », comme il le nota en marge de ce fragment. Après la défaite subie devant Moscou à l'hiver 1941, les généraux allemands comprirent que le « plus grand général de tous les temps » avait lui aussi marché sur l'est avec l'ignorance d'un Barberousse, et que leur destin pourrait bien être le même que celui de l'empereur – qui avait fini lamentablement noyé. La poursuite du conflit après la débâcle hivernale n'eut effectivement rien à voir avec la raison – d'autant que le dictateur avait aussi déclaré la guerre aux États-Unis, la plus grande puissance industrielle du monde.

Au cours de cette période, l'irrationnel s'empara peu à peu d'Hitler. Lorsqu'il entendait du Wagner, expliquait-il à ses généraux, il avait « l'impression d'entendre les rythmes du monde d'avant le monde ». Il semblait effacer progressivement, à mesure que la guerre se transformait en impasse, la démarcation entre le monde réel et les fantasmes qui s'exprimaient sur scène. Les mondes en flammes du *Crépuscule des dieux* ne paraissaient-ils pas être rattrapés, voire dépassés, par la réalité ? N'allait-on pas désormais, selon toute vraisemblance, vers une fin terrifiante et grandiose où le Führer serait enseveli sous les ruines de sa propre métropole – un destin analogue à celui du tribun Rienzi ?

Pendant ce temps, la vie du festival, dans la ville encore

paisible qu'était Bayreuth, produisait d'étranges phénomènes. Winifred Wagner passait son temps à aplanir les conséquences de la lutte acharnée pour le pouvoir que se livraient ses garçons et Tietjen. La « jeunesse de Wahnfried » se pressait aux portes du pouvoir, mais la directrice du festival ne voulait pas encore confier à ses fils la responsabilité de la manifestation. Tietjen menaça de se retirer totalement, d'un point de vue professionnel et privé. Winifred demanda au Loup d'intervenir à distance. Celui-ci décida que Wieland et Wolfgang devraient attendre jusqu'à la fin de la guerre et, jusque-là, parfaire leur formation. Ce fut un sérieux revers pour les deux jeunes gens, mais leur enthousiasme pour Hitler et sa cause n'en souffrit manifestement pas. En septembre 1944, par exemple, Wieland Wagner croyait encore en la victoire finale et invoquait, par écrit, l'espoir que « le Graal se remettrait à briller ». Conformément à sa ligne politique, il avait baptisé Wolf-Siegfried son fils né en 1943, associant le surnom de son mentor et celui de son père. Quant à Wolfgang, il voulait qu'on laisse le Führer décider quel opéra de Wagner devrait être interprété pour le « festival de la victoire finale ».

Winifred n'était pas moins exaltée que ses fils. Tout autour de Bayreuth, les villes allemandes étaient en ruine ; cela semblait tout aussi peu troubler leur enthousiasme pour la « cause » que les rumeurs qui couraient sur les crimes commis dans les camps de concentration. Chaque jour, on déposait des fleurs fraîches devant le portrait du Führer à Wahnfried. Lors du festival de 1943, Winifred rédigea pour le programme un appel à la fois maladroit et enflammé : « Que nous ayons justement choisi *Les Maîtres chanteurs* pour ce festival de guerre 1943 a une signification profonde et symbolique. Cette œuvre nous montre, sous une forme impressionnante, l'homme allemand créatif dans sa volonté nationale, auquel le Maître a donné les traits immortels d'Hans Sachs, cordonnier et poète populaire de Nuremberg, et qui, dans le combat actuel contre l'esprit destructeur du complot mondial ploutocratique et bolchevique, donne à nos soldats une force invincible au combat, et la foi fanatique en la victoire de nos armes. »

Malgré ses serments de fidélité, elle avait de moins en

moins de contacts avec son ami, reclus dans le Repaire du Loup et accaparé par le recul des fronts. Elle regrettait l'époque des années nazies « pacifiques », la fréquentation des personnalités célèbres, les moments prestigieux. Elle devait à présent, par correspondance, défendre Cosima, accusée d'avoir des origines juives, et remerciait en passant le chef de la SS, Himmler, qui dirigeait alors le plus grand meurtre de masse de l'humanité, pour l'envoi de « belles assiettes ».

Ironie de l'histoire, la plus fameuse tentative de coup d'État contre Hitler portait justement un nom de code inspiré de l'univers wagnérien. C'est sous l'intitulé de « Walkyrie » que de courageux conjurés, au sein de la Wehrmacht, préparèrent un vaste plan visant à déposséder la SS et la Gestapo de leurs pouvoirs après avoir éliminé Hitler. Le tyran sortit hélas pratiquement indemne de l'explosion, et disposa encore de neuf mois de terreur pour mettre en scène son « crépuscule des dieux » très personnel.

Ce 20 juillet 1944 où le comte Stauffenberg plaça sa bombe sous la table des cartes du Repaire du Loup, on donnait à Bayreuth *Les Maîtres chanteurs* – le joyau de ce dernier « festival de guerre », dans des décors de Wieland Wagner. Lorsque Winifred fut informée de l'attentat, elle envoya aussitôt plusieurs télégrammes inquiets au quartier général de son Loup et tenta désespérément d'établir une liaison téléphonique. Elle parvint effectivement, au bout de quelques heures, à parler à Hitler. Mais à sa grande surprise, il ne prononça pratiquement pas un mot sur l'attentat : il l'interrogea, comme d'habitude, sur les représentations à venir et sur la providence. Après la guerre, Winifred rapporta qu'il avait dit, entre autres, « entendre bruire les ailes de la déesse de la victoire ».

Même au cours des derniers mois de la guerre, les habitants de Wahnfried ne ressentirent pratiquement rien de la profonde détresse où le conflit avait plongé la population. « Nous nous portions comme des charmes », devait se rappeler l'épouse de Wieland, Gertrud – non sans mauvaise conscience. Winifred déploya tout son talent d'organisatrice. Elle chargea le personnel de collecter des vivres dans les villages voisins : elle pouvait se fier à la grande estime que la population de Franconie continuait à lui porter. Sa cave était pleine de viande fumée, de saindoux et de sucre. On y trouvait même du café en grains – une marchandise littéralement exotique en cette dernière année de guerre. C'était un cadeau d'anniversaire d'Hitler. Le gendre de Winifred, Bodo Lafferentz, et Wieland Wagner évoquèrent en octobre 1944 une mission spéciale qu'on leur avait confiée : ils devaient, avec des détenus du camp de concentration de Flossenbürg, travailler à des projets techniques secrets, entre autres le prototype d'une « bombe dotée de vision ». Ce furent les premiers contacts directs du clan Wagner avec l'univers terrifiant des camps. Ce que décrivirent Wieland et Bodo déclencha tout de même, selon Gertrud, quelques réflexions et quelques doutes à Wahnfried. Mais cela ne suffit pas à les faire changer d'avis.

Le 20 avril 1945, Winifred Wagner adressa ses vœux d'anniversaire à son ami caché sous la chancellerie du Reich à Berlin, dont les noires prémonitions devenaient maintenant réalité. Devant ses secrétaires, il exprima encore le souhait d'entendre à sa dernière heure *La Mort d'Ysolde*. Mais l'atmosphère de fin du monde qui régnait dans le bunker le fit renoncer à ce projet. Lorsque la radio du Reich annonça la mort d'Hitler, on donna pour la dernière fois la marche funèbre du *Crépuscule des dieux*. Winifred Wagner entendit la nouvelle dans la ville franconienne d'Oberwarmensteinach, où elle possédait une maison d'été. C'est là aussi qu'elle apprit, choquée, que des réfugiés avaient commis des actes de pillage à Bayreuth et se promenaient sans la moindre gêne vêtus des costumes de Wotan et Ysolde. Elle jugea au moins aussi blessant le fait que les vainqueurs américains aient confisqué le théâtre des festivals – en croyant qu'il s'agissait de la « propriété d'Hitler ». D'un point de vue strictement juridique, ils se trompaient. Mais au cours des douze années de la dictature nationale-socialiste le dévouement de Winifred Wagner avait certainement fait de la Colline verte la propriété intellectuelle du Führer. Il n'était cependant pas question pour elle de mener une réflexion sur ce point. Elle se contenta de protester, sur son ton habituel, contre l'« occupation » de ces lieux à Bayreuth : « Pendant quelques mois, la maison a servi de caserne à des Américains noirs, écrivit-elle en 1946 à propos du théâtre des festivals. Vous ne pouvez pas imaginer ce qui a été détruit à cette époque ! »

Devant la chambre de dénazification de Bayreuth, la « dame vénérée » d'Hitler fut mise en accusation en 1947 comme « participante active », mais on la jugea au bout du compte seulement « compromise ». Les juges lui reprochèrent surtout « d'avoir mis dans la balance, au profit d'Hitler », le poids de l'un des noms les plus célèbres de l'histoire culturelle. Sa fortune fut saisie, et elle fut condamnée à quatre cent cinquante jours de travaux d'intérêt public – par exemple le balayage du parvis de la gare de Bayreuth. Mais elle n'eut pas à les purger : un an plus tard, elle gagna son procès en appel. Après plusieurs dépositions de victimes du national-socialisme qui témoignèrent en sa faveur, elle fut classée dans la catégorie des « peu compromis ». Ensuite, elle démissionna de toutes ses fonctions et laissa la place à ses fils. Auparavant, elle avait œuvré à empêcher un retour de Friedelind, et *a fortiori* la nomination d'une direction étrangère à la famille.

Désormais, elle resta à l'arrière-plan, se contentant de rassembler de temps en temps autour d'elle, dans une petite pièce tranquille, anciens wagnériens et anciens nazis. En comité restreint, elle ne dissimulait pas ses opinions, qui n'avaient pratiquement pas changé. Elle signait ses lettres « 88 », le code néonazi pour *Heil Hitler*, et s'amusait du sigle « USA », qu'elle traduisait par *unser seliger Adolf*, « notre saint Adolf ». Elle se permettait sur les Juifs des plaisanteries à faire dresser les cheveux sur la tête, et rencontrait parfois de vieilles connaissances comme Lina, la veuve d'Heydrich. Mais elle fit tout de même à ses fils le plaisir de taire ses opinions en public – il est vrai qu'ils avaient ranimé le festival et remportaient de grands succès. Elle s'indigna sans doute du « crime contre le festival » que représentaient à ses yeux les mises en scène abstraites de Wieland, et tourna certains soirs le dos à la scène. Mais elle garda pour elle ses éloges à ce Loup qui avait joué un si grand rôle dans sa vie. Elle savait sans doute que dans un Bayreuth démocratique ses professions de foi en faveur du nazisme auraient pu gravement nuire à Wieland et Wolfgang, les anciens favoris d'Hitler.

Jusqu'en 1975, elle respecta le serment de silence qu'elle s'était imposé. Si elle l'avait respecté jusqu'au bout, on l'aurait peut-être, au bout du compte, jugée différemment. Car on ne peut prouver que Winifred Wagner ait eu une activité personnelle coupable sous le nazisme. C'était certes une adepte fanatique d'Hitler, pénétrée de l'idéologie dévastatrice du nazisme ; mais elle n'a pas commis de crime au sens pénal ou moral. Toutefois, en s'engageant aux côtés du dictateur, depuis la place extrêmement élevée qu'elle occupait, elle lui a permis de décupler ses effets dramatiques. Elle fut une suiviste au plus haut niveau, et son intervention en faveur de quelques personnes persécutées n'amoindrit qu'à peine cette constatation. Mais ce reproche vaut sans doute, à différents degrés, pour une grande partie de cette génération d'Allemands. De ce point de vue, Winifred Wagner n'est qu'un prototype, et ni sa position élevée ni sa proximité avec Hitler n'y changent quoi que ce soit.

C'est en 1975 qu'elle s'est distinguée par une intervention navrante. Convaincue par le réalisateur Hans Jürgen Syberberg et par son petit-fils Gottfried Wagner qu'elle pouvait désormais rompre le silence qu'elle s'était imposé jusque-là, elle s'est livrée à une profession de foi sans ambiguïté en faveur d'Hitler. Elle a expliqué qu'elle ne renierait jamais son « amitié » pour le Loup. Interrogée sur les crimes monstrueux du Führer, elle a déclaré : « Je les regrette très profondément. Mais pour moi, dans ma relation personnelle, cela ne fait aucune différence. Aujourd'hui comme hier, j'estime la fraction de lui que je connais, si je puis m'exprimer ainsi. Cet Hitler à rejeter absolument, il n'existe pas, parce que je ne le connais pas sous cet angle – je veux dire que tout, dans ma relation avec lui, repose sur l'élément personnel. »

C'était un modèle de refoulement qui produisit un effet dévastateur. La séparation irrationnelle entre l'homme privé et sympathique qu'était Hitler et le sombre criminel de guerre, la séparation intellectuelle entre Jekyll et Hyde, était l'illustration du « deuil impossible » de Winifred, selon les termes de Nike Wagner, sa petite-fille. Mais cela prouvait aussi qu'elle était incapable de comprendre ce qui s'était passé. Une lettre qu'elle a écrite au temps de sa comparution devant la chambre de dénazification témoigne de son désarroi intellectuel : « En tant qu'anciens idéalistes, nous sommes devant une énigme. Comment est-il possible que tous les bienfaits que nous avions cru pouvoir espérer pour notre peuple et notre patrie aient produit exactement le contraire ? Comment ont-ils pu faire naître des choses aussi effroyables, avec des conséquences aussi terrifiantes ? » Elle n'a jamais compris que c'est précisément cet « idéalisme » qui avait préparé le terrain au plus grand crime du XXe siècle. Elle manquait peut-être de force morale, elle manquait peut-être de compassion pour les victimes...

Winifred Wagner est décédée le 5 mars 1980.

Leni Riefenstahl

La cinéaste

Je n'ai jamais voulu dépendre de personne. Lorsque je voyais comment mon père traitait parfois ma mère – il pouvait trépigner comme un éléphant lorsqu'un bouton du col amidonné de sa chemise ne voulait pas s'ouvrir –, je me jurais que dans ma vie future je ne laisserais jamais personne décider à ma place. Je voulais me gouverner moi-même.

Quand l'harmonie règne, je suis heureuse.

J'ai toujours eu pour habitude de ne m'occuper que de ce qui m'intéressait.

Tout ce qui est médiocre m'est indifférent. Ce qui m'attire, c'est l'inhabituel.

Je ne voulais certainement pas me retrouver sous l'influence d'Hitler. J'ai seulement été étonnée de voir comment il parvenait à éliminer le chômage, comment il obtenait de telles réussites. Que des millions de personnes, des Juifs aient été tués, je ne pouvais pas le savoir.

L'art le plus pur – et la plupart des artistes se sont efforcés de l'atteindre – est dépourvu de responsabilité.

Hitler m'appréciait beaucoup. C'est la raison pour laquelle le parti me détestait. Car parfois Hitler me présentait à ses troupes comme un modèle auprès duquel elles pourraient prendre des leçons.

Je n'ai jamais été attirée par la politique ; quant à Hitler, j'ai travaillé exactement sept mois pour lui dans toute ma vie.

La réalité ne m'intéresse pas.

Leni Riefenstahl

C'était un être naturel, un être fabuleux et naturel. Et aussi une femme ravissante. À l'époque, c'était pour moi la plus belle femme que j'aie jamais rencontrée.

Hans Ertl, cameraman
auprès de Leni Riefenstahl

En tant qu'artiste je l'admire, c'est la photographe et la cinéaste la plus révolutionnaire de son temps. Même si ses sujets nazis étaient immondes.

Helmut Newton

Elle vivait en « épouse du Führer sans relations sexuelles », dans un espace sans droit et apolitique.

Rudolf Augstein, Der Spiegel, *10 août 1987*

Bien qu'elle ait beaucoup de points communs avec ce phénomène, Riefenstahl n'est pas une représentante typique de la négation et du refoulement allemands. Elle est plutôt une supernégatrice possédée par un délire de virilité, et dotée d'une faculté supérieure à la moyenne de ne pas se rappeler ce dont elle ne veut pas se souvenir.

Margarete Mitscherlich,
Über die Mühsal der Emanzipation, *1994*

C'était une grande femme mince, fine, très éloquente. Elle parlait beaucoup, elle avait beaucoup de tempérament et savait précisément ce qu'elle voulait.

Ilse Werner, chanteuse et comédienne

Elle joue le rôle de sa vie : Leni Riefenstahl interprète Leni Riefenstahl. Dans le faisceau des objectifs, on distingue à peine la vieille dame. Un cercle infranchissable de photographes et d'équipes de télévision s'est refermé autour du podium sur lequel elle a pris place, comme pour l'assiéger. Elle paraît petite et fragile – et incroyablement vieille. L'intérêt des médias lui fait plaisir, mais il ne peut pas la surprendre : Leni Riefenstahl a toujours été au centre.

« Je sais bien pourquoi vous êtes tous venus. Vous voulez savoir à quoi elle ressemble, la Riefenstahl. Est-ce qu'elle vit encore ? Ou bien est-ce une momie ? » demande-t-elle à la place de son public.

Elle met les rieurs de son côté : elle a raison. Elle est venue à la foire de Francfort, en octobre 2000, pour présenter un recueil de photos sur sa vie. Mais la presse, elle, est venue voir « la Riefenstahl », l'une des dernières survivantes du premier cercle du pouvoir sous le Troisième Reich.

Lorsque naquirent les parents des journalistes présents, Leni Riefenstahl était déjà au zénith de sa carrière, et elle avait vécu les moments essentiels de son existence. À la deuxième et plus encore à la troisième génération, ceux qui l'interrogent cherchent désormais à reconnaître l'être humain derrière son masque. Avec moins de passion, peut-être, que ne le firent leurs parents – mais en près de six

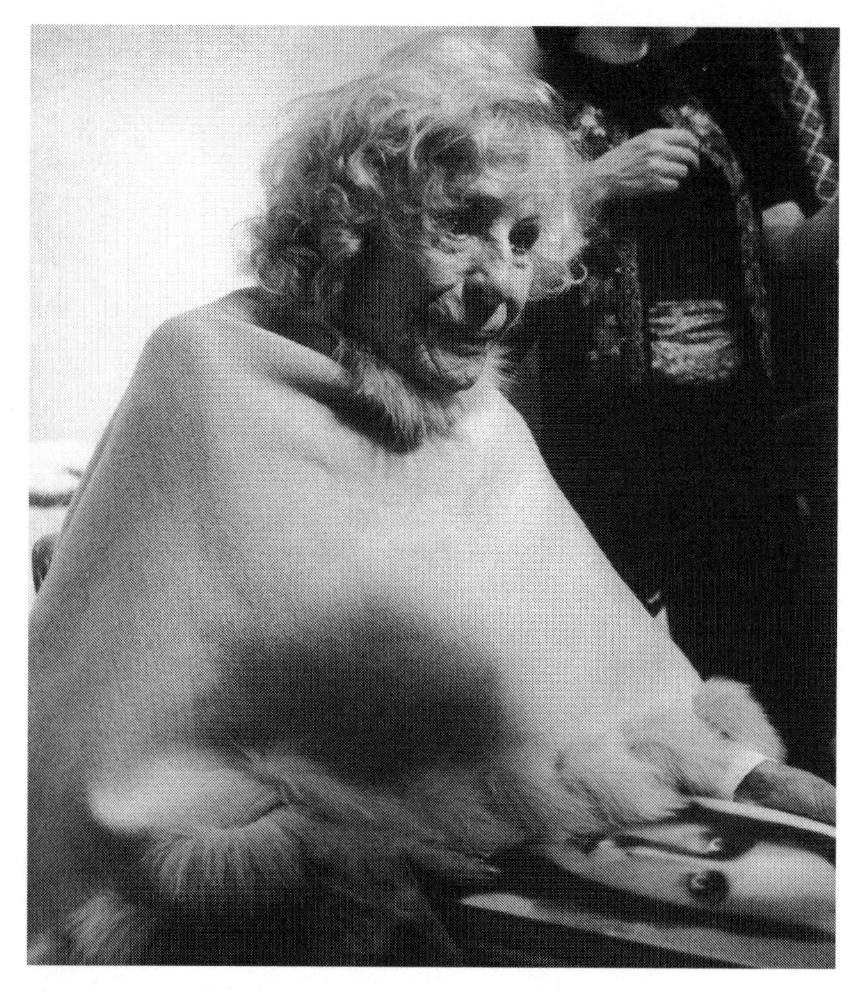

Leni Riefenstahl à la foire du Livre de Francfort en 2000.

C'est de l'histoire, tout simplement, de l'histoire pure.

Leni Riefenstahl à propos de ses films

Je suis profondément impressionnée par sa vitalité et par sa grâce.

Angelika Taschen, éditrice

Unique femme ayant un rôle officiel dans le fonctionnement du congrès du parti, elle s'opposait souvent à l'organisation du parti qui, au début, fut à deux doigts de déclencher une révolte contre elle. On tissait des intrigues, on rapportait des calomnies à Hess pour la faire tomber.

Albert Speer, Mémoires, *1969*

L'Allemande la plus contestée depuis 1945.

Alice Schwarzer, Emma, *janvier 1999*

décennies, le sens des questions n'a pas beaucoup changé. Pas plus que les réponses :

« Vous voyez, j'ai quatre-vingt-dix-huit ans, mais de toute ma vie je n'ai travaillé que sept mois pour Hitler », affirme Leni Riefenstahl.

Et son regard, impérieux, exige de l'auditoire qu'il croie ce qu'elle raconte.

« La moitié seulement de ce que l'on écrit sur moi est vrai », grommelle-t-elle.

Un peu plus tard, elle assure même que la proportion d'inexactitudes est de quatre-vingt-dix pour cent. Et son verdict final est encore plus clair :

« Tout ce qu'on lit sur moi dans le journal est mensonger. » Elle tuerait volontiers, dit-elle, tous les journalistes. Elle est l'éternelle proscrite, l'éternelle incomprise : telle est la légende de la Riefenstahl, qu'elle a tissée autour d'elle comme une carapace.

Elle fut danseuse à l'époque où l'Allemagne avait encore un empereur. Elle fut comédienne à l'heure où la République de Weimar faisait naufrage. Lorsque les soixante-huitards montaient sur les barricades, elle était photographe en Afrique. Elle fit de la plongée jusqu'à la fin ou presque – elle fut certainement la plongeuse la plus âgée au monde – et travailla à un film sous-marin. Mais ce sont les années 1933 à 1945 qui ont déterminé sa vie. Elle a été la réalisatrice vedette du Troisième Reich. *Le Triomphe de la volonté*, son film sur le congrès du parti nazi à Nuremberg en 1934, présentait une image séduisante de ce régime criminel. Elle a donné au dictateur son public et au public le Führer qu'il attendait. D'un crieur de foire, ses films ont fait un dieu tout-puissant et un sauveur. Dans l'objectif de ses caméras, les défilés des nazis se transformaient en promesse d'ordre et de force. Le pouvoir de ses images a contribué à séduire toute une génération.

Est-ce cela qu'on lui reproche encore aujourd'hui ? Sans doute moins. Très rares sont ceux qui connaissent les films que Leni Riefenstahl tourna à cette époque. Une partie d'entre eux est interdite de projection publique ; et d'autres ont pris un coup de vieux. C'est sur sa personne que se concentrent toujours l'intérêt et la polémique. Elle n'a jamais dit « Je suis désolée », elle a constamment refusé de reconnaître les faits. Ce qu'elle a tourné, ce sont des documentaires. De la propagande ? Non, jamais, disait-elle : elle s'était contentée de restituer la réalité. C'est avec ce raisonnement qu'elle a pu faire l'économie de toute réflexion sur le passé. La qualifier de « passéiste » tient de la simplification. Du point de vue artistique, quelques-uns de ses films sont des chefs-d'œuvre. On les utilise comme documents pédagogiques dans de nombreuses écoles de cinéma. Les questions portant sur la responsabilité de l'art et sur celle de l'artiste au travail lui ont été posées à d'innombrables reprises. Leni Riefenstahl n'y a jamais répondu.

Lorsqu'elle naquit, le XXe siècle venait tout juste de débuter. Son père, Alfred Riefenstahl, déclara le 22 août 1902 à Berlin la naissance d'Helene Bertha Amalie. Sa mère, Bertha, était déçue. Leni raconta plus tard dans ses *Mémoires* qu'elle avait prié, pendant sa grossesse, pour que Dieu lui envoie une fille magnifique qui deviendrait comédienne. « Mais l'enfant paraissait être un monstre de laideur, ratatinée, avec des cheveux fins et hirsutes, et des yeux qui louchaient. »

La famille Riefenstahl était rigoriste. Le père, propriétaire d'une entreprise prospère d'installations de chauffage et de sanitaires, ne tolérait aucune contradiction – surtout de la part de son épouse et de sa fille. Mais la petite Leni était une enfant sauvage. Impétueuse et sportive, elle grimpait aux arbres avec les garçons du voisinage et aimait nager, ramer, faire de la voile. Elle récoltait d'innombrables cicatrices et fractures, mais rien ne semblait pouvoir freiner ses élans. « Dommage que tu n'aies pas été un garçon, et ton frère une fille », lui disait son père. Elle avait de très bons résultats au lycée et n'avait de problèmes qu'avec la discipline. Une fois, Leni se fit prendre sur le toit de l'école alors qu'elle hissait le drapeau national, que l'on ne déployait d'ordinaire que pour l'anniversaire de l'empereur. Elle espérait obtenir ainsi un jour férié supplémentaire. Lorsqu'elle eut seize ans, son père conçut pour elle des projets définitifs. Elle devrait d'abord fréquenter l'école ménagère, puis un pensionnat. Mais elle avait de tout autres rêves.

Elle avait lu une petite annonce dans la *Berliner Zeitung ;* on cherchait des jeunes filles pour jouer dans un film, *Opium.* Tandis qu'elle attendait qu'on lui donne la date de son audition, qui devait avoir lieu à l'école de danse Grimm-Reiter, elle regardait répéter les danseuses de la célèbre école. « Je fus prise d'un irrépressible besoin de les imiter », raconta-t-elle plus tard. Elle suivit donc des cours de danse à l'insu de son père. Mais lorsque celui-ci découvrit la vérité, il se mit en colère et, à titre de punition, envoya Leni dans un pensionnat de jeunes filles du Harz. Pourtant, après avoir tenté de la dissuader de danser pendant un an, Alfred Riefenstahl finit par céder : Leni pourrait prendre ses cours de danse.

Âgée alors de dix-neuf ans, elle tenta de rattraper ce que les autres élèves avaient assimilé depuis leur enfance. La danseuse étoile russe Eugenia Edouardova la prit sous son aile. À cette époque, Leni Riefenstahl fit particulièrement preuve d'une qualité qu'elle conserverait toute sa vie : une volonté de fer qui la conduirait finalement au triomphe.

Le hasard lui permit de trouver un mécène : le producteur Harry Sokal, lequel – au moins dans le souvenir de Leni – tomba aussitôt fou amoureux d'elle, et sut apprécier son talent à sa juste valeur. Le 23 octobre 1923, il loua la Tonhalle, un music-hall de Munich, pour la première grande prestation de Leni en public. « Je n'avais pas le trac, se souviendra-t-elle, au contraire, je brûlais d'impatience à l'idée de me retrouver sur la scène. Ma première danse, *Étude d'après une gavotte,* me valut des applaudissements considérables ; il me fallut bisser la troisième chorégraphie ; ensuite, les applaudissements devinrent de plus en plus forts ; pour les dernières danses, mes spectateurs se levèrent et exigèrent des *bis.* Je dansai jusqu'à tomber d'épuisement. »

Cette soirée à Munich inaugura une carrière brève mais fulgurante. Max Reinhardt lui organisa une soirée au Deutsches Theater – une consécration pour cette danseuse presque inconnue à l'époque. Elle fut ensuite engagée pour une tournée dans toute l'Allemagne puis se produisit à Innsbruck, Zurich, Vienne et Prague. Pieds nus, en robe étroite lamée d'argent, ou enveloppée de voiles translucides, elle interprétait dans le style des années 1920 des danses exaltées. Elle fit publier une brochure publicitaire reprenant les critiques dithyrambiques que lui avaient values ses spectacles – Leni Riefenstahl était une spécialiste douée et précoce des relations publiques. On y trouvait par exemple un article de la *Berliner Zeitung* du 21 décembre 1923 : « Cette très belle fille aspire ardemment à s'élever au niveau des trois danseuses que l'on prend au sérieux aujourd'hui : Impekoven, Wigmann et Gert. Et lorsqu'on voit cette créature, avec sa haute stature et ses formes parfaites, danser au gré de la musique, on devine qu'il pourrait bien y avoir dans la danse des splendeurs qu'aucune de ces trois femmes n'a encore exprimées... » La citation ne s'arrêtait pas là, or le dépliant s'abstenait de reprendre la suite : « Mais alors, cette jeune fille commence à déployer son corps, ce que l'on devinait se dissipe, le brio grisaille, le son se rouille, c'est un admirable leurre qui se meut, certes empli de joie de l'espace, de soif de rythme, de nostalgie de la musique, et pourtant ce goût de l'espace ne l'anime pas... Ce plaisir, cette soif et cette nostalgie sont ceux d'une vierge stupide et gâtée. »

Les premiers succès de Leni Riefenstahl furent pourtant considérables. Mais lors d'un spectacle à Prague, à vingt et un ans, elle se fit une blessure sérieuse au genou, et les médecins ne lui donnèrent pas beaucoup d'espoir de guérison. Après un départ fulgurant, sa carrière était brisée.

Les tournants décisifs dans la vie de Leni Riefenstahl ont toujours été des instants, et jamais des évolutions. Elle a vécu un moment de ce type en 1923, alors qu'elle attendait son train à la station de métro berlinoise de la place Nollendorf. Elle se rendait chez un médecin dont on lui avait dit qu'il serait peut-être capable de soigner son genou. Lorsque le métro entra dans la station, son regard tomba sur une affiche du film *La Montagne du destin*, d'Arnold Fanck. « Encore accablée par les sombres pensées que m'inspirait mon avenir, je restai comme hypnotisée devant cette image, ces parois abruptes, cet homme qui se balançait », se rappellera Leni Riefenstahl. Captivée par ce spectacle, elle oublia son rendez-vous chez le médecin et entra en boitillant dans le cinéma voisin pour aller voir *La Montagne du destin*.

Les prises de vues en extérieur la captivèrent. « Plus le film avançait, plus j'étais fascinée. Il m'excita à un point tel qu'avant même la dernière image j'avais décidé de découvrir ces montagnes », racontera-t-elle. Et elle voulut devenir actrice pour jouer dans des films tels que celui-ci.

Elle semble ne jamais s'être demandé si elle en serait capable. Devenir comédienne dans des films de montagne : le projet était audacieux, car son genou blessé l'en empêcherait aussi sûrement qu'il lui interdisait de danser. Elle partit pourtant aussitôt avec Heinz, son frère cadet, dans les Dolomites, pour visiter les lieux où avait été tournée *La Montagne du destin*. Mais, plus important encore, elle voulut rencontrer l'équipe de tournage d'Arnold Fanck. Elle parvint effectivement à aborder le comédien principal du film lors d'une projection à Karersee.

« Vous êtes M. Trenker ? lui demanda-t-elle sans détour.

– C'est moi, répondit l'acteur, lapidaire.

– Je joue avec vous dans le prochain film », annonça insolemment Leni.

Luis Trenker éclata de rire. C'est pourtant exactement ce qui se passa.

De retour à Berlin, Leni Riefenstahl parvint à établir un contact avec Arnold Fanck. Celui-ci, géologue de formation, était devenu, en autodidacte, un pionnier du film de montagne. Il s'était spécialisé dans des drames au scénario ténu, mais débordant d'action, qui se déroulaient dans la glace et la neige. Les véritables premiers rôles de ses films étaient les montagnes, qu'il mettait en scène avec une précision et un sens dramatique inouïs. Autour de lui s'était rassemblé un groupe de jeunes cameramans enthousiastes ; cette « école de Fribourg » expérimentait de nouvelles techniques de prise de vues et ses membres étaient aussi des comédiens et des figurants. Beaucoup d'entre eux, par exemple Sepp Allgeier, Hans Schneeberger ou Guzzi Lantschner, formeraient un peu plus tard l'équipe Riefenstahl.

Arnold Fanck fut tellement séduit par la jeune danseuse qu'il l'engagea immédiatement pour le premier rôle féminin de son film suivant, *La Montagne sacrée*. L'enthousiasme de Fanck ne se limitait manifestement pas à son art chorégraphique. Si l'on en croit les souvenirs de Leni, le cinéaste des montagnes était tombé fou amoureux d'elle. Il en fut de même de Luis Trenker, et ce dès le début du tournage. Une femme entre deux hommes : c'était aussi la trame du scénario de *La Montagne sacrée.* Leni Riefenstahl interprétait la belle danseuse Diotima. Ses mouvements rêveurs enflammaient le cœur des deux hommes, qui devaient mourir lors d'une sortie en montagne.

En raison des rapports personnels délicats entre les protagonistes, le tournage fut parfois plus dramatique que l'action du film proprement dit. Trenker et Fanck se disputaient constamment, et pour le moindre prétexte – c'est du moins ce que raconta « Diotima ». Elle dit même se rappeler une tentative de suicide théâtrale d'Arnold Fanck. Elle-même se querellait souvent avec Trenker, et au cours d'une conférence de presse il la traita publiquement de « chèvre ». La relation entre Riefenstahl et le comédien prend une tonalité différente selon qu'on lit les souvenirs de l'un ou de l'autre. Comme souvent en pareil cas, la vérité se situe sans doute entre les deux points de vue. Toujours est-il que Luis Trenker, qui ne fut jamais vraiment convaincant dans les rôles d'amant au cinéma, joua dans *La Montagne sacrée* sa scène de baiser la plus crédible. Et c'était avec Riefenstahl.

Il ne fut pas le seul à succomber aux charmes de Leni. Rigoureusement surveillée par son père jusqu'à sa vingt et unième année, elle décida en effet, après avoir quitté le domicile familial, de prendre aussi en main sa vie amoureuse. Le premier élu fut Otto Froitzheim, un ancien champion de tennis beaucoup plus âgé qu'elle ; elle chargea une amie de lui faire part, sans le moindre voile, de ses intentions. Il ne se fit pas prier et se présenta au rendez-vous convenu. Tout se passa comme prévu – mais sans une once de romantisme. Lorsque la chose fut accomplie et que Leni Riefenstahl sortit de la salle de bains, Froitzheim était déjà totalement rhabillé. Il expliqua en deux mots qu'il avait à faire. Pour couronner le tout, il laissa un peu d'argent sur la table de chevet, « en cas d'avortement ». Leni s'en souviendra encore avec un frisson d'horreur des décennies plus tard dans ses *Mémoires*.

Malgré ces débuts assez peu réjouissants, elle ne se laissa

pas décourager et s'en tint à un principe peu courant à son époque : elle choisirait ses hommes elle-même. C'étaient en général des individus sûrs d'eux, qui avaient réussi, vers lesquels elle se dirigeait en toute connaissance de cause et auxquels elle ne cachait pas ses intentions. Son futur cameraman Hans Ertl se rappelle dans une interview, les yeux brillants, un événement qui remonte à près de soixante-dix ans. Au cours du tournage de *SOS Iceberg* au Groenland, Leni l'avait vu contourner les blocs de glace à bord d'un kayak esquimau.

« Tu m'apprendrais ? demanda-t-elle au jeune homme de vingt ans.

– Pourquoi pas ? répondit Ertl. Quand tu voudras.

– Quand tu voudras », aurait répété Leni Riefenstahl en détachant chacun de ses mots.

Vêtue d'un petit corsage sans manches et d'un short court kaki, elle le reçut un peu plus tard avant une promenade sur l'eau. Dans le bateau, Ertl ne tarda pas à comprendre le véritable but de cette excursion. « Leni glissa dans le canoë et s'assit tout près, devant moi, entre mes jambes, avec lesquelles j'actionnais le gouvernail à pied. En cette nuit enchanteresse où le soleil estival brillait sur l'Arctique, la leçon de kayak fut reportée *sine die*, et je n'en fus pas le seul responsable. »

Quelques-uns des collègues cameramans et comédiens d'Hans Ertl connurent la même aventure que lui. « Pour Leni, nous autres jeunes sportifs étions comme des friandises que l'on grignote », se rappelle-t-il. Les liaisons étaient le plus souvent éphémères et prenaient fin discrètement. Le seul amour durable de Leni fut Hans Schneeberger. Lorsque celui-ci la quitta pour une autre femme, elle fut anéantie. « La douleur s'insinua dans toutes les cellules de mon corps, elle me paralysa jusqu'à ce que je tente de me libérer par un cri effroyable. Je pleurais, je criais, je me mordais les mains, je titubais d'une pièce à l'autre. Je pris un coupe-papier et m'entaillai les bras, les jambes et les hanches. Je ne sentais pas ces douleurs physiques, mais les douleurs spirituelles me brûlaient comme le feu de l'enfer », racontera Leni en se rappelant les heures dramatiques qui suivirent l'instant où elle lut la lettre d'adieux lapidaire de

Schneeberger. « Jamais plus, je m'en fis le serment, jamais plus je n'aimerais un homme de cette manière. »

Les liaisons qui suivirent ne furent plus que des aventures, et aucune ne dura. Anderl Heckmair, qui fut plus tard le premier à escalader la paroi nord de l'Eiger, eut les faveurs de Leni pendant une brève période, tout comme le champion olympique de décathlon en 1936, Glenn Morris. « Je décidai, le cœur lourd, de me séparer de lui », écrit-elle, laconique, pour commenter leur rupture. L'homme ainsi repoussé joua par la suite le rôle de Tarzan au cinéma.

Leni Riefenstahl attendra 1944 pour se marier. C'est sur le tournage de son film *Tiefland (La Plaine)* qu'elle fera la connaissance de son futur époux, Peter Jacob. Dès leur première rencontre, Leni sera fascinée par l'élégant chasseur alpin, mais elle aura peur de nouer avec lui une liaison plus étroite. Après de vives scènes de jalousie, des disputes, des réconciliations et des lettres enflammées envoyées depuis le front, elle finira par dire oui. Il se marieront à Kitzbühel – cérémonie de guerre typique, célébrée en petit comité. Mais la vie commune de Leni Riefenstahl et de son époux sera éphémère : leur mariage ne survivra pas à la fin du conflit. En 1947 sera prononcé le divorce, dont elle parle sans amertume dans ses *Mémoires*.

La Montagne sacrée, sortie en 1926, fut un immense succès commercial pour l'équipe Fanck-Riefenstahl. Du jour au lendemain, Leni devint une star. Elle tourna ensuite, à brefs intervalles, *Le Grand Saut, L'Enfer blanc du Piz Palü, Tempêtes sur le mont Blanc* et *L'Ivresse blanche* – réalisation : Arnold Fanck, premier rôle féminin : Leni Riefenstahl. Le plus souvent, il s'agissait de drames alpins dans lesquels l'héroïsme du premier rôle masculin n'avait d'égale que la beauté de sa partenaire.

Le souci de réalisme du cinéaste n'autorisait ni les doublures ni les prises de vues en studio. Fanck exigeait de toutes les personnes concernées qu'elles aillent au bout de leurs capacités. Le cameraman et comédien Guzzi Lantschner se rappelle encore aujourd'hui ses périlleux sauts à skis au-dessus des crevasses et des chalets. « Moi, je m'en sortais le plus souvent très bien parce que j'étais petit et agile. Mais pour les autres, les accidents étaient monnaie courante. » Leni, elle aussi, eut à subir le perfectionnisme impitoyable de son réalisateur. Elle dut se faire ensevelir vivante par une avalanche, et se balancer sur une échelle au-dessus d'un gouffre sans fond. Lorsque le scénario du film exigeait qu'elle effectue pieds nus une scène d'escalade, les pierres des Dolomites lui laissaient des plaies pour plusieurs semaines. Dans *SOS Iceberg*, enfin, le dernier film que Leni tourna avec Arnold Fanck, les acteurs plongeaient en même temps que des ours polaires dans l'eau glacée du Groenland.

Ses années de travail avec Fanck ont marqué Leni Riefenstahl aussi bien sous l'angle cinématographique que d'un point de vue personnel. Il lui expliqua les rudiments du métier. Il la laissait toujours mettre en scène elle-même de petites séquences, lui apprenait à trouver les bonnes perspectives. Elle découvrit à l'époque comment elle pouvait se faire sa place et s'imposer dans un univers presque exclusivement masculin. Mais surtout elle apprit à atteindre ses limites, puis à les dépasser.

Pour *Tempête sur le mont Blanc*, elle dut s'initier au film sonore. Le résultat était plutôt amusant. Devant un décor dramatique, on entendait pépier une petite voix au fort accent berlinois. Dès son retour dans la capitale, elle prit des cours de diction ; pour s'entraîner, elle allait jusqu'à réciter les annonces automatiques de la Société téléphonique berlinoise. Sa voix s'améliora, mais le spectateur devina encore longtemps, dans sa gestuelle exagérée, l'ancienne star du cinéma muet. À cela s'ajoutait le fait qu'Arnold Fanck n'était pas toujours doué pour la direction d'acteurs. Dans les scènes où il se fit aider par G.W. Pabst, Leni accomplit une meilleure performance.

Pour sa part, comme c'est si souvent le cas, elle avait beaucoup plus d'estime que bien des observateurs pour ses propres talents de comédienne. Dans ses *Mémoires*, elle fait dire à Joseph von Sternberg, qui découvrit Marlene Dietrich et l'aida à s'imposer, qu'il s'est longtemps demandé laquelle des deux femmes il devait emmener avec lui à Hollywood. Profondément amoureux de l'actrice « montagnarde », il lui aurait demandé d'innombrables conseils pour diriger Marlene dans *L'Ange bleu*. Lorsqu'on lui demanda ce qu'elle pensait de cette version, Marlene Dietrich déclara que les propos de Leni auraient fait mourir Sternberg de rire s'il n'était pas déjà décédé.

Si convaincue qu'elle ait pu être de son talent de comédienne, Leni comprenait bien que sa collaboration avec Fanck ne lui offrait que peu de perspectives d'évolution. Plus tard elle se rappela par exemple avec effroi qu'il lui demandait constamment de s'exclamer : « Oh, splendide ! » Dans *SOS Iceberg*, le drame groenlandais tourné en 1933, son rôle se réduisait à celui d'un accessoire décoratif. Elle était l'unique femme prévue par un scénario squelettique ; dans la scène finale, un plan pittoresque, elle était convoyée par quatre kayaks esquimaux. Pour couronner le tout, le réalisateur avait choisi pour cette scène un morceau de musique intitulé *Vers la montagne dans la rosée du matin*. Si elle avait accepté de tourner ce film, c'était uniquement pour rétablir ses finances mal en point et se faire connaître à l'étranger – on tournait aussi une version anglaise de *SOS Iceberg*. Mais intérieurement et professionnellement, elle s'était depuis longtemps émancipée de l'homme qui l'avait découverte.

Deux ans plus tôt, déjà, Leni Riefenstahl avait conçu un projet qui lui tenait beaucoup à cœur : elle voulait réaliser son propre film et y tenir le premier rôle. Avec la résolution bravache de la débutante, elle proposa son sujet à quelques producteurs renommés ; mais les réponses que reçut la jeune femme furent sans équivoque : « Ennuyeux, refusé. » Ce film était une fable : qui s'intéresserait à une chose pareille ? Malgré tous ses efforts, elle ne put rassembler les fonds nécessaires. Elle se résolut à réaliser son rêve par ses propres moyens. *La Lumière bleue* – c'était le titre du film qu'elle voulait tourner – serait son premier grand travail de cinéaste. La plupart de ses anciens amis de l'école de Fribourg se déclarèrent prêts à travailler avec elle sans demander de cachets importants. Pour le scénario, elle put s'attacher les services de Bela Balacz, un célèbre auteur hongrois travaillant pour le cinéma. En guise de figurants, elle engagea des paysans du Sarntal, une région perdue du Tyrol du Sud ; leurs visages très typés allaient donner son ambiance au film.

L'époque où elle tourna *La Lumière bleue* semble avoir été l'une des périodes les plus heureuses de la vie de Leni Riefenstahl. Avec des moyens extrêmement rudimentaires, elle réalisa dans les Dolomites, avec son équipe, un film qui n'a rien perdu de son charme intemporel : le peintre Vigo, interprété par Matthias Wiemann, arrive dans un village de montagne reculé qui abrite un secret. Au-dessus du village se trouve, cachée, une grotte contenant de précieux cristaux bleus. Seule Junta, la jeune fille farouche qui vit seule et retirée dans les montagnes, connaît le chemin de la grotte. Les jeunes gens des environs tentent les uns après les autres de suivre Junta, et sont précipités dans la mort. L'étranger tombe amoureux de cette beauté sauvage et s'installe dans sa cabane. Ingénu, il finit par révéler aux villageois le chemin de la grotte, qui est aussitôt pillée. Dans un finale dramatique, Junta tombe et se tue en redescendant de la grotte.

Leni Riefenstahl s'était attribué le rôle de Junta, la sorcière de la montagne, et s'était mise en scène dans une séduisante robe effrangée. Bien des décennies plus tard, elle considérait ce film comme une vision prémonitoire de son propre destin. Junta et Leni : toutes deux avaient été aimées et haïes. Presque centenaire, elle se jugeait comme une marginale qui n'avait voulu qu'œuvrer pour le beau, et qui s'était attiré ainsi le mépris du monde. Et elle n'avait toujours pas compris que contrairement à Junta, le personnage de son film, elle n'avait pas été une créature manipulée. Elle avait été l'actrice de sa propre existence, avec ses faces d'ombre et de lumière.

Sa première œuvre comme réalisatrice fut un grand succès. La revue *Filmkurier*, élogieuse, affirma que le public était « ravi », et ajouta : « Leni Riefenstahl a atteint tout ce qu'elle s'efforçait d'atteindre : une poésie cinématographique unique en son genre. » Et de fait, avec ce premier essai, elle avait réussi un chef-d'œuvre, un film d'une homogénéité et d'une harmonie convaincantes. Les spectateurs étrangers prirent aussi plaisir à découvrir ce scénario fabuleux. Le film fut projeté pendant quatorze mois à Londres, seize à Paris, et la biennale de Venise lui rendit hommage en 1932 en lui décernant sa médaille d'or. « La

Leni Riefenstahl dans La Lumière bleue.

J'ai fait mon travail aussi bien que je le pouvais.

Leni Riefenstahl

C'était une très bonne comédienne – une remarquable comédienne. Elle était elle-même. Elle était si simple, c'est ce qu'il y avait de formidable avec elle. Elle ne jouait pas la comédie comme les comédiens normaux, qui apprennent leur rôle.

Hans Ertl, cameraman
auprès de Leni Riefenstahl

plus belle chose que j'aie jamais vue au cinéma » : tel fut le jugement de l'homme pour le compte duquel elle travaillerait désormais...

Leni Riefenstahl n'a jamais caché l'enthousiasme que lui inspira – au moins au début – Adolf Hitler. Elle a présenté leur première rencontre, à l'occasion d'un discours du Führer au Palais des Sports de Berlin, comme un véritable éveil : « Il me sembla que la surface de la terre se déployait devant moi – comme un hémisphère qui se scinde tout d'un coup en son milieu, expulsant un monstrueux jet d'eau, si puissant qu'il touche le ciel et asperge la terre. J'étais comme paralysée. Je ne comprenais pas grand-chose à son discours, mais il me fascinait. Un feu roulant s'abattait sur les spectateurs, et je sentis qu'ils s'étaient laissé prendre par cet homme. »

Elle était encore totalement sous le coup de ce discours lorsqu'elle rédigea, le 18 mai 1932, une lettre exaltée qu'elle envoya au siège du mouvement nazi à Munich : « Cher Monsieur Hitler, j'ai récemment assisté, pour la première fois de ma vie, à une réunion politique. Je dois avouer que vous m'avez impressionnée, tout comme m'a impressionnée l'enthousiasme de votre assistance. Mon vœu serait de faire personnellement votre connaissance. » Ce courrier de « fan » avant l'heure ne resta pas sans suite. Peu avant qu'elle ne s'embarque pour le Groenland afin d'y tourner *SOS Iceberg*, le téléphone sonna chez Leni Riefenstahl.

« Brückner à l'appareil, aide de camp du Führer, fit son interlocuteur d'une voix tranchante. Le Führer a lu votre lettre et m'a chargé de vous demander s'il vous était possible de venir passer la journée, demain, à Wilhelmshaven. »

La chose, naturellement, était possible. Leni câbla à ses compagnons de voyage qu'elle rejoindrait l'équipe du film à Hambourg, qu'ils ne devaient pas se faire de souci : elle arriverait à temps. « Je me suis demandé si c'était le hasard ou le destin », écrivit-elle plus tard. Ce n'était ni l'un ni l'autre. Leni Riefenstahl avait souhaité entrer en contact avec Hitler, et elle avait obtenu ce qu'elle voulait.

Il la reçut sur une plage de la mer du Nord, et ils décidèrent d'aller faire une promenade – tels sont en tout cas les souvenirs de la cinéaste.

« Une fois que nous serons au pouvoir, il faudra que vous réalisiez mes films », lui aurait dit Hitler.

Et la jeune femme à laquelle il rendait ainsi hommage refusa « impulsivement » :

« Je ne pourrai pas ! Ne vous méprenez pas sur ma visite, je vous prie, je ne m'intéresse absolument pas à la politique. Je ne pourrai jamais non plus devenir membre de votre parti. »

Pour ne laisser aucun doute sur son esprit de résistance, elle aurait précisé peu après :

« Vous avez des préjugés raciaux. Si j'étais née indienne ou juive, vous ne me parleriez même pas. Comment pourrais-je travailler pour quelqu'un qui fait de telles différences entre les gens ? »

Hitler, personnage pourtant déjà fort redouté, ne réagit pas brutalement. Non, bien au contraire. Il aurait dit :

« J'aimerais que mon entourage me réponde exactement avec la même franchise que vous. »

Rien ne permet de vérifier la véracité de ce récit, mais il caractérise l'idée que Leni Riefenstahl se faisait d'Hitler. Elle a toujours tenté de séparer l'image de l'homme privé, qu'elle présentait comme un cavalier gentil et charmant, de celle du criminel du siècle. Rien, affirmait-elle, ne pouvait laisser penser qu'il s'agissait d'un loup déguisé en mouton. Elle a conservé jusqu'à sa mort l'image de l'« Hitler privé » qu'elle s'était faite à l'époque. Il était « schizophrène », elle le reconnaissait. Mais le tableau qu'elle brossait du Führer demeurait tout à fait humain.

Le jour de Noël 1935, si l'on en croit ses *Mémoires*, elle aurait de nouveau rencontré Hitler. Elle lui aurait demandé, inquiète, où il avait passé la soirée de la veille. Et le Führer aurait répondu, l'âme « lourde » : « Je suis parti avec mon chauffeur, en voiture, sans objectif ; nous avons roulé sur les routes de campagne et à travers les villages jusqu'à ce que je sois fatigué... Je fais cela chaque année le soir de Noël. Je n'ai pas de famille, et je suis seul. » D'autres révélations suivront, tel le récit de cette promenade au bord de la mer du Nord. Hitler s'était tu soudain. « Après une assez longue pause, il s'immobilisa, passa lentement ses bras autour de moi et m'attira vers lui. Lorsqu'il remarqua combien j'étais distante, il me lâcha immédiatement. Il se détourna un peu de moi ; je le vis alors lever les mains et il dit, sur un ton invocatoire : “Je ne puis aimer une femme avant d’avoir parachevé mon œuvre.” »

Adolf Hitler amoureux transi ? Leni Riefenstahl en était certaine. « En choisissant de devenir homme politique, j’ai renoncé à toute vie privée », lui aurait-il dit. L’auditrice sensible qu’était Leni lui demanda si cela lui était difficile. « Très difficile, notamment lorsque je rencontre de belles femmes ; j’aime les avoir autour de moi. Mais je ne suis pas homme à prendre plaisir aux aventures éphémères. Lorsque je m’enflamme, mes sentiments sont profonds et passionnés – comment pourrais-je les concilier avec mes devoirs envers l’Allemagne ? Quelle déception devrais-je alors faire subir à une femme ! » Cette scène romantique flatta manifestement Riefenstahl : « Ce soir-là, j’ai senti qu’Hitler me désirait en tant que femme. »

Elle ne s’est jamais plus exprimée avec autant de détails sur ses propres sentiments à l’égard d’Hitler. Dans les caves des Archives fédérales, toutefois, on a conservé un télégramme romantique adressé à la chancellerie du Reich : « Un vœu que m’adresse mon Führer peut être exaucé. C’est la raison pour laquelle mon cœur m’a incitée à dire merci. Aujourd’hui, je tiens des deux bras des roses aussi rouges que les montagnes autour de moi... Je lève ainsi les yeux vers la roseraie, ses tours et ses murs lumineux, et je caresse de mes mains les fleurs rouges, et je sais seulement que je suis indiciblement heureuse. Leni Riefenstahl. »

La présumée signataire a toujours contesté l’authenticité de ce texte. Il est vrai que son style est étonnant. Mais il pourrait s’expliquer par le lieu d’où le télégramme fut envoyé, Pera di Vassa, dans les Dolomites : on y parlait, et l’on y parle encore, le ladin. Les bizarreries grammaticales pourraient donc être dues à des erreurs de traduction. Le télégramme a été envoyé un 24 août. Il arriva à Berlin le lendemain. À côté de la date du jour se trouvaient des numéros, 00.38, qui auraient pu signifier l’année 1938. Leni Riefenstahl a répondu à juste titre qu’au cours de cet été-là elle n’avait pas mis les pieds en Italie du Nord. Cette mention est en fait l’heure d’arrivée du télégramme, qui ne porte aucune indication de l’année. On peut cependant

Leni Riefenstahl et son « idole ».

Ce soir-là, j'ai senti qu'Hitler me désirait en tant que femme.

Leni Riefenstahl, Mémoires, *1987*

Je vois bien que cette femme était irrémédiablement amoureuse d'elle-même et poussait tout le monde, à commencer par sa mère, à la vénérer. Hitler, lui aussi, l'adulait, et c'était réciproque, bien entendu.

Margarete Mitscherlich, psychanalyste et écrivain

déduire celle-ci du type du papier, qui ne fut utilisé qu'à partir de 1939. Une semaine après le 24 août 1939, Leni, selon ses propres carnets, se trouvait dans la ville toute proche de Bolzano. Elle était venue se reposer avant de s'attaquer à un nouveau projet, le film *Penthésilée*. Le 21 juin 1939, on trouve dans le journal du ministre de la Propagande, Joseph Goebbels, la mention suivante: «Il [Hitler] veut financer lui-même le film de Leni Riefenstahl sur Penthésilée.» Les relations entre la réalisatrice et le Führer étaient donc extraordinairement cordiales à cette époque. Le 22 août 1939, Leni avait fêté ses trente-sept ans. Il est tout à fait plausible qu'à cette occasion elle ait reçu des fleurs d'Hitler et qu'elle ait exprimé sa joie en termes lyriques.

Adolf Hitler a sans aucun doute admiré Leni Riefenstahl – certainement comme artiste, peut-être aussi comme femme. Mais il n'y a jamais eu de relation plus qu'amicale entre le dictateur et sa réalisatrice. Des bruits couraient déjà à ce propos dans les années 1930. Lorsque Leni se rendit à New York en novembre 1938, la presse américaine l'accueillit en lui demandant si elle était la maîtresse d'Hitler. La bobine de pellicule où est enregistrée la réponse de la cinéaste a été retrouvée tout récemment. On la voit répondre vivement par la négative: «Non, non! Ce ne sont que des ragots de journalistes.» Et elle baisse les yeux avec un sourire plein de coquetterie.

Au cours des premières années de l'après-guerre, on a aussi débattu dans la presse, non sans quelque malice, pour savoir s'il avait pu exister une liaison entre la réalisatrice et le Führer. La base de ces spéculations était un prétendu journal d'Eva Braun qui parlait d'orgies sauvages sur l'Obersalzberg et décrivait Leni dansant nue pour Hitler. Il apparut plus tard que ce journal était un faux de la première à la dernière page – et que Luis Trenker en était l'auteur.

Il y avait pourtant beaucoup de points communs entre Leni Riefenstahl et Adolf Hitler. Elle était le miroir où il pouvait se voir comme il le souhaitait. Lui qui se considérait comme un génie artistique depuis qu'il avait réussi à survivre à Vienne avec ses peintures de cartes postales avait trouvé une âme sœur. Elle faisait preuve de compréhension pour ses interminables monologues sur l'art et pour ce qu'il entendait par « culture ». Leni, quant à elle, proche d'Hitler par son narcissisme absolu, jouissait de l'intérêt que lui portait cet homme puissant. Il était pour elle la clé de la gloire. « C'est, de toutes les stars, la seule qui nous comprenne », déclara Joseph Goebbels à son propos en 1933. Leni Riefenstahl n'a jamais été membre du NSDAP, et son enthousiasme pour le « mouvement » s'est concentré sur la personne d'Hitler. Ce ne fut donc pas par hasard que le choix de celui-ci se porta justement sur elle. Et ce ne fut pas un hasard non plus si le premier sujet « documentaire » auquel dut se consacrer la cinéaste fut le dictateur en personne.

Le 17 mai 1933, Goebbels écrivait dans son journal : « Leni Riefenstahl. Elle parle de ses projets. Je lui propose de tourner un film sur Hitler. Cette idée l'enthousiasme. » Le 14 juin, il notait : « Riefenstahl a parlé avec Hitler. Elle commence à présent son film. » Mais il n'y eut jamais de « film sur Hitler » au sens strict. À l'automne, la commande fut modifiée : Leni Riefenstahl devait désormais mettre en scène, ou plus exactement porter à l'écran, le congrès du parti national-socialiste à Nuremberg. Huit mois après la prise du pouvoir par les nationaux-socialistes, ce gigantesque défilé intitulé en lettres d'airain « Congrès de la victoire » illustrait la domination absolue des nazis dans le Reich. À Nuremberg, la ville des empereurs, le Führer recevrait l'allégeance de son peuple. Le monde entier le verrait... et ce grâce à Leni Riefenstahl.

Celle-ci n'a jamais aimé qu'on lui parle de *La Victoire de la foi*. Non pas à cause de son propos politique ; non, ce sont les faiblesses de la prise de vues qui la mettaient encore en rage à la veille de sa mort. « Ça n'est pas un film, c'est de la pellicule impressionnée », disait-elle avec mépris. Disparue pendant des décennies, *La Victoire de la foi* vient d'être retrouvée dans sa version intégrale – et il s'agit d'un reflet éloquent des débuts de la dictature nazie.

La commande du film avait été passée très peu de temps avant le congrès. Leni Riefenstahl rassembla en toute hâte ses cameramans et son équipement. C'était un défi : jamais auparavant elle n'avait tenté de tourner un « documentaire ». Mais dans son cas personnel, la foi était victorieuse depuis longtemps.

Elle n'eut pas le temps de préparer un synopsis bien précis ou de tester l'emplacement des caméras. Comme la plupart des prises de vues furent spontanées et plus ou moins tournées au petit bonheur la chance, les incidents se multiplièrent. Les travellings débouchaient sur le néant, la mise au point était défaillante au moment décisif. Mais il y a plus frappant encore que ces erreurs techniques : les impairs dans la présentation du Führer et de ses acolytes. Hitler a adopté une mine particulièrement grave, mais une mèche de cheveux importune vient sans cesse lui balayer le visage. On voit le maréchal du Reich, Hermann Göring, qui défile d'un pas rigide devant son maître alors que celui-ci veut lui serrer la main. Une séquence frôle même le comique, celle où Baldur von Schirach, « Führer de la jeunesse du Reich », tente de calmer ses troupes en extase pour qu'Hitler puisse parler. Quand on tend l'oreille, on entend celui-ci s'étrangler : « Et voilà, ils recommencent ! » Ou bien, pis encore, les compagnons du Führer, curieux, regardent fixement la caméra, rendant le plan inutilisable.

La Victoire de la foi est un instantané sur les carrières débutantes d'Adolf Hitler et de Leni Riefenstahl. Mais tous deux eurent le temps de s'entraîner. Un an plus tard, ils s'étaient perfectionnés.

À la fin de l'été 1934, le Führer revint à Nuremberg. Cette fois, Leni Riefenstahl avait eu le loisir de préparer la production – et Adolf Hitler régnait en autocrate. Si, dans *La Victoire de la foi*, il avait encore dû partager l'attention du public et de la caméra avec le chef des SA, Ernst Röhm, il se trouvait désormais seul sous les feux de la rampe : il avait fait assassiner Röhm et de nombreux autres concurrents politiques. Le titre du congrès était « Le Triomphe de la volonté » ; c'est également ainsi que fut baptisé le film. Ce fut le plus grand succès de Leni Riefenstahl, mais elle ne se défit jamais de ce poids : il passe encore aujourd'hui pour l'un des films de propagande les plus parfaits de l'histoire du cinéma.

La réalisatrice avait tiré les leçons des incidents de

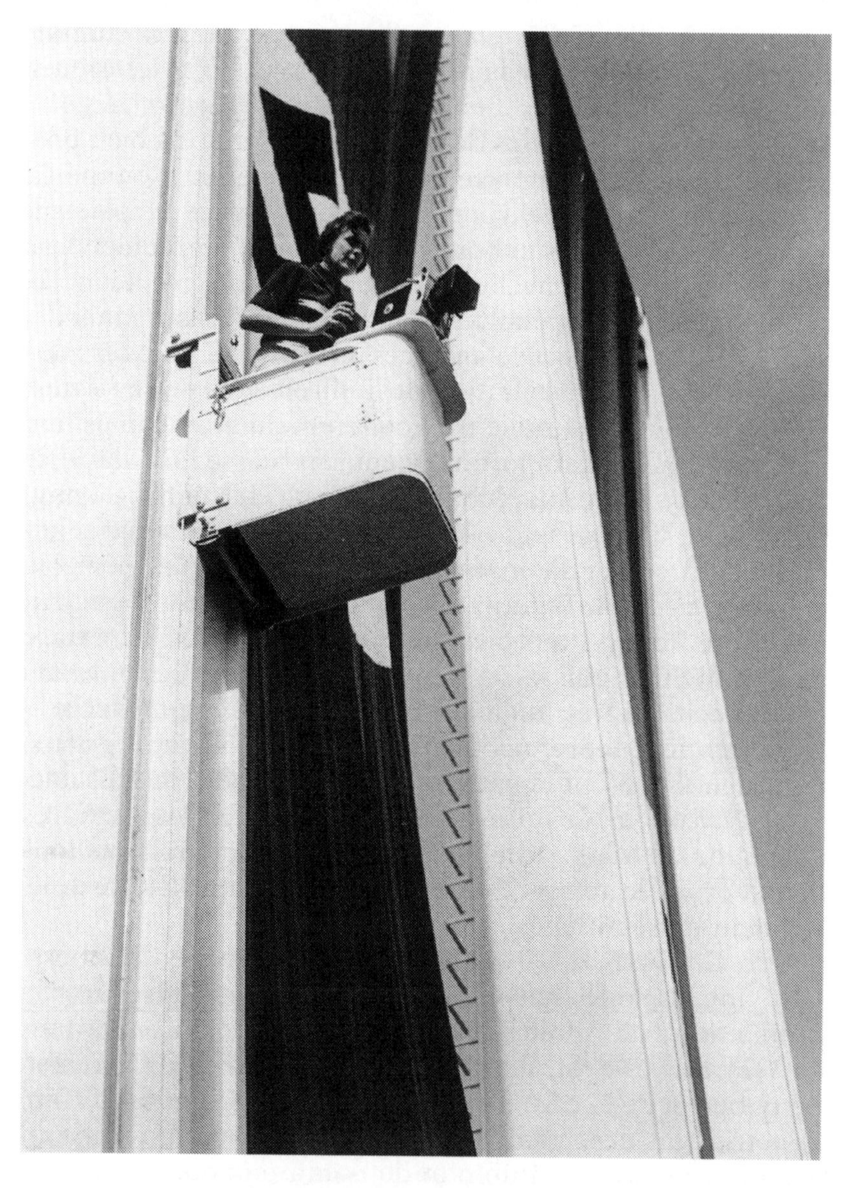

Leni Riefenstahl pendant le tournage du Triomphe de la foi *en 1934.*

Les décors étaient là, à Nuremberg comme à Berlin. Ce n'était pas moi qui avait conçu l'objet. Je n'ai rien ajouté ou manipulé dans un esprit de propagande : j'ai laissé mes cameramans filmer ce que je voyais, aussi bien que possible.

Leni Riefenstahl

Une femme qui sait ce qu'elle veut !

Joseph Goebbels, journal, 5 octobre 1935

l'année précédente. Cette fois, elle avait reçu la commande bien avant la date fatidique ; elle utilisa ce laps de temps pour préparer son documentaire à la manière d'un général en campagne. Parfaitement informée du déroulement de la manifestation, elle prépara les emplacements de ses caméras, fit disposer des rails autour de la tribune des orateurs pour pouvoir tourner autour d'eux sans les déranger. Les cameramans s'entraînèrent à faire du patin à roulettes en maniant une caméra portable. On installa à sa demande un ascenseur sur le mât aux drapeaux, afin de pouvoir réaliser des plans aériens. La scène la plus célèbre sans doute du *Triomphe de la volonté,* la marche solitaire d'Hitler, d'Heinrich Himmler et du nouveau chef de la SA, Lutze, à travers les colonnes de militants, fut tournée depuis ce nid-de-pie.

Filmer cette manifestation gigantesque exigea un immense effort logistique. Il s'agissait de coordonner une légion de cameramans installés sur des lieux différents. La réalisatrice était dans son élément et appréciait manifestement son rôle. Des photos du tournage la montrent dans une tenue fantaisie de couleur claire. Ses vêtements tranchent avec goût sur l'uniformité brune de ce congrès du parti. Mais dans le souvenir de Riefenstahl, l'époque où elle préparait *Le Triomphe de la volonté* apparaît comme un martyre sans fin. Elle a présenté l'un des clichés que contiennent ses *Mémoires* comme une « dernière tentative » pour convaincre Hitler de ne pas lui confier la réalisation de ce film : on y voit le Führer qui se penche sur les plans de la manifestation, et à côté de lui une Leni Riefenstahl très concentrée. Une illustration de sa résistance ? Certainement pas. On lui avait passé une commande qui lui offrait des possibilités de production encore inconnues et sans doute la célébrité. D'autres n'ont pas répondu à ce genre de propositions. Lorsque le cameraman Emil Schünemann refusa, pour des motifs politiques, de venir tourner *Le Triomphe de la volonté,* Leni Riefenstahl le dénonça en prétendant qu'il pratiquait un « boycott contre le Führer ».

Jusqu'à sa mort, elle a affirmé avoir tourné un film purement documentaire, et avoir uniquement reproduit ce qui s'offrait à elle. « Savoir s'il s'agissait de politique ou de légumes ne m'intéressait absolument pas», a-t-elle dit un jour. Mais ce n'étaient pas des légumes. *Le Triomphe de la volonté* est un manifeste politique. Il illustre sans aucun doute l'enthousiasme bien réel du public. Mais c'est par ailleurs une œuvre d'éveil et d'édification pour le «peuple» qui ne pouvait se trouver physiquement à Nuremberg.

«Le 5 septembre 1934, vingt ans après le déclenchement de la guerre mondiale, seize ans après le début de la souffrance allemande, dix-neuf mois après le début de la renaissance allemande, Adolf Hitler prenait de nouveau l'avion pour Nuremberg afin d'y passer ses fidèles en revue.» Tel est le texte qui ouvre le film.

Leni Riefenstahl condensa en deux heures une série au demeurant assez peu passionnante de défilés et de discours. Les possibilités que lui offrait le montage en firent la maîtresse de cérémonies de la manifestation. Hitler et le «peuple» se font face dans un dialogue muet. La réalisatrice décrit l'histoire d'une relation – presque une histoire d'amour – entre le Führer et ceux qui l'entourent. Grâce à la finesse du montage, Hitler semble toujours mener une conversation avec son vis-à-vis, qu'il s'agisse d'ouvriers, de SA ou de membres de la Jeunesse hitlérienne. Pourtant, le Führer est constamment au-dessus de son «peuple». La caméra, installée en position basse, donne à cet homme insignifiant l'allure d'un héros. «Quiconque a vu le visage du Führer dans *Le Triomphe de la volonté* ne l'oubliera jamais: ce visage le poursuivra jour et nuit et il brûlera dans son âme comme une flamme qui brille en silence», s'écria Joseph Goebbels en remettant à Leni Riefenstahl le Prix national du Cinéma de l'année 1935. Le ministre de la Propagande du Troisième Reich avait correctement évalué la portée de l'œuvre. *Le Triomphe de la volonté* permit aux spectateurs – ils furent au moins vingt millions à voir le film en salle – de vivre une expérience tout à fait personnelle avec le Führer. Et cette fois, la cinéaste veilla bien à présenter les compagnons d'Hitler sous leur meilleur jour.

Pour cela, elle les convoqua immédiatement après le congrès du parti pour refaire en studio des scènes essentielles qui lui paraissaient ratées. L'architecte d'Hitler,

Albert Speer, se rappela après la guerre cet étrange scénario : « À l'arrière-plan, on voyait Streicher, Rosenberg et Frank faire les cent pas avec leur manuscrit en mémorisant soigneusement leur rôle. Hess arriva, il fut le premier appelé pour l'enregistrement. Il leva solennellement la main, exactement comme s'il avait trente mille spectateurs devant lui. Avec l'émotion sincère et pathétique qui le caractérisait, il commença par regarder l'endroit précis où Hitler se serait tenu s'il avait été là, et s'exclama au garde-à-vous : “Mon Führer, je vous salue !” »

Le film n'a jamais été doté d'un texte de commentaire. Pour Leni Riefenstahl, c'est la preuve qu'il ne s'agissait pas d'un film de propagande. Mais *Le Triomphe de la volonté* n'avait pas besoin de texte. C'est le pouvoir des images qui lui conférait sa force de séduction.

Lorsqu'il fut enfin projeté dans les cinémas en mars 1935, Leni Riefenstahl, après avoir passé plusieurs mois dans la salle de montage, était totalement épuisée. Adolf Hitler, subjugué par la manière dont elle l'avait mis en images, lui offrit un bouquet de lilas. À cet instant, selon ses propres dires, Leni « perdit conscience ».

Grâce à son film, elle fit désormais partie des notables du Troisième Reich. Alors qu'elle restait plutôt une marginale dans les métiers du cinéma, on la voyait bavarder dans les bals, aux projections ou dans les soirées mondaines avec les proches d'Hitler. On dansait, on s'amusait, on buvait aussi – parfois un verre de trop. Plus tard, Leni Riefenstahl écartera tout cela d'un revers de main. Joseph Goebbels la détestait, dira-t-elle : n'est-ce pas une preuve définitive pour la compter au nombre des persécutés du régime ?

Elle faisait remonter à 1932 le début de cette « hostilité ». Le « bouc de Babelsberg » (c'est le surnom qu'on donnait derrière son dos à Goebbels, à cause de ses nombreuses aventures amoureuses) l'aurait poursuivie de ses assiduités. Lors d'une visite, le gauleiter de Berlin aurait perdu la maîtrise de soi et se serait exclamé, éperdu : « Il faut que vous deveniez ma maîtresse, j'ai besoin de vous – sans vous, ma vie est une torture ! Je vous aime depuis si longtemps déjà ! » Il se serait ensuite effondré devant elle en lui entourant les chevilles de ses bras. La réalisatrice aurait résisté brutalement et chassé Goebbels de sa maison. « Le futur ministre de la Propagande ne m'a jamais pardonné cette humiliation. » Telle est la version qu'elle a donnée de cet épisode. Wilfried von Oven, à l'époque conseiller de Goebbels, sourit aujourd'hui de ce récit. « Je ne dis pas qu'il n'ait pas essayé avec d'innombrables femmes. Mais la Riefenstahl... Non. Cette femme-là, il savait trop bien qu'elle lui donnerait du fil à retordre. » Alors que Leni présente dans ses *Mémoires* le ministre de la Propagande comme son ennemi mortel, les propos qu'il tient sur la réalisatrice dans son journal sont tout à fait bienveillants. Il qualifie les soirées passées avec elle de « très gentilles », et elle-même de « créature intelligente ». Les rivalités entre eux ont pourtant bel et bien existé, même si ce n'est pas pour les raisons qu'elle donne.

« Goebbels était jaloux, il ne supportait pas qu'une personne ait la reconnaissance d'Hitler sans que lui-même soit intervenu ou ait servi d'intermédiaire », se rappelle l'ancien intendant du cinéma du Reich, Fritz Hippler. C'est surtout pendant le tournage du film sur les jeux Olympiques que le ministre de la Propagande et la réalisatrice se querellèrent. « Je remets à sa place Riefenstahl, qui se comporte d'une manière indescriptible. Une femme hystérique », notait le ministre le 6 août 1936 dans son journal.

Les accrochages entre Goebbels et Riefenstahl n'échappèrent pas à la presse. On en parla à l'étranger. Au début de l'année 1937, l'hebdomadaire *Die Weltwoche* de Zurich titrait : « L'ange déchu du Troisième Reich. » Même si le scénario échafaudé dans cet article était absurde, Hitler fut tout de même alarmé. Une séance photos fut arrangée au plus vite avec Leni, sa famille, Goebbels et Hitler pour faire taire ces rumeurs. On photographia le ministre de la Propagande et la cinéaste, en parfaite harmonie, dans le jardin de Riefenstahl à Berlin, à côté d'un bouquet de roses et devant une tasse de thé.

Le troisième film tourné par elle à la demande des nationaux-socialistes fut lui aussi consacré à un congrès du parti, celui de 1935, qui s'intitulait « Le Congrès de la liberté », et son contenu est facile à résumer : dans une gigantesque parade, les troupes du Reich réarmé défilent devant le Führer qui, profondément satisfait, passe en revue les différentes armes. Dans le fracas de cet étalage d'armements en tout genre, Riefenstahl filma de grandes manœuvres dramatiques dont l'action aurait aussi bien pu être un combat réel. Dans des nuages de fumée, les blindés freinaient à la dernière seconde devant la caméra, lorsqu'ils ne roulaient pas au-dessus du cameraman installé dans une fosse. Grâce à un montage volontairement rapide, le film donne l'impression d'une puissance et d'un mouvement extraordinaires. L'Allemagne ne mènerait plus jamais une guerre de positions exténuante : c'est ce que suggéraient ces images à un public pour lequel le traumatisme de la Première Guerre mondiale était encore bien présent. Soutenu par une musique militaire entraînante, *Le Congrès de la liberté*, tourné immédiatement après la réintroduction du service militaire obligatoire, inspirait un sentiment de force retrouvée. L'Allemagne était « redevenue elle-même » – après les années de servitude imposées par le « diktat ignominieux de Versailles », qui avait démoralisé les troupes.

Quatre ans plus tard, presque jour pour jour, les blindés allemands franchiraient la frontière polonaise. Mais pour l'heure, Hitler, le va-t-en-guerre, se mettait encore une fois en scène dans le rôle du prince de la paix.

En 1931, le Comité international olympique avait décidé que les Jeux de 1936 se dérouleraient en Allemagne – un geste de bienveillance, à l'époque, à l'égard d'une République de Weimar en piteux état. À Berlin, la « jeunesse du monde » devrait se rencontrer pour une grande compétition sportive. Mais les nouveaux détenteurs du pouvoir avaient établi des discriminations considérables au sein de cette « jeunesse ». Alfred Rosenberg, rédacteur en chef du *Völkischer Beobachter*, le journal du NSDAP, avait dit en 1928, lorsque les Allemands avaient été de nouveau invités aux jeux Olympiques – pour la première fois depuis la fin de la guerre mondiale –, que cette seule participation était déjà « un crime ». Une compétition entre « aryens » et « non-aryens » ? Hitler et ses sbires considéraient qu'il s'agissait d'un spectacle indigne – jusqu'à ce qu'ils comprennent l'utilité que cette manifestation pouvait avoir pour la

Leni Riefenstahl et Hitler pendant les préparatifs du congrès du parti nazi en 1935.

Une fois qu'Hitler est arrivé au pouvoir, je n'ai plus voulu avoir de relations avec lui.

Leni Riefenstahl, Mémoires, *1987*

Une fois que nous serons arrivés au pouvoir, il faudra que vous réalisiez mes films.

Adolf Hitler

Leni a tourné des films documentaires, pas des films de propagande sur commande.

Hans Ertl, cameraman auprès de Leni Riefenstahl

propagande. Pouvait-on imaginer mieux, à une époque où les vainqueurs de 1918 surveillaient l'évolution de l'Allemagne ?

Le spectacle qui devrait convaincre le monde du pacifisme du nouveau régime coûterait environ cent millions de Reichsmark. Pour la période des jeux Olympiques, les panonceaux antisémites disparurent des boutiques berlinoises, des parcs et des transports publics. Une circulaire officielle interdit d'entonner les chants nazis, pourtant si populaires. Le brûlot antisémite *Der Stürmer* disparut sous les comptoirs. Tout cela visait à cacher au monde les préparatifs de la guerre et du génocide. Les images de Noirs et de Blancs rivalisant dans la paix et l'harmonie au cours de compétitions sportives firent le tour du monde. Jesse Owens, l'athlète noir, la star de ces jeux, et l'Allemand Luz Long furent photographiés côte à côte, allongés dans un pré, mâchonnant des brins d'herbe et discutant comme deux vieux copains.

Pour Leni Riefenstahl, les Jeux étaient le sujet dont elle avait toujours rêvé. Ce qu'on lui demandait de représenter, cette fois, n'avait plus rien à avoir avec les défilés de masse monotones et les discours interminables. La sportive enthousiaste pouvait désormais puiser dans une pléthore d'images somptueuses, où suspense et dramaturgie étaient garantis.

Le ministère de la Propagande lui offrit des conditions de travail mirifiques – elle sera la seule à affirmer jusqu'à sa mort que *Les Dieux du stade* ont été un travail indépendant financé par son entreprise de production. Elle-même reçut un cachet exorbitant – deux cent cinquante mille Reichsmark. Pour le film, elle disposait d'un budget d'un million et demi.

L'équipe de cameramans que Leni Riefenstahl avait composée en choisissant les meilleurs se mit au travail dès le mois de mai 1936 : Willy Zielke tournerait le prologue, Hans Ertl, Walter Frentz et Guzzi Lantschner s'occuperaient des prises de vues sportives. Les cameramans devaient essayer de suivre les mouvements rapides des athlètes et tester de nouveaux plans. C'est à cette époque que naquit l'idée de filmer les sportifs en contre-plongée sur fond de nuages. Hans Ertl mit au point une caméra-catapulte automatique capable de foncer à côté des coureurs sur la piste du cent mètres. On construisit une petite montgolfière qui, équipée d'une minicaméra, assurait les prises de vues aériennes. Lorsque les sportifs commencèrent à s'entraîner, les hommes de Leni étaient là ; ils réalisèrent alors les images en gros plan dont le tournage aurait gêné les athlètes pendant la compétition.

Quand la flamme olympique fut allumée à Berlin, Leni Riefenstahl dut prouver que la dépense avait été justifiée. Il fallait coordonner une armée de caméras et couvrir de nombreuses compétitions. Lesquelles offraient une grande tension visuelle et laissaient espérer un affrontement dramatique ? Quels sportifs fallait-il mettre en valeur ? Après le coucher du soleil, la réalisatrice passait des heures à donner des instructions à ses équipes pour le lendemain. Et ce qu'elle disait avait force de loi pour cette majorité d'hommes qui savaient très bien quelles étaient leurs compétences. Le cameraman Guzzi Lantschner estime encore aujourd'hui avec reconnaissance : « Elle nous dirigeait aussi bien qu'un homme, et savait traiter ses collaborateurs exactement comme l'aurait fait un homme. » Cela, elle l'avait appris chez Arnold Fanck. Elle utilisa aussi ce savoir-faire dans ses relations avec les hauts responsables du parti pendant le tournage des *Dieux du stade*. Elle avait mis au point toutes sortes de stratagèmes pour résoudre les problèmes. « Ensuite, elle revenait, rayonnante, et annonçait en gloussant : “Nous aurons ce que nous voudrons, je me suis remise à pleurnicher” », se rappelle le cameraman Walter Frentz.

Riefenstahl se battit comme une lionne afin d'obtenir les meilleurs emplacements pour son équipe. Boucher la vue aux spectateurs ne la dérangeait pas le moins du monde. Une brève séquence, sans doute intégrée par hasard dans le film sur les jeux Olympiques, la montre gesticulant furieusement devant un arbitre qu'elle tente de convaincre pendant une compétition de natation. Les regards des deux protagonistes ne laissent guère de doute sur l'issue de la dispute. Lorsqu'elle ne parvenait pas à ses fins par ses propres moyens, elle ne se gênait pas pour rappeler qui étaient ses patrons. Selon la journaliste berlinoise Bella Fromm, Leni avait mis en place pendant les Jeux un système d'avertissement destiné à ses concurrents. Dès qu'elle remarquait qu'un cameraman des actualités cinématographiques essayait un plan que ses hommes n'avaient pas encore réalisé, elle envoyait un coursier lui porter un message dont on apprit bientôt à redouter le contenu : « Leni Riefenstahl vous prie de ne pas quitter votre place lorsque vous faites des prises de vues. Ne vous promenez pas. En cas de non-respect de ces consignes, votre accréditation vous sera retirée. » L'intendant du cinéma du Reich de l'époque, Fritz Hippler, s'indigne aujourd'hui encore lorsqu'il se rappelle les interventions de la réalisatrice : « Elle a considérablement gêné mes hommes qui tournaient pour les actualités hebdomadaires. Mais que pouvions-nous faire ? Les troupes de Riefenstahl étaient plus puissantes que les miennes. »

Parfois, cependant, même le charme d'acier de Leni restait sans effet. Hans Ertl se souvient qu'il laissa la caméra tourner alors qu'une jeune femme s'approchait d'Hitler, sur la tribune, avec un bouquet de fleurs. Au moment où elle lui tendit le bouquet, elle se pencha en avant en un éclair et embrassa le Führer sur la joue. Une trace de rouge à lèvres bien visible resta sur la peau de « l'intouchable ». À peine avait-on éloigné cette adepte enthousiaste qu'Hans Ertl perdait sa pellicule : deux SS avaient confisqué ce document compromettant.

Avec *Les Dieux du stade* la notoriété de Leni prit une nouvelle dimension. Elle était séduisante, et elle savait aussi se mettre elle-même en image. Vêtue de pantalons à la Marlene Dietrich et d'un haut moulant, les cheveux au vent, elle se fit photographier debout sur la voiture-caméra, derrière Walter Frentz. Sa main était posée sur l'épaule du cameraman, comme si c'était elle qui décidait de ses cadrages – en réalité, cette position compliquait sans doute le travail de Frentz.

Le public, lui, se montrait de plus en plus allergique à cette cinéaste qui captait les regards où qu'elle soit et quoi qu'elle fasse, d'autant qu'elle traînait constamment derrière elle, comme une ombre, un photographe personnel.

Leni Riefenstahl à la table de montage.

Chez Mlle Riefenstahl. Regardé partiellement le film sur les jeux Olympiques. Indescriptiblement bon. Photographié et composé de manière ravissante. Une très grande réussite. Dans les différentes parties, profondément saisissant. Leni sait déjà faire beaucoup de choses. Je suis enthousiasmé. Et Leni est très heureuse.

Joseph Goebbels, journal, 24 novembre 1937

Le travail principal de Leni, c'était le montage. Là, sur sa table, elle réussissait de véritables chefs-d'œuvre. Parce que composer un film, c'était typiquement un travail de femme.

Hans Ertl, cameraman auprès de Leni Riefenstahl

Elle plaçait l'élément documentaire au premier plan. Elle n'exprimait ni remarques ni opinions politiques. Le film sur les jeux Olympiques n'était pas politique, d'ailleurs il avait été commandé par le CIO.

Guzzi Lantschner, cameraman auprès de Leni Riefenstahl

Et son équipe finit elle aussi par perdre patience devant son comportement de diva. Des décennies plus tard, le souvenir de sa patronne de l'époque inspire encore à Hans Ertl un certain agacement : « Elle n'arrêtait pas de courir – même pendant les compétitions les plus haletantes – d'une équipe de caméra à l'autre en faisant de grands gestes comme si elle donnait des indications vitales pour la mise en scène. Elle nous aurait été beaucoup plus utile assise à la tribune qu'en galopant sans arrêt et dans tous les sens. »

Pour Leni Riefenstahl, le véritable travail commença au moment où s'éteignit la flamme olympique. Même si certains de ses cameramans revendiquent la paternité de telle ou telle idée de prise de vues, le montage fut son affaire à elle. Il fallut plusieurs mois pour le seul visionnage des rushes – on avait tourné quatre cent mille mètres de pellicule. Alors seulement, le montage proprement dit put débuter. Guzzi Lantschner, qui assista Leni dans cette tâche, se rappelle : « Nous étions assis tous les soirs jusqu'à une ou deux heures du matin à la table de montage. »

La fabrication du film dura des mois. Malgré le budget énorme, on fut bientôt confronté à des problèmes d'argent. À la date du 16 septembre 1926, on avait déjà dépensé plus d'un million de Reichsmark. Le ministre de la Propagande était furieux : « Test du film sur les jeux Olympiques : Riefenstahl nous a fait une pétaudière. Intervenir ! » nota Goebbels le 25 octobre dans son journal. Lorsqu'il eut pris toute la mesure de la débâcle financière, il fut hors de lui : « Mlle Riefenstahl me simule des crises d'hystérie. Il est impossible de travailler avec ce genre de furie. Elle veut maintenant un demi-million de plus pour son film, ce qui en fera deux. Et pourtant, sa boutique est plus mal en point que jamais. Je reste de marbre. Elle pleure. C'est l'arme ultime des femmes. Mais ça ne marche pas avec moi. Elle doit travailler et rester disciplinée », écrivit-il quelques jours plus tard. Les progrès à la table de montage, qu'il vint ensuite constater personnellement, apaisèrent cependant assez vite sa colère.

Au bout de deux ans, cette œuvre titanesque fut enfin achevée. On en avait tiré deux films : *La Fête des peuples* et *La Fête de la beauté*. On les considère aujourd'hui encore comme des jalons dans l'histoire du reportage sportif. Cela ne tient pas seulement aux nouvelles techniques de prise de vues des cameramans mais aussi et surtout à la manière dont Leni Riefenstahl a « raconté » les jeux Olympiques sur sa table de montage. L'une des plus belles scènes des *Dieux du stade* est sans aucun doute la compétition des plongeurs, magistralement filmée par Hans Ertl, qui avait pour la première fois utilisé une caméra sous-marine complétant les prises de vues réalisées, depuis la tour, par Guzzi Lantschner. Riefenstahl composa une succession de scènes dans laquelle les sportifs s'élançaient de leur plongeoir comme des oiseaux et tournoyaient dans l'air comme s'ils étaient en apesanteur.

Dans la séquence d'ouverture du film, elle s'est totalement détachée du déroulement réel des Jeux. Sur l'image de la statue antique du *Discobole* de Myron apparaît, dans un long fondu enchaîné, le corps du décathlonien allemand Erwin Huber. De beaux athlètes miment les disciplines olympiques classiques, comme le lancer de javelot ou de disque. Ces scènes ont été tournées sur la Baltique. Les rushes que l'on a conservés montrent avec quel soin le collaborateur de Leni Willi Zielke mettait les sportifs en scène. Les athlètes modèles qui, pendant le tournage, tremblaient en costume d'Adam au vent de la Baltique, et dont les pieds nus étaient constamment écorchés par les chardons, apparaissent, dans le film achevé, comme les dieux d'une époque lointaine. Filmés depuis des tranchées, ils prennent sous l'œil de la caméra une taille gigantesque. À grand renfort de vaseline et de talc, les cameramans avaient encore souligné les muscles des sportifs : chacun d'entre eux était un Hercule. Après la guerre, on a qualifié de fasciste la passion de Leni Riefenstahl pour la beauté et la force. « La seule chose qui m'intéresse, c'est la beauté. La misère et la maladie me dépriment », répondit-elle, imperturbable.

Les Dieux du stade sont sans aucun doute un film politique, notamment parce qu'ils ne font justement pas de propagande agressive pour le national-socialisme. Bien entendu, on a rendu un hommage appuyé à la star noire des jeux Olympiques, Jesse Owens ; bien entendu, on n'a pas placé en permanence les sportifs allemands au premier plan. Mais c'est précisément l'image que les détenteurs du pouvoir voulaient diffuser à l'étranger. *Les Dieux du stade* travaillaient à un niveau plus subtil pour obtenir l'effet souhaité.

Hitler, le héros du *Triomphe de la volonté,* apparaît désormais comme un amateur de sport, un homme joyeux qui partage les fièvres et les souffrances de chacun, par exemple lorsque l'équipe féminine allemande de relais a perdu le témoin peu avant une victoire que l'on croyait certaine. À côté de lui, ses familiers, à la tribune d'honneur, se sont dorés à l'éclat des Jeux. Et ils paraissaient tous tellement humains : le maréchal du Reich Hermann Göring se présentait chaque jour dans une nouvelle tenue, et le suppléant d'Hitler, Rudolf Hess, ne put se départir de la mine soucieuse qui était notoirement la sienne, même pendant ces joyeux événements. Ils paraissaient être des princes de la paix militant pour l'entente entre les peuples. Pourtant, les projecteurs de DCA qui dessinèrent, lors de la cérémonie de clôture des Jeux, les majestueuses cathédrales de lumière d'Albert Speer éclaireraient de nouveau quelques années plus tard le ciel de Berlin – le ciel de la guerre.

C'est le jour du quarante-neuvième anniversaire d'Hitler, le 20 avril 1938, qu'eut lieu la première des *Dieux du stade.* Leni Riefenstahl prétend avoir elle-même plaidé pour cette date après que l'on eut repoussé à deux reprises la première projection : l'Anschluss, le « rattachement » de l'Autriche, avait accaparé le Führer.

Devant les notables du parti rassemblés à l'UFA-Palast de Berlin, la première fut un triomphe pour la réalisatrice, qui oublia rapidement le marathon qu'elle venait d'effectuer pour achever son travail. « On n'entend, de partout, que des louanges sans réserve. J'offre cent mille marks supplémentaires à Leni Riefenstahl », écrivit Goebbels, magnanime, dans son journal.

Vienne, Paris, Bruxelles, Copenhague, Stockholm, Helsinki, Oslo, Rome… La cinéaste et ses *Dieux du stade* partirent en tournée. À l'étranger aussi, le film fut accueilli avec frénésie. Les seules villes où ce ne fut pas tout à fait le cas furent Bruxelles et Paris, où des manifestants se mirent à chanter *L'Internationale*. Leni ne s'en offusqua pas: ne connaissant pas cet hymne, elle le prit à tort pour un hommage. Mais globalement, la tournée fut un succès complet, et l'artiste remplit parfaitement sa mission de représentante de charme du régime. Reçue par les ambassadeurs d'Allemagne dans chacun des pays visités, elle rencontra les chefs de gouvernement et les têtes couronnées de la plupart des nations européennes, accepta gentiment les bouquets de fleurs, bavarda avec grâce. « Riefenstahl est une donzelle courageuse », écrivit le ministre de la Propagande. C'était un compliment.

Après l'Europe, l'ambassadrice de la nouvelle Allemagne voulut conquérir le Nouveau Monde. En novembre 1938, elle s'embarqua pour New York. Mais le vent qui l'y attendait n'était pas aussi favorable. Les rues d'Hollywood étaient ornées d'affiches proclamant: « Il n'y a pas de place ici pour Leni Riefenstahl. » Certaines salles annulèrent les dates de projection prévues pour *Les Dieux du stade*, et l'on trouva peu de célébrités acceptant d'être vues avec Leni. On ne tolérait plus l'image d'artiste indépendante qu'elle essayait de se donner. À son arrivée, on lui avait posé la question: « Que pensez-vous du fait que les Allemands ont incendié les synagogues, détruit les boutiques juives et tué des Juifs ? » En effet, peu de temps auparavant, l'agitation antijuive en Allemagne avait atteint un premier et terrifiant apogée. « Ça ne peut pas être vrai ! » s'était exclamée la réalisatrice.

Leni Riefenstahl a toujours contesté avoir entendu parler de l'aggravation de l'antisémitisme en Allemagne ; elle a même prétendu avoir critiqué Hitler, à plusieurs reprises et sans se gêner, pour sa politique raciale. Elle a affirmé ne pas avoir remarqué que des milliers d'intellectuels, d'artistes et d'adversaires du régime quittaient le pays, elle a proclamé ne rien avoir su des déportations. Pas de radio, pas de journaux? Non, du travail, du travail. Elle a dit n'avoir jamais connu que le travail. La Nuit de cristal l'avait atteinte comme un orage tombé d'un ciel sans nuages, elle qui n'avait jamais été en contact avec l'antisémitisme.

Ce n'est cependant pas ce que disent les dossiers. Leni Riefenstahl a ainsi profité des « opportunités » qui se sont présentées à elle après l'expulsion des artistes juifs. Sur un papier à en-tête de l'hôtel Kaiserhof, à Berlin, on trouve ces mots griffonnés d'une main légère à la date du 11 décembre 1933 : « Je donne à M. le gauleiter Julius Streicher, de Nuremberg, directeur de publication du *Stürmer*, les pleins pouvoirs pour traiter les revendications formulées par le Juif Bela Balacz à mon égard. Leni Riefenstahl. » C'est de cette manière qu'après la prise de pouvoir par les nazis elle se débarrassa de son coauteur pour *La Lumière bleue*. Lorsque le film ressortit en salle, en 1938, le nom de Balacz avait disparu du générique, où figuraient seulement les mots : « Un film de Leni Riefenstahl. » Quant à Julius Streicher, l'antisémite psychopathe qui fut pendu en 1946 à Nuremberg, elle a prétendu ne l'avoir rencontré qu'une seule fois dans sa vie, et l'avoir, à cette occasion, vivement critiqué : « Comment pouvez-vous publier un journal aussi épouvantable que votre *Stürmer* ! » Mais on a conservé une lettre de Streicher à Leni, datée du 27 juillet 1937, où il écrit : « Les heures que nous avons passées dans ta maison ont été, pour nous tous, un événement. » Après toutes sortes de flatteries, le fanatique de la race pure poursuit avec emphase et ferveur : « Reste incomprise par les imbéciles, laisse-les faire de l'esprit et se moquer ! Va en riant sur ce chemin, le chemin de la grande vocation. Ici tu as trouvé ton ciel, et tu y demeureras éternellement. Ton Julius Streicher. »

Même après que Streicher fut devenu infréquentable pour les chefs du parti et eut été démis de ses fonctions, Leni garda le contact avec lui. Des mouchards de la Gestapo la suivirent le 29 octobre 1943 et consignèrent leurs observations par écrit : « Leni Riefenstahl a été à Nuremberg avec son fiancé, le major Jacob, porteur de la croix de guerre ; elle est descendue à l'hôtel Der Deutsche Hof. Elle est immédiatement entrée en relation avec l'ancien gauleiter Julius Streicher, à Pleikerhof, et lui a rendu visite », lit-on dans leur rapport.

En une autre occasion il semble qu'elle ait participé de vive voix à cet antisémitisme galopant. Son ancien producteur Harry Sokal, lui-même juif, raconta après la guerre, dans une lettre au *Spiegel*, que Riefenstahl avait été prise de rage lorsqu'elle avait lu de mauvaises critiques de *La Lumière bleue* rédigées par des journalistes juifs. Elle ne comptait pas laisser des « étrangers qui ne comprennent pas notre mentalité et notre vie spirituelle » détruire son œuvre. Dès que le Führer arriverait au pouvoir, ces individus ne pourraient plus, supposait-elle, écrire que pour leur propre peuple. C'est du moins ce que se rappelait Sokal. Leni Riefenstahl, elle, contesta ces souvenirs dans un droit de réponse.

Mais on entend aussi d'autres sons de cloche. La comédienne Evelyn Künneke raconte dans une interview que son père, exclu de la Chambre du cinéma du Reich pour des raisons raciales, demanda de l'aide à Leni Riefenstahl. Celle-ci plaida effectivement pour lui devant Hitler, et fut entendue. Künneke, metteur en scène d'opéra, put continuer à travailler.

Le 1er septembre 1939, les troupes allemandes faisaient leur entrée en Pologne, sonnant le début de la Seconde Guerre mondiale. Leni Riefenstahl décida de mettre son savoir-faire au service de la cause, et ne lâcha plus d'une semelle les troupes d'Hitler, qui progressaient vers l'est. Le 10 septembre, elle se présenta dans le secteur de commandement d'Erich von Manstein. Le général ne sut pas quoi faire de cette exaltée. Il déclara plus tard : « Un jour apparut chez nous, "dans le sillage du Führer", pour reprendre son expression, une actrice et réalisatrice célèbre accompagnée par une troupe de cameramans. D'ailleurs, elle avait l'air gentille et audacieuse, on aurait dit une partisane élégante, elle aurait pu avoir acheté sa tenue rue de Rivoli, à Paris. Elle portait une sorte de tunique, des culottes et des bottes souples et hautes. Un pistolet était accroché à son ceinturon. Cet équipement de combat rapproché était complété par un couteau fiché dans la tige de sa botte, à la bavaroise. L'état-major resta un peu perplexe, je dois l'avouer, devant cette apparition inhabituelle. » Manstein renvoya au général von Reichenau cette visiteuse plutôt embarrassante sur le front. Elle devait, lui dit-il, se rendre dans la ville de Konskie avec son escorte.

Or un crime de guerre fut commis le 12 septembre 1939 à Konskie. C'était l'un des premiers de son espèce. L'album photo d'un soldat allemand, retrouvé récemment, permet de reconstituer les faits. Sous l'une des photos, il a écrit : « Leni Riefenstahl avec son équipe de cinéma. » On y voit la réalisatrice marcher dans la rue avec quelques accompagnateurs. « Notre Führer à Konskie » est la légende d'un autre cliché où l'on voit Hitler dans une voiture décapotable. « Quatre camarades attaqués et assassinés par des Juifs pendant une patrouille dans la nuit du 11 au 12 septembre », lit-on sous une photo représentant quatre cadavres. Sous la suivante : « Les Juifs doivent creuser les tombes des camarades tués. » Que s'était-il passé ? Apparemment, quatre soldats allemands avaient trouvé la mort au cours des combats qui s'étaient déroulés autour de Konskie. La Wehrmacht rassembla la population juive du bourg et la força à creuser une tombe près du centre du village. Lorsque ces croque-morts involontaires furent ensuite amenés dans la grand-rue, éclata une fusillade qui fit au moins vingt victimes parmi les civils. « Leni Riefenstahl perd connaissance à la vue des Juifs morts » : c'est la légende lapidaire que le soldat a inscrite sous une photo où la réalisatrice, entourée de militaires, pousse un cri d'horreur.

Qu'a-t-elle vu à cet instant ? Elle-même, après la guerre, affirma qu'elle avait protesté contre la brutalité avec laquelle on traitait les civils qui creusaient les tombes. Les soldats, selon elle, auraient alors fait preuve d'agressivité à son égard. « L'un d'eux a crié : "Abattez cette femme !" et a tourné son fusil dans ma direction », crut-elle se rappeler plus tard. Elle dit n'avoir pas assisté à l'exécution des Juifs, en avoir seulement entendu parler par la suite. Sur ce point, sa déclaration n'est guère crédible – la légende de la photo dans l'album du soldat, notamment, ne laisse planer aucune ambiguïté. Mais cette déposition s'explique par la situation des années 1950, où l'épisode de Konskie faisait l'objet d'un débat public. La polémique concernait moins la Wehrmacht, dont nul ne contestait qu'elle avait, en l'occurrence, commis un crime, que le témoin supposé d'un crime auquel elle n'avait pas participé. La question n'était pas de savoir qui avait fait quoi, mais qui avait vu quoi. Pour répondre à cette critique publique, Leni Riefenstahl s'est défendue et a vraisemblablement choisi la version de l'histoire qui la compromettait le moins. Ce qui est incontestable, c'est qu'elle a protesté contre ce qui s'était passé à Konskie. Il est prouvé qu'elle s'est présentée au général von Reichenau et lui a raconté, horrifiée, ce à quoi elle avait assisté. Ses récriminations ne produisirent aucun effet auprès de ce général nazi; mais elle a protesté, et c'est plus que beaucoup n'ont fait à cette époque.

À la suite des événements de Konskie, Leni Riefenstahl alla se réfugier à Dantzig et filma l'entrée triomphale du Führer et de ses troupes dans la ville. Elle-même a présenté Konskie comme une sorte de prise de conscience l'ayant incitée à renoncer à jouer au reporter de guerre. De fait, elle ne s'est plus jamais rendue sur un front avec ses caméras. Mais ce qu'elle refusait, c'était uniquement les horreurs de la guerre, et non le triomphe de l'homme qui l'avait déclenchée.

Lorsque Hitler entra dans Paris, neuf mois plus tard, elle lui câbla: «Avec une joie indescriptible, profondément émus et emplis d'une brûlante gratitude, nous vivons avec vous, mon Führer, votre plus grande victoire et la plus grande victoire de l'Allemagne, l'entrée des troupes allemandes dans Paris. Plus que tout ce que pourrait concevoir l'imagination humaine, vous accomplissez des actes sans pareils dans l'histoire de l'humanité. Comment vous remercier? Vous adresser tous nos vœux de réussite est beaucoup trop peu pour vous faire comprendre les sentiments qui m'animent.»

Au cours des années suivantes, elle ne récusa ni Hitler ni l'aide qu'elle lui apportait. Dès le début de 1939, on avait commencé à évoquer la possibilité de créer un vaste studio Leni Riefenstahl à Berlin. Situé à proximité de la villa Riefenstahl, Heydenstrasse, à Dahlem, il devait offrir une aire de vingt-deux mille cinq cents mètres carrés aux productions de Leni. Aux frais de l'État, et sur ordre du chef suprême.

On comptait construire des salles de montage et de projection, une cuisine et une cantine pour les collaborateurs, on prévoyait même une salle de gymnastique. Et pour ses appartements privés, Leni Riefenstahl souhaitait une vue sur les jardins. C'est une fenêtre de ce type qui faisait la fierté d'Hitler au Berghof, au-dessus de Berchtesgaden. La mise au point des projets fut certes retardée par le déclenchement de la guerre, mais elle se poursuivit. En 1940, la taille du studio à bâtir avait encore augmenté pour dépasser vingt-huit mille mètres carrés, et l'on trouve dans les dossiers de l'architecte d'Hitler, Albert Speer, des courriers de 1942 mentionnant cette gigantesque construction. Elle devait s'intégrer dans la nouvelle capitale, Germania, dont Speer et Hitler voulaient faire le centre du « Reich millénaire ». Mais le Reich serait en ruine avant même qu'on ait posé la première pierre des « studios Riefenstahl ».

Après avoir décidé de ne plus travailler comme reporter de guerre, Leni revint au cinéma de fiction. *Tiefland*, une saga racontant la victoire du bien sur le mal, fut son deuxième film de fiction, et le dernier. Son tournage et son montage s'étalèrent sur vingt ans. Le scénario raconte l'histoire de Pedro, un berger innocent qui vit dans les montagnes espagnoles, et son amour pour Martha, qui devient l'esclave d'un méchant despote de la plaine. Entrepris dès 1934, le tournage de *Tiefland* s'arrêta très rapidement, et ne fut plus ensuite qu'une succession de faillites et de ratés. Un loup devait ainsi jouer un rôle essentiel. On chargea le docteur Bernhard Grzimek de trouver un animal dressé. Le premier loup qu'il se procura était trop gentil ; le deuxième s'étouffa en mangeant. Seul le troisième animal joua son rôle de façon satisfaisante aux yeux de Leni. On eut aussi des problèmes avec le troupeau de moutons qui devait animer le décor montagnard et pittoresque. Attirés avec du sel jusqu'à un lac artificiel créé spécialement pour l'occasion, les ovins eurent vite fait de boire toute l'eau du bassin, qu'on eut bien du mal à remplir de nouveau. Avec la guerre, il devenait de plus en plus difficile de produire des films. Il était impossible de tourner en Espagne, où se situait l'action du scénario. Le village de Roccabruna dut être entièrement reconstitué. Le budget explosa. Joseph Goebbels ne tarda pas à perdre patience. Le 8 mars 1941, il écrivit dans son journal : « Le nouveau film de Riefenstahl nous cause des soucis. On jette un argent fou par les fenêtres. » Mais la réalisatrice parvenait toujours à rassembler des fonds. Martin

Bormann, le secrétaire d'Hitler, était devenu son nouvel intercesseur auprès du Führer pour les questions d'argent.

Contrairement à ses autres films, *Tiefland* n'a pas exercé une grande influence sur l'histoire du cinéma. Son auteur voulut jouer elle-même le premier rôle féminin, mais ce n'était pas une bonne idée. Elle avait alors une quarantaine d'années, et même un éclairage très avantageux ne lui permettait plus de faire croire qu'elle avait le même âge que son partenaire, lequel venait d'avoir vingt-trois ans. Et le langage visuel pathétique n'était plus d'actualité en 1954, lorsque *Tiefland* sortit enfin dans les salles. Le quotidien *Stuttgarter Zeitung* ironisa sur un « parfait exemple d'ennui cultivé avec virtuosité, servi par un montage aussi rapide qu'une limace souffrant d'une maladie du pied ».

Malgré l'échec du film, c'est justement à propos de *Tiefland* que Leni Riefenstahl se lança après la guerre dans les procès les plus acharnés. Lorsque le tournage avait repris à marches forcées, en 1940, le conflit ne permettait pas l'acheminement d'un grand nombre de figurants espagnols. Or Leni souhaitait voir la « couleur locale » sur le visage des comédiens. La solution s'avéra plus simple qu'elle n'avait d'abord osé l'espérer.

La Tsigane Rosa Winter avait dix-sept ans lorsque sa famille avait été enfermée au camp d'internement de Maxglan, près de Salzbourg. Elle se rappelle encore aujourd'hui le jour où elle vit Leni Riefenstahl pour la première fois. « Elle est arrivée au camp avec des hommes en uniforme et a fait son choix. » Les Tsiganes furent transportés en bus de Maxglan vers le Mittenwald. Rosa Winter se souvient encore que tous étaient très heureux d'avoir échappé aux conditions de détention épouvantables. Devenus figurants pour *Tiefland,* ils furent suffisamment nourris, soignés et logés – mais ils étaient constamment sous bonne garde. Aujourd'hui, Rosa Winter affirme que la réalisatrice était tout à fait aimable et gentille avec les figurants. Riefensthal s'est-elle jamais demandé ce qu'il adviendrait d'eux ensuite ?

Après la guerre, on l'a accusée d'avoir su qu'après la fin du tournage les Tsiganes seraient déportés à Auschwitz et exterminés. Il est invraisemblable qu'en 1941 on ait effectivement prononcé le nom d'Auschwitz. Mais Leni Riefenstahl avait bien vu dans quelles conditions les Tsiganes étaient internés à Maxglan. Elle ne peut pas ne pas avoir compris qu'un triste sort attendait ses figurants.

On ne saura jamais ce qu'elle connaissait effectivement de l'Holocauste. Pour sa part, durant des décennies, elle a répété constamment les mêmes phrases. Dans ses *Mémoires*, elle affirme même que les Tsiganes étaient ses « préférés » : « Nous les avons tous revus après la guerre. » Mais presque aucun de ses figurants n'a survécu à Auschwitz.

Leni Riefenstahl elle-même n'a fait déporter personne, elle n'a tué personne non plus. Mais elle doit reconnaître un fait : elle a utilisé toutes les possibilités que lui offrait un État fondé sur le mépris du genre humain. Elle a employé des gens qui avaient l'air « différents ». Et le régime qui les lui a fournis était précisément celui qui les avait exclus, les avait enfermés et, au bout du compte, les assassinerait.

La fin de la guerre marqua une une rupture profonde dans la vie de Leni Riefenstahl. L'« heure zéro », si souvent mentionnée, et que la plupart des Allemands ressentirent comme une libération, ramena aussi la réalisatrice au point zéro. Elle n'a pas filmé les ruines de l'empire auquel elle devait son triomphe. À Kitzbühel, des soldats américains interpellèrent immédiatement la célèbre réalisatrice, et l'emmenèrent avec des nationaux-socialistes de haut rang dans un camp de transit. Irving Rosenbaum fut l'un des officiers chargés de son interrogatoire. Ce citoyen juif émigré d'Allemagne à l'âge de dix-sept ans, qui était revenu dans son pays natal avec les troupes américaines, connaissait très bien le nom de la cinéaste. « Enfant, j'avais vu ses films de montagne. Mais la femme que nous devions interroger à présent était l'auteur des tristement célèbres films de propagande des nazis... Elle paraissait bouleversée, à bout de nerfs », se rappelle-t-il. Alors qu'elle-même a dit se remémorer surtout les photos des camps de concentration qu'on lui montra alors, le rapport d'interrogatoire, que l'on peut consulter aujourd'hui dans les archives américaines, constate, lapidaire : « Mlle Riefenstahl est surtout

Sur le tournage de Tiefland.

J'avais entendu parler de Dachau et de Theresienstadt. Pour tous les autres camps, je n'ai été au courant qu'après la guerre.

Leni Riefenstahl

Elle est parvenue à n'avoir aucune idée de ce dont elle ne voulait avoir aucune idée.

Margarete Mitscherlich,
psychanalyste et écrivain

Nous étions tous dans un camp de transit. Elle est arrivée avec la police et elle a choisi les gens.

Rosa Winter, figurante dans Tiefland

inquiète pour son film *Tiefland.*» Ses autres déclarations consignées par les Alliés sont aujourd'hui bien connues. Elle a répété à d'innombrables reprises, depuis 1945, la plupart de ces phrases : on l'a forcée à tourner les films sur les congrès du parti. Elle a été persécutée par le ministère de la Propagande, et elle n'avait aucune idée de ce qui se déroulait dans les camps de concentration.

Les interrogatoires du début de l'année 1945 furent à l'origine des légendes que Leni Riefenstahl tissa autour de sa vie. Au cours des trois procédures de dénazification, qui durèrent plusieurs années, furent examinées ses relations avec le national-socialisme. À deux reprises, on prononça un non-lieu ; au terme de la troisième procédure, elle fut classée parmi les « suivistes », le niveau le plus bas dans la hiérarchie établie par les Américains. Une suiviste, donc, comme un trop grand nombre d'autres personnes dans l'Allemagne nationale-socialiste. Après ce jugement, on aurait pu définitivement classer le « cas Riefenstahl ». Mais il n'en fut pas ainsi.

Du point de vue professionnel, Leni Riefenstahl a mis du temps à reprendre pied après la guerre. Elle n'a plus jamais réalisé de film. Contrairement à une opinion largement répandue, cela ne tenait pas à une quelconque interdiction professionnelle. Elle-même se considérait plutôt comme un bouc émissaire, une victime expiatoire de l'Allemagne de l'après-guerre payant pour tous ceux qui avaient su camoufler des actes ignobles et beaucoup plus graves. Les ressentiments auxquels Leni Riefenstahl a dû faire face étaient cependant en grande partie la conséquence de la position qu'elle avait elle-même choisie. Même lorsque les dossiers ou les témoignages eurent, sur de nombreux points, réfuté ses « souvenirs », elle continua à voir des complots partout et à répondre à la critique par des contre-attaques qui lui valurent une réputation d'« incorrigible ». Elle ne discutait pas, elle faisait des procès – contre tous ceux qui voulaient la rapprocher, ne fût-ce que par allusions, de la politique nationale-socialiste ou de ses chefs. Elle a gagné la plupart de ses procès, mais elle y a perdu sa réputation.

Si elle eut du mal à faire son retour à la vie professionnelle, ce n'est pas qu'on ne voulait pas d'elle, mais plutôt

Leni Riefenstahl avec un Nouba.

Aucune autre femme du XXe siècle n'a été autant vénérée et calomniée à la fois.

Jodie Foster

qu'elle ne pouvait plus faire ce qu'elle voulait. C'est la disparition subite de son cadre de production habituel qui fit échouer la quasi-totalité de ses projets. Ses thèmes et son style étaient dépassés. Elle ne pouvait plus puiser dans des budgets quasi illimités. Elle ne disposait plus d'une équipe de tournage bien rodée, des images d'un Hans Schneeberger, de l'inventivité d'un Hans Ertl ou du dévouement d'un Guzzi Lantschner. Ses conditions de travail n'étaient ni pires ni meilleures que celles des autres.

Ce n'est pas comme réalisatrice mais comme photographe qu'elle réussit son come-back. En novembre 1962, elle partit avec une expédition dans le village soudanais de Tadoro pour y découvrir « ses » Noubas. La vie dans cette tribu, qui n'avait pratiquement pas été touchée, à l'époque, par la culture occidentale, fut pour Leni Riefenstahl un retour au paradis, car parmi les Noubas elle était une femme sans histoire. Le documentaire photographique qu'elle réalisa sur les différents groupes nubas fut un succès, même si on lui reprocha d'avoir une fois de plus mis en valeur l'héroïsme et la force. « Ils sont si beaux. Ce n'est pas moi qui les ai faits, c'est le bon Dieu », répliqua la photographe.

En 2002 Leni Riefenstahl est devenue centenaire. L'attitude générale face à elle s'est sensiblement transformée. On s'est mis à admirer la vieille dame pour son impressionnante vitalité. Dans le monde entier, les expositions de ses photos et les diffusions de ses films se sont multipliés. Steven Spielberg, la star du cinéma américain, s'est dit intéressé à l'idée de rencontrer Riefenstahl ; son collègue George Lucas reconnaît volontiers avoir fait quelques emprunts au *Triomphe de la volonté* pour certaines scènes de sa *Guerre des étoiles*. La comédienne et productrice américaine Jodie Foster veut porter sa biographie à l'écran. « C'est l'une des femmes les plus intéressantes du XXe siècle », a-t-elle dit de la réalisatrice allemande.

Une renaissance de Leni Riefenstahl ? Ce qui est sûr, c'est que la propagandiste s'est éclipsée au profit de la grande artiste – une grandeur qui ne fait aucun doute. Les années de la critique virulente sont révolues. L'âge de cette vieille dame a dissuadé les critiques de lui reprocher des erreurs remontant à un demi-siècle. On n'a jamais cessé de parler d'elle. Mais il n'a jamais été vraiment possible de parler avec elle, car elle s'est toujours refusée à analyser en profondeur les mobiles de sa création sous le Troisième Reich. Dans ses films comme dans sa vie, il n'y a jamais eu de dégradés, juste du noir et du blanc, du bien ou du mal. Elle n'a jamais voulu faire de nuances. Et ses souvenirs figés sont devenus sa vérité.

Leni Riefenstahl est morte dans son sommeil au soir du 8 septembre 2003, près de Munich.

Zarah Leander

La diva

Je chante des chansons qui dans quatre-vingt-dix pour cent des cas parlent d'amour. Parce que pour quatre-vingt-dix personnes sur cent, l'amour est plus important que la politique. C'est ma conviction.

Où est-il donc écrit que les artistes, justement eux, doivent comprendre quelque chose à la politique ? Je suis presque heureuse que l'on m'ait collé l'étiquette d'« idiote politique ».

Au cinéma et sur la scène je n'ai jamais joué qu'un seul rôle, dans toutes sortes de costumes et dans différents milieux : le rôle de Zarah Leander.

J'ai voulu partir pour l'Allemagne et je ne l'ai jamais regretté, jamais. On ne peut pas s'imaginer tout ce que j'ai appris en Allemagne. Ce sont les Allemands qui ont modelé ma vie.

La UFA a apposé son sceau sur moi ; j'ai donc été forcée de rester.

La politique ne m'intéresse pas. Que les messieurs en fassent s'ils le veulent.

Dieu sait qu'Hitler avait autre chose à faire que de jouer à la canasta avec moi. Pour moi, c'était avant tout une voix qui hurlait dans le poste de radio et que je coupais immédiatement, car je suis sensible aux sonorités agressives ; cette personne, avec moustache et toupet, vue sur des milliers de photos et dans des centaines d'actualités hebdomadaires, me paraissait incompréhensible.

Je suis la Leander, et cela doit suffire.

Zarah Leander

Zarah n'était ni nazie ni antinazie, elle voulait faire carrière.

Douglas Sirk

Cette femme touchait un point de l'âme allemande, ce beau kitsch, l'âme kitsch qui réside en l'homme allemand. Et elle a tourné des films monstrueusement kitsch.

Will Quadflieg, comédien

Lorsqu'on est une personnalité employée dans une dictature, quel que soit son nom, on est forcé d'obéir. Sans cela, on se retrouve en prison. Même une Suédoise aurait pu finir en camp de concentration. À tout prendre, j'aurais préféré, moi aussi, chanter pour appeler les Allemands à tenir bon.

Evelyn Künneke, chanteuse et comédienne

Une très grande femme opulente, avec le teint, les petites taches de rousseur d'une rousse, et une bouche d'une fabuleuse beauté.

Ilse Werner, chanteuse et comédienne

Zarah affrontait le destin avec une patience de madone, elle symbolisait un type de bravoure avec lequel chaque individu aurait aimé pouvoir faire face aux coups du sort ; et combien de coups de ce type les Allemands avaient dû encaisser depuis 1918 ! Zarah était un mode d'emploi ambulant.

Cornelia Zumkeller, historienne du cinéma

Ma mère a eu le sentiment que désormais elle pouvait obtenir ce qu'elle voulait vraiment : un vrai succès à l'étranger. Et la UFA était presque aussi connue que Hollywood. Ma mère a eu la possibilité de partir pour Hollywood, mais elle a refusé. Elle ne voulait pas s'éloigner de la Suède. Elle était véritablement, profondément suédoise, et elle avait l'impression que la Suède était à deux pas. Mieux valait aller à Berlin que partir pour Los Angeles, à l'autre bout du monde.

Göran Forsell, fils de Zarah Leander

Elle avait du mal à gagner sa vie et à nourrir sa famille. Elle voulait plus d'argent, et c'est pour cela qu'elle est allée chez les nazis. C'était bon pour elle, et sa situation financière s'est radicalement transformée. C'est ainsi qu'elle est devenue très, très riche.

Ingrid Segerstedt-Wiberg, femme politique suédoise

Le rideau s'ouvre, et l'on découvre la star dans une mise en scène spectaculaire : des femmes dont les visages sont dissimulés par des boas en plumes forment une pyramide. Au milieu, tout en blanc, comme un ange, la chanteuse Zarah Leander. Lorsque résonne sa voix basse et expressive, le timbre sombre et chaud paraît faire vibrer jusqu'au dernier recoin de la salle pleine à craquer, et même se glisser sous la peau des spectateurs.

« Je sais qu'un jour surviendra un miracle, alors mille fables deviendront réalité... » chante la diva en allongeant les voyelles et en roulant les *r*.

La « divine » se tient sur un podium, parée de cinq plumes gigantesques, vêtue d'une longue tenue ornée de strass – une incarnation de la « pure féminité ».

« Je sais qu'aucun amour ne peut se dissiper aussi vite s'il est aussi grand, aussi merveilleux... » La musique enfle, soutenue par le chœur. On voit à présent de très près le visage de la chanteuse, mais elle paraît libre de toute attache terrestre : les yeux levés vers le ciel, le visage transfiguré, les joues mouillées de larmes, elle chante avec ferveur :

« Et c'est pour cela qu'un jour surviendra un miracle, et je sais que nous nous reverrons. »

Comme des fleurs tendant leurs pétales vers le soleil, les femmes déplient alors leurs boas. Mais en y regardant de plus près, on reste bouche bée : les visages des créatures fleuries sont anguleux et durs. Ici et là, on croit même discerner l'ombre d'une barbe. L'expression est sérieuse, presque un peu malheureuse. Elles portent des vêtements informes dont les ceintures semblent ne rien souligner, comme si on les avait simplement jetés sur un cintre. Et même les seins ne semblent pas normaux : chez l'une ils sont trop hauts, chez l'autre trop bas, chez la suivante ils sont extraordinairement éloignés l'un de l'autre. « Le problème, pour cette scène, était de trouver des femmes aussi belles, aussi grandes et si possible aussi volumineuses que Zarah elle-même pour produire une image homogène et esthétique, se rappelle le comédien Wolfgang Preiss à propos de ce plan extrait du film *Le Grand Amour*, le plus beau succès de Zarah Leander. Mais on ne les a pas trouvées. Alors on est allé chercher les SS de la Leibstandarte Adolf Hitler : ils avaient une stature de gardes du corps et mesuraient tous la même taille. C'était au fond une solution idéale : c'était la guerre, la plupart des hommes avaient été enrôlés, et l'on aurait eu du mal à trouver les mensurations adéquates parmi ceux qui n'étaient pas partis. La Leibstandarte était composée de soldats professionnels, il suffisait de signer un ordre de mission pour les envoyer sur le plateau – et cela permettrait d'éviter de payer des figurants. Voilà pourquoi on ne trouve qu'une seule femme dans ce plan : Zarah, au milieu du ballet. Tous les autres étaient des travestis. On ne filma de visages de jolies jeunes filles que pour les gros plans. »

La Leibstandarte SS était la garde personnelle, l'armée privée d'Hitler. Elle s'était fait une réputation sanglante lors de la Nuit des longs couteaux, pendant laquelle Hitler avait fait liquider ses adversaires de la SA. Plus tard, devenue troupe d'élite de la Waffen-SS, on la redouta pour sa dureté au combat. Cette anecdote grotesque, qui fait partie de la petite histoire du cinéma, a une valeur quasi symbolique pour ceux qui veulent comprendre Zarah Leander : elle a toujours prétendu n'être qu'une artiste et ne rien avoir eu à faire avec la politique nationale-socialiste. Mais qu'elle le veuille ou non, elle était la diva du Troisième Reich. En tant que telle, elle n'était pas seulement un élément, mais un rouage artistique central d'un État inique. Il est tout simplement impossible de la considérer comme une artiste en l'isolant du Reich hitlérien : seule la dictature a fait d'elle ce qu'elle était. La revue que nous avons décrite résume parfaitement le « mythe » Zarah Leander. Une voix extraordinairement basse – presque celle d'un baryton –, qui vous donnait des frissons. Une star mise en scène par les cinéastes du Troisième Reich, et dont on avait fait une diva surréelle et inabordable. Elle fut l'interprète de *Je sais qu'un jour surviendra un miracle* – une chanson qui a fondé sa renommée mondiale, mais pour laquelle on l'a accusée d'avoir été, pendant la guerre, la voix de la propagande nazie. Et c'est aussi le cas du film d'où est tirée cette chanson : *Le Grand Amour*. Il raconte une histoire sentimentale en temps de guerre, et appelle les femmes à renoncer à l'amour au profit du combat pour la nation allemande.

Zarah était la vedette féminine la mieux payée de toute l'Allemagne nazie. Entre 1936, lorsqu'elle signa un contrat avec la UFA, et 1943, date à laquelle elle rentra dans son pays natal, la Suède, elle tourna dix films. C'est précisément une Suédoise solidement bâtie, aux yeux de feu et à la voix d'homme, un mélange de vamp et de mère primitive, qui devint le plus grand succès d'exportation du Reich, l'idole de millions d'hommes et de femmes. Une nation entière était à ses pieds. Mais qu'était véritablement Zarah Leander ? Une grande artiste ou une mise en scène ? Une « sirène nazie » ou une victime de la politique ? Une campagnarde innocente ou une carriériste plutôt futée ? Qu'est-ce qui relevait du mythe chez Zarah Leander, qu'est-ce qui était authentique ?

Lorsque Zarah Stina Hedberg était encore enfant, personne n'aurait pensé un seul instant qu'elle deviendrait une star. Surtout pas ses quatre frères, qui se moquaient de ses rondeurs, de ses taches de rousseur et de ses cheveux roux en bataille. Elle est née le 15 mars 1907 à Karlstad, en Suède, d'un marchand de biens mélomane et d'une mère qui l'éduqua avec sévérité. Celle-ci ne s'intéressait pas beaucoup aux beaux-arts, mais Zarah suivit à partir de 1911 des cours de piano et de violon ; en 1913, elle se produisit pour la première fois en public lors d'un concert Chopin. Mais sa formation musicale s'arrêta là. Mme Hedberg la destinait au rôle le plus courant à cette époque, celui de

Zarah Leander en Suède avec ses deux enfants, Boël et Göran.

Zarah n'était pas du genre à se reposer sur ses lauriers ; elle portait en elle orgueil et énergie.

Cornelia Zumkeller, historienne du cinéma

Ça n'était pas une jeune fille « aryenne », c'était une femme mûre, et elle avait déjà mis le cap sur sa légende.

Ilse Werner, chanteuse et comédienne

femme au foyer et de mère. Jusqu'en 1922, elle fréquenta un lycée, et vécut ensuite deux ans comme demoiselle de compagnie chez une amie de sa mère à Riga, où elle apprit à parler couramment l'allemand. Elle découvrit la vie culturelle de la grande ville, se rendit au théâtre et aux concerts, et se mit bientôt en tête de monter sur scène.

Sa première tentative fut cependant un lamentable échec : lors d'une audition à l'école de comédie du Théâtre dramatique royal de Stockholm, en 1926, Zarah fut écartée d'emblée. Elle tomba en revanche amoureuse d'un jeune comédien, Nils Leander, qu'elle épousa à l'âge de dix-neuf ans. Faute de revenus, le jeune couple alla s'installer chez les parents du garçon, dans l'Ostergötland, au fin fond de la province. Un an plus tard, Zarah mit au monde sa fille Boël, et deux ans après son fils Göran.

Avec son époux, elle monta pour la première fois sur les planches en 1927, dans la comédie musicale *Blanche-Neige*. Son engagement comme danseuse dans la troupe de la revue d'Ernst Rolf, près de Göteborg, en octobre 1929, marqua le début de sa carrière. Son mariage avec Nils Leander, qui buvait manifestement plus que de raison, battait déjà de l'aile à cette époque. Zarah le quitta, et le divorce fut prononcé en 1931.

Elle avait réussi son entrée dans le monde du théâtre. Mais le cachet qu'elle toucha pour avoir chanté un couplet malveillant sur la presse dans une revue était modeste, et elle avait le plus grand mal à joindre les deux bouts. Fermement décidée à remédier à cette situation, obsédée par sa carrière, portant dans son sac des lettres de recommandation apparemment présentables, la jeune artiste partit à la conquête de Stockholm. La même année, elle obtint un rôle dans la revue de nouvel an du Folkteater. Bien qu'elle fût hors normes, avec ses cheveux roux flamboyants et son mètre soixante-douze, sa beauté et surtout sa voix de contralto extraordinairement basse convainquirent les directeurs. Avec ses deux enfants en bas âge et sa mère – son père était mort entre-temps –, Zarah Leander loua un deux pièces, et prit même avec elle deux de ses frères, qui étaient encore scolarisés. Le poids de la responsabilité familiale, l'étroitesse de son logement et la misère de ces

Zarah Leander dans l'une de ses premières revues.

À l'époque on était à la recherche d'une nouvelle Garbo. Une Garbo allemande.

Zarah Leander

Zarah venait de l'étranger et n'avait pas de scrupules politiques. Elle était juste heureuse de pouvoir faire carrière d'une manière ou d'une autre.

Will Quadflieg, comédien

années de vaches maigres allaient devenir le moteur de tous ses faits et gestes. Zarah était fermement résolue à devenir une star et à surmonter ses problèmes financiers: «L'argent qui manquait, il fallait le remplacer par la volonté. Il fallait que je perce, il fallait que je monte. J'étais comme une jeune jument enflammée tout juste sortie de son box, et qui galopait à perdre haleine. Les mouvements de la bête étaient certainement encore gauches, ses hennissements encore sauvages et rauques, mais elle avait en elle quelque chose qui captivait les auditeurs. Et des étincelles jaillissaient autour de ses sabots. Comme de la poussière d'étoiles. Comme l'éclat des projecteurs.» On allait le voir plus tard, ni la politique ni la morale ne la détourneraient de l'objectif qu'elle s'était fixé.

Au cours des années qui suivirent, Zarah Leander joua dans de nombreuses revues, opérettes et comédies en Suède, et entreprit des tournées dans les pays scandinaves. Gösta Ekman, illustre comédien et directeur de théâtre suédois, lui apporta son aide. En Allemagne, on l'avait vu dans le *Faust* de Murnau. Dans le rôle-titre de *La Veuve joyeuse*, Zarah remporta avec lui, à Stockholm en 1931, un véritable triomphe. Mais elle refusait de se conformer à ses visions d'avenir. «Il ne voulait pas faire de la Leander une simple diva d'opérette, mais aussi une tragédienne et une comédienne à part entière, écrivit plus tard un collègue d'Ekman. S'il ne put réaliser ces projets, cela ne tenait pas à lui, mais au fait qu'elle s'intéressait plus au succès financier qu'à la réussite artistique.» Dans ses Mémoires, Zarah approuve ce commentaire malveillant, mais elle ajoute: «Ce qui me poussait, ça n'était pas seulement la cupidité. Je devinais avec une assez grande certitude où se situaient mes limites.» Bien qu'elle fût seulement au début de sa carrière, elle fut assez intelligente et fit preuve d'un assez grand professionnalisme pour comprendre que son capital n'était pas son talent de comédienne mais sa voix. Dès 1930, elle signa un contrat avec la maison de disques Odeon. Avant de partir pour Berlin, elle avait déjà enregistré soixante disques, assurant ainsi ses arrières sur le plan financier.

En Suède, Zarah Leander fit aussi ses débuts dans le long métrage. Mais ces premières tentatives sur grand écran furent laborieuses et médiocres. Dans *Les Mystères de Dante* (1930), elle jouait le rôle d'une jeune et jolie sorcière qui chevauchait un balai en chantant une rengaine. Dans la comédie *Le Faux Millionnaire* (1931), elle incarnait une vamp mondaine. Sa prestation de comédienne y était plutôt médiocre, mais son profond décolleté était spectaculaire. Dans son troisième film suédois, *Scandale*, elle tint en 1935 le rôle d'une étoile montante, c'est-à-dire en grande partie son propre rôle. Plus tard, à la UFA, elle peaufinerait ce personnage jusqu'à la perfection. C'est Vienne qui allait lui servir de tremplin et lui permettre de poursuivre son ascension.

Le nom de Zarah Leander était désormais bien connu en Scandinavie. Lorsque le comédien et réalisateur danois Max Hansen lui proposa de participer à Vienne à l'opérette *Axel à la porte du ciel*, de Ralph Benatzky, elle accepta aussitôt. Après sept années de théâtre en Suède, elle avait le sentiment de piétiner. Elle aspirait à de nouvelles aventures. Avec son deuxième époux – et manager –, Vidar Forsell, elle partit pour l'Autriche. Forsell, un homme élégant, était le fils d'un directeur de théâtre et exerçait la profession de journaliste. Ils avaient fait connaissance un jour où il devait écrire un article sur un de ses spectacles. Ils se marièrent en septembre 1932. Forsell adopta les enfants de Zarah, abandonna son poste et se consacra désormais exclusivement à la carrière de son épouse, qui commençait à suivre une trajectoire fulgurante. *Axel à la porte du ciel* fut un succès extraordinaire : Vienne tout entière fut bientôt aux pieds de la Suédoise, qui y était jusqu'alors inconnue. « Elle était renversante, raconte la comédienne Ilse Werner. C'était une personnalité extraordinaire, avec cette chevelure rousse flamboyante, et puis elle chantait avec cette voix un peu cassée. Elle était fabuleuse, une vraie bombe. Une star était née du jour au lendemain. » C'est du reste le rôle qu'elle tenait dans l'opérette ; le modèle du personnage était Greta Garbo. La chanson que Zarah entonnait au Theater an der Wien était certes faite pour « la Divine », mais elle annonçait déjà la carrière de « la Leander ».

Je suis une star. Une grande star avec ses lubies.
Tel est le verdict, messieurs, n'est-il pas vrai ?...
Une star de cinéma, le rêve de milliers de jeunes filles.
Star de cinéma, idole de notre temps.
Les plus petites villes proclament ta gloire
Et ta beauté, tu es unique !
Star de cinéma, idole du siècle !
Chacun souhaite être à ta place.
Mais la lumière vive des projecteurs
Cache au monde mon vrai visage.
Au fond de mon cœur je suis seule.

Le succès enivrant qu'elle connut sur les planches du fameux Theater an der Wien lui valut son premier engagement dans un film de langue allemande. C'était en Autriche, en 1936, et il s'intitulait *Première*. Là encore, Zarah Leander y jouait son propre rôle, celui d'une star de revue. Bien que dans cette fiction elle apparaisse fréquemment sous un jour défavorable (le réalisateur, Geza von Bovary, aurait dit de ses hanches puissantes : « Elle a une croupe de cheval de trait »), *Première* remplit les salles, et l'on célébra Zarah comme une découverte. « Elle avait une voix extraordinaire et un puissant charisme, un rayonnement fantastique, se rappelle la chanteuse Evelyn Künneke. Et avec ça une grâce de jeune fille qui lui venait du fond de l'âme, quelque chose de mystérieux et d'indescriptible : cela fascinait les gens. » Mais Vienne n'était pas la seule ville où l'on s'intéressait à Zarah Leander : Berlin aussi la surveillait de près.

À cette époque, le cinéma allemand était à la recherche d'une star. Les nazis voulaient rivaliser avec leur modèle, Hollywood, et rêvaient de le dépasser. Mais Marlene Dietrich avait quitté l'Allemagne en 1930 pour se rendre en Amérique, et malgré de multiples offres faramineuses faites par Goebbels personne n'avait pu la convaincre de revenir. Ingrid Bergman ne tourna qu'un seul film en Allemagne et poursuivit elle aussi sa carrière en Amérique, alors que la Suédoise Greta Garbo y triomphait déjà. Il manquait au paysage cinématographique du Reich une diva de grande classe, parée d'une aura internationale et d'un exotisme mondain. C'est certainement ce « complexe Garbo » qui orienta l'attention sur Zarah Leander, qui parodiait justement la Divine avec tant de succès à Vienne.

« Nous sommes convaincus que le film est l'un des moyens les plus modernes et les plus efficaces pour influencer les masses », écrivit un jour Hitler à son ministre de la Propagande, Joseph Goebbels. Celui-ci se considérait comme un « amateur passionné de l'art cinématographique » et comme son parrain. En toute logique, dès la prise du pouvoir par Hitler, il s'était proposé de faire main basse sur l'industrie du cinéma. La Chambre du cinéma du Reich, à laquelle tout comédien devait adhérer, fut un instrument de répression et élimina immédiatement les artistes « non aryens ». Le grand exode commença : les scénaristes Billy Wilder, Walter Reisch et Robert Liebmann, les réalisateurs Fritz Lang, Wilhelm Dieterle et Max Ophüls, les compositeurs Hanns Eisler et Kurt Weill, mais aussi des comédiens comme Asta Nielsen, Peter Lorre et Conrad Veidt laissèrent de terribles vides.

Seules trois grandes sociétés de production allemandes avaient survécu à la crise économique mondiale. Malgré leurs déficits d'exploitation, elles comptaient encore parmi les principales concurrentes d'Hollywood. Il s'agissait de la Universum Film AG (UFA), de la Tobis et de la Terra. Pour pouvoir placer l'industrie cinématographique sous son contrôle total, Goebbels décida en 1933 la création de la Filmkreditbank (Banque du crédit cinématographique) qui, jusqu'en 1937, assura le préfinancement de près de la moitié des longs métrages de fiction. Bien évidemment, seuls ceux qui plaisaient aux détenteurs du pouvoir bénéficiaient de cette manne. « L'art est libre, avait promis Goebbels, mais il devra répondre à certaines normes. » Une loi sur le cinéma donnait au « dramaturge du cinéma du Reich » – entendez Goebbels lui-même – la possibilité de vérifier les scénarios, de proposer des modifications sur les films achevés et d'interdire ceux qui attentaient à la « sensibilité nationale-socialiste ou artistique », mais aussi d'attribuer aux productions des mentions – « de grande valeur artistique et politique », par exemple. À l'Office de vérification du cinéma, la voix du ministre de la Propagande était désormais décisive. Il intervenait même en personne dans les distributions. Figuraient sur la « liste 1 » ceux qui jouissaient des faveurs particulières d'Hitler ou de Goebbels. Un nom allait bientôt y apparaître en bonne place et à titre permanent : Zarah Leander. Goebbels se réservait le privilège de choisir les comédiens de la nouvelle génération, et s'occupait volontiers en personne des jeunes actrices. Les artistes « indésirables » se retrouvaient sur la liste noire et ne pouvaient plus figurer dans aucune distribution.

En 1942, Goebbels avait totalement nationalisé l'industrie allemande du cinéma, et l'avait regroupée sous la tutelle de la UFA-Film GmbH. À partir de cette date, un « intendant du cinéma du Reich » fut responsable de l'« orientation intellectuelle » et artistique de la production. Cette fonction fut occupée par Fritz Hippler. Toute la création cinématographique était désormais placée sous le contrôle de Goebbels. Au sein de la Wehrmacht, on constitua des « compagnies de propagande » dont la mission était de fournir des documentaires sur les opérations militaires. Les amateurs de cinéma devaient subir, parfois pendant une heure, les actualités hebdomadaires ou des « films culturels » avant de pouvoir assister au long métrage. Mais lorsque la UFA chercha une nouvelle star internationale, en 1936, elle était encore à peu près indépendante – en tout cas, Goebbels n'y avait pas encore le dernier mot.

Le premier à voir se produire Zarah Leander à Vienne fut Carl Froehlich, l'un des réalisateurs allemands les plus prestigieux. Mais c'est seulement lorsque Hans Weidemann, vice-président de la Chambre du cinéma du Reich, eut auditionné Zarah et émis un avis enthousiaste qu'on soumit à la jeune femme une proposition. Assisté de son époux Vidar Forsell, elle allait signer le 28 octobre 1936 avec la UFA un contrat tout à fait avantageux. Elle s'engageait à participer à trois films au cours des deux années suivantes, et elle était autorisée à choisir les scénarios elle-même. Pour cela elle recevait deux cent mille Reichsmark, dont cinquante-trois pour cent devaient être directement virés à Stockholm, en couronnes suédoises. Au terme de ces deux ans, son cachet pourrait faire l'objet d'une renégociation. À titre de comparaison, le salaire mensuel moyen d'un

Avec son deuxième mari, Vidar Forsell, à Stockholm.

Entre 1933 et 1945, Zarah fut la seule comédienne qui, malgré des offres alléchantes de l'Angleterre et de l'Amérique, choisit l'Allemagne.

Cornelia Zumkeller, historienne du cinéma

Elle ne voulait pas devenir allemande, elle était suédoise et voulait le rester.

Göran Forsell, fils de Zarah Leander

ouvrier allemand s'élevait alors à cent quarante-quatre Reichsmark, celui d'une ouvrière à quatre-vingt-treize Reichsmark. En outre, conformément aux ordres d'Hitler, les artistes de premier plan purent déduire à partir de 1938 quarante pour cent de leurs revenus imposables au titre des frais de représentation. Zarah Leander gagnerait même plus que ses célèbres collègues Emil Jannings, Hans Albers ou Heinz Rühmann.

À la même époque, Zarah aurait reçu plusieurs offres d'Hollywood. L'Angleterre, elle aussi, était intéressée. Une petite entreprise de production lui avait même fait faire en 1934 des bouts d'essai avec la chanson *I've written you a love song*, mais n'avait pas donné suite. On s'est beaucoup demandé pourquoi Zarah Leander avait préféré le Reich d'Hitler. Elle a expliqué que des considérations familiales avaient motivé sa décision : « Aux lettres sur papier chic, portant en en-tête des noms connus, comme Pathé, Metro-Goldwyn-Meyer ou UFA, succédèrent parfois les visites de messieurs élégants qui venaient me voir dans ma loge. L'essentiel, c'était que mon travail ne soit pas trop éloigné de chez moi, c'est-à-dire de la Suède et des enfants. Au bout de quinze jours à Vienne, j'étais déjà prise du mal du pays, et cela ne changea jamais. Mieux valait Londres qu'Hollywood, mieux valait Berlin que Londres – c'était notre idée. » On ignore toutefois si Hollywood lui proposa effectivement des contrats. À cela s'ajoute le fait que Zarah ne parlait pas anglais et que dans l'usine à films qu'était Hollywood elle aurait dû recommencer à zéro. « Que serais-je devenue sans l'Allemagne ? Numéro dix en Amérique ? Rien du tout ! J'ai voulu partir pour l'Allemagne, et je ne l'ai jamais regretté, jamais. On ne peut pas s'imaginer tout ce que j'ai appris en Allemagne. Ce sont les Allemands qui ont modelé ma vie », admit-elle en 1974 dans une interview accordée à la radio Nord-Deutscher Rundfunk.

Malgré la dictature, l'Allemagne, avant le déclenchement de la Seconde Guerre mondiale, était bien sûr un État reconnu avec lequel les autres pays entretenaient des relations diplomatiques. Pour les comédiens qui voulaient faire carrière, Babelsberg était même l'une des meilleures adresses. C'est là que la Suédoise Ingrid Bergman mais aussi Greta Garbo tournèrent leurs premiers films. Derrière la belle apparence d'ouverture au monde qu'Hitler tenta de mettre en scène aux jeux Olympiques de 1936, un État de non-droit dictatorial se mettait en place. Cela, Zarah Leander le savait mieux que la plupart des gens. Dans ses Mémoires, elle a certes mis soigneusement entre parenthèses les questions politiques. On peut aussi comprendre que, confrontée aux crimes monstrueux qui furent commis au nom d'Hitler, la plus grande star du Reich nazi ait préféré qu'on la considère après coup comme une « idiote politique ». Mais dès le début de sa carrière, Zarah Leander fut en contact avec la politique, et plus étroitement qu'elle ne voulut bien l'admettre par la suite. En même temps que Gösta Ekman, l'artiste montante venue de Suède fit la connaissance du réalisateur, comédien et dialoguiste Karl Gerhard. Il s'enticha aussitôt de Zarah et la prit sous sa protection. Tous deux furent bientôt liés par une profonde amitié. De 1932 à 1936, il travaillèrent en étroite collaboration.

Karl Gerhard faisait partie de la gauche suédoise, et ses textes de chansons satiriques ne laissaient pas plus de doutes sur ce point que ses mises en scène. L'éditeur libéral Torgny Segerstedt était quant à lui l'un des grands noms de la gauche suédoise et un adversaire résolu du nazisme. Dans sa maison de Göteborg, artistes et intellectuels se retrouvaient régulièrement pour débattre de la situation politique en Europe, et tout particulièrement en Allemagne. Hitler s'était arrogé le pouvoir législatif et avait mis la démocratie hors circuit. Le début du boycott contre les commerçants juifs, l'interdiction des partis et la persécution des dissidents, la manipulation des élections au Reichstag mais aussi et surtout la promulgation des lois de Nuremberg, en 1935, privant de leurs droits les Allemands de confession juive, donnaient suffisamment de motifs d'inquiétude. Karl Gerhard participait souvent à ces discussions, et Zarah Leander l'accompagnait. « Nous tous, et Karl Gerhard en tête, nous étions très hostiles à Hitler, et aux nazis en général », raconte la fille de l'éditeur, Ingrid Segerstedt-Wiberg. Zarah Leander, cette prétendue « naïve en politique », connaissait donc très bien la situation en

Allemagne et les arguments contre le régime nazi lorsqu'elle décida de partir pour Berlin. En chantant avant 1936 les textes que Karl Gerhard avait écrits pour elle, elle avait en outre adopté une attitude politique sans ambiguïté – c'est du moins ce que pensaient à l'époque ses amis suédois. La chanson *À l'ombre d'une botte,* que Zarah interpréta en 1934 dans la revue estivale *Mon aimable fenêtre* au Volkstheater de Vienne, devint un tube antinazi. Elle dénonçait la misère des Juifs et la privation de liberté dans le Reich d'Hitler.

Je suis à l'ombre d'une botte,
Enchaînée à de gros piliers.
Un reste d'esprit prussien
Et d'esclavage
Dans la Babylone antique…
Car l'art a une noblesse
Qui se dresse éternellement
Au-dessus du temps et de la race.
Il ne se courbe pas
Devant la censure du soldat.
L'esprit et l'extase
Peuvent être chassés du pays, mais on ne les tue pas.
L'Europe perd la raison.
Nous marcherons vers la culture
Lorsque nous sortirons
De l'ombre de Babylone.

« Personne ne chantait cette chanson aussi bien qu'elle. Nous avons donc été très étonnés de la voir soudain partir pour Berlin, se rappelle Ingrid Segerstedt-Wiberg. Dans un premier temps, nous n'avons pas compris. Nous étions tellement fiers d'elle, c'était notre star la plus célèbre. Mais ensuite, nous avons appris qu'elle avait noué des contacts avec Hitler et Goebbels et qu'elle acceptait la situation dans le Reich – bref, qu'elle avait en quelque sorte changé de camp. Nous avons été profondément déçus. »

Mais le groupe rassemblé autour de Karl Gerhard n'était pas le seul où l'on discutait en détail les dangers du régime hitlérien. Ses collègues du Theater an der Wien, le comédien et metteur en scène juif Max Hansen, l'auteur Hans

Weigel et le créateur d'*Axel à la porte du ciel*, Paul Morgan, avaient tous été mis sur la touche par le régime pour des « motifs raciaux ». Cela non plus n'avait pas pu échapper à Zarah Leander. « Elle n'a jamais été bête. Mais elle a été très pauvre et a eu des difficultés à nourrir sa famille, rappelle Ingrid Segerstedt-Wiberg, aujourd'hui députée libérale, pour expliquer l'indifférence de la star. Je peux comprendre qu'elle ait été frustrée, qu'elle ait voulu gagner de l'argent. Et lorsqu'elle s'est détournée de nous au profit des nazis, bien entendu elle y a gagné. Elle est devenue très, très riche. » Zarah Leander elle-même exposa un jour l'un des arguments pour lesquels elle avait choisi l'Allemagne : « En Amérique, les comédiens étrangers devaient verser quarante pour cent d'impôts. En Allemagne, on se contentait de quatre pour cent. » Son fils, Göran Forsell, confirme cette avidité financière : « Elle avait un rapport très physique avec l'argent. Elle voulait le toucher, elle ne croyait pas aux chèques ni aux banquiers. Quand quelqu'un lui disait : "Tu toucheras un chèque de cinq mille Reichsmark", elle demandait à être plutôt payée en liquide. » Zarah Leander saisit l'opportunité qui lui était offerte : devenir la star de l'un des empires cinématographiques du monde et recevoir en contrepartie des cachets princiers. Ce n'est pas sa conscience, c'est son orgueil qui lui dicta sa décision. Mais elle avait ainsi adopté une attitude politique, qu'elle l'ait voulu ou non. En acceptant d'être la grande vedette du régime national-socialiste, elle en devenait automatiquement la représentante. Après la guerre, elle ne pourrait pas s'étonner qu'on lui reproche d'avoir travaillé pour le Reich hitlérien.

L'engagement de Zarah en Allemagne n'alla pourtant pas de soi. Les représentants de la société cinématographique Tobis qui avaient vu le film *Première* en avaient conclu que sa voix était trop grave, et son personnage trop déconcertant pour qu'on puisse faire d'elle une star. Goebbels, lui aussi, eut dans un premier temps une réaction de rejet total : « Le soir, contrôle d'un film, *Première*, avec Zarah Leander. Rien de fameux, on ne fait pas de feu d'artifice avec un pétard mouillé », écrivit-il le 6 février 1937, et plus tard : « Regardé le film suédois avec Zarah Leander, pas de performance particulière. Je considère qu'on surestime beaucoup cette femme. » Mais le cinéaste autoproclamé se trompait.

La UFA, elle, misa sur sa nouvelle découverte. Aux yeux de ses dirigeants, Zarah Leander était un diamant brut qu'il fallait tailler. Le réalisateur de son premier film pour la UFA, *Paramatta, bagne de femmes*, Detlef Sierk (qui deviendrait Douglas Sirk) nota à ce propos : « À l'époque, la UFA avait besoin de nouvelles stars. La Harvey n'était plus là, et en réalité on voulait une star dans le style *Le congrès s'amuse*, une blonde un peu mutine. Je suis venu à Vienne et j'ai vu Zarah sur scène. Or elle n'était pas mutine et elle n'était pas blonde : elle était lente et avait un visage d'une invraisemblable beauté classique sur un corps un peu lourd, qui était cependant dissimulé par une tenue très ample. Plus tard, j'ai découvert qu'elle avait les hanches larges et qu'elle était lourde, lourde jusque dans la voix. Mais cette voix, qui était en réalité celle d'un baryton, a fini par me paraître excitante. J'ai eu le sentiment d'être en face d'un phénomène étrange. Mais la nouveauté est toujours liée à la bizarrerie et l'étrangeté. »

Avant même le premier clap à Babelsberg, la UFA travailla à faire d'elle une diva. Le responsable de la création de « la Leander » avait pour nom Carl Opitz. Pour éveiller la curiosité, on publia d'abord des articles dans la presse mise au pas. « À la fin de l'automne et durant l'hiver de cette année-là, on a gavé les journaux de documents et d'anecdotes sur la créature des forêts nordiques », se rappelle Zarah dans ses Mémoires. Dans le même temps, il s'agissait de mettre en valeur la beauté et l'exotisme de la Leander et de cacher ses défauts. « Les costumières m'ont étudiée et ont découvert que j'étais encore plus grande qu'elles ne le craignaient, que j'avais les épaules droites, que je ne portais jamais de soutien-gorge et que je marchais à travers la vie sur des pieds que seul pouvait apprécier un artisan bottier : tout devait être réalisé sur mesure. Le maquilleur et le perruquier se sont occupés de mes cheveux et ont constaté que Notre-Seigneur s'était forcément trompé en leur donnant cette teinte : Il ne pouvait pas avoir inventé volontairement cette nuance invraisemblable entre la betterave rouge et la carotte.» Mais le véritable problème de Zarah Leander, c'était la largeur de ses hanches. Avec des décolletés profonds et des tenues ondoyantes, les professionnels parvinrent toutefois à effacer cette «imperfection». Ce que leur art ne pouvait faire disparaître, Zarah le dissimula à la caméra en tenant habilement devant son corps de larges éventails, des écharpes et de grands sacs à main, ou en détournant l'attention avec d'immenses chapeaux. Sa haute stature, elle aussi, constituait un problème pour quelques-uns de ses partenaires masculins. Le séducteur Willy Birgel, qui devait jouer son amant, fut tout d'abord effrayé et refusa de tourner avec une femme plus grande que lui. Pour résoudre ce problème, Detlef Sierk fit construire un système de blocs de dix centimètres de haut à côté des rails de la caméra. «Désormais, Willy Birgel marcherait sur ces blocs, et elle à côté. Au début, Birgel a été gêné. Elle, elle était magistrale», se souviendra Sierk.

L'image de Zarah Leander passait cependant surtout par la «mise en scène» de son visage. La tête légèrement inclinée, les lèvres fines et d'un rouge sombre, fermées ou esquissant un léger sourire, le regard vers le haut, absent, comme dirigé vers l'horizon lointain: c'est ainsi que l'on présentait Zarah Leander en gros plan sur ses affiches et ses photos, mais aussi et surtout dans ses films. «Sensuelle, mondaine, érotiquement prometteuse, écrivit un critique. Hors d'atteinte et pourtant attirante, elle semble vouloir vous emporter dans son voyage dans l'imaginaire. Ici apparaît une femme vers laquelle on lève les yeux comme depuis son siège de cinéma vers l'écran. Une star qui ne veut pas être touchée, qui semble à la fois présente et absente. Elle utilise toute la palette des regards cinématographiques, elle "rehausse" ses personnages, les rapproche de nous jusqu'à les faire paraître surdimensionnés.» Le regard inimitable de Zarah Leander avait cependant une explication toute simple. «Elle était très myope, se rappelle la chanteuse Evelyn Künneke, et quand vous braquez une lampe de mille watts sur les yeux d'un myope, vous obtenez ce regard nostalgique.» On transforma la Leander en un personnage censé représenter la femme fatale mondaine, fascinante, hors d'atteinte, luxueuse et érotique. Les rapprochements avec le personnage de Garbo étaient tout à fait volontaires : « Je devais trôner, tout en haut, hors d'atteinte et donc incompréhensible, écrivit à ce propos Zarah Leander. Une fois encore, c'est le fantôme de Garbo qui rôdait ici : l'énigmatique, l'intangible, la mystique, la légende. »

Les efforts de la UFA pour bâtir le mythe de l'« inapprochable » touchèrent même sa vie privée. « Lorsque nous allions au restaurant, on lui donnait toujours une table dans un salon privé : elle ne pouvait pas manger en public avec sa famille sans être constamment dérangée », raconte son fils Göran Forsell à propos de leurs années berlinoises. Lorsque Zarah Leander voulait aller faire des achats, la UFA appelait d'abord le propriétaire du magasin pour lui demander de refouler tout autre client. « Ou bien nous attendions l'heure de la fermeture au Grand Magasin de l'Ouest : alors, elle pouvait se promener toute seule avec nous, les enfants, et elle pouvait dire : "Je voudrais essayer ceci, je voudrais avoir cela..." C'était incroyable ! » se souvient Göran.

L'image de la diva était soigneusement protégée. Aucune photo d'elle n'était publiée sans l'autorisation personnelle du chef du service de presse, Opitz. Si elle n'était pas à son avantage sur une photo, un peu trop en chair par exemple, on retouchait aussitôt le cliché. Le maître de la mise en scène de Zarah Leander était le photographe et cameraman Franz Weihmayr : dans la quasi-totalité des films qu'elle tourna pour la UFA, c'est lui qui dirigeait la caméra. « Franz Weihmayr faisait souvent des miracles avec moi, écrira Zarah. Je n'ai jamais été aussi belle dans la réalité que sur les images qu'il tournait. Il pouvait passer des heures à donner le bon effet lumineux à un seul gros plan. » Le plus souvent, Weihmayr filmait Zarah Leander en contre-plongée pour donner cette impression de hauteur, et l'éclairait beaucoup par l'avant. « En réalité, cet étrange visage restait identique quelle que fût la lumière, notera à ce propos Detlef Sierk. Il avait ce côté plat qui était aussi celui du visage de Garbo et convient très bien au cinéma ; en outre, il respirait toujours la tranquillité ; il ne cédait jamais à une quelconque nervosité. C'est vrai, la nervosité est extraordinairement intéressante sur un visage. Mais le contraire, le calme, l'aspect uni, est d'une beauté extraordinaire au cinéma. Des visages comme celui de Greta Garbo, ou encore celui d'Ingrid Bergman – beaucoup de Suédoises ont le même type –, on les appelait entre nous, jeunes réalisateurs, les visages de vache. Ces yeux tranquilles – ils sont déjà beaux chez les vaches – et ce calme, filmés, exerçaient une étrange fascination. J'avais l'impression que je pouvais filmer la Leander avec n'importe quel objectif, par exemple avec un grand angle qui déforme un peu tout. Ce visage-là, on pouvait tout lui demander. »

La sortie du premier film de Zarah pour la UFA, *Paramatta, bagne de femmes*, le 31 août 1937, fut mise en scène par Carl Opitz comme une cérémonie officielle : « La foule. De longues chaînes de policiers. De petits enfants avec des drapeaux et des fanions bleu et rouge. Des projecteurs comme sur un terrain de hockey sur glace. Une garde d'honneur ouverte par les motos de la police. Derrière, dans une voiture décapotable, l'escorte de la diva : huit fracs avec des hommes à l'intérieur. Oh, c'était somptueux ! Les premières, dans les grands cinémas berlinois, ont toujours été des spectacles fabuleusement pompeux. Ces soirs-là, les larges rues autour de l'église du Souvenir et de la gare du Zoo, où se situaient le Gloria Palast et le UFA-Palast am Zoo, étaient noires de monde », racontera Zarah Leander. C'est Detlef Sierk, le créateur de son personnage de « femme fatale affligée », qui a réalisé le mélodrame *Paramatta*. Elle y joue le rôle de la chanteuse Gloria Vane, une star du théâtre musical londonien qui va en prison à la place de son amant, lequel a commis une escroquerie. Nostalgique, l'héroïne attend l'homme infidèle qui l'a abandonnée. La représentation de la passion inassouvie fit désormais partie de son répertoire.

Les deux chansons *Je suis sous la pluie* et *Yes, Sir,* que Ralph Benatzky lui composa sur mesure, devinrent des airs à la mode. Les moments forts de ses films étaient toujours les passages chantés par la vedette. Les textes et les musiques des chansons étaient spécialement composés pour elle. Pour qu'on puisse les intégrer à l'action, Zarah jouait le plus souvent le rôle d'une chanteuse : meneuse de revue, interprète de comédie musicale, star du cinéma avec un passé de chanteuse, cantatrice ou plus généralement artiste « adulée ». Lorsque l'action n'admettait pas un rôle de ce type, on biaisait – par exemple, dans *Marie Stuart*, elle était une reine malheureuse douée pour le chant. Elle ne fut jamais une grande actrice. Les critiques estimèrent plus tard qu'au fond Zarah Leander n'avait jamais interprété des rôles, mais uniquement animé des costumes variés. Il est plus juste de dire qu'elle n'a jamais joué que son propre personnage : « Par mon âme, mes pensées et mes sentiments, je n'ai jamais pu me glisser dans la peau d'un autre être humain, écrit-elle dans ses Mémoires. Au cinéma et sur la scène, je n'ai jamais joué qu'un seul rôle, dans toutes sortes de costumes et dans différents milieux : le rôle de Zarah Leander. »

Paramatta ne fut certes pas un grand succès commercial, mais la critique, docile, acclama le film : « Par-dessus tout il y a l'éclat d'une voix. Elle est aussi enivrante que du vin lourd et sombre. Elle peut sonner avec autant de force que le son d'un orgue. Aussi translucide que le verre, aussi profonde que le métal. Il y a tout dans cette voix : la jubilation, le bonheur, la mélodie ivre de la vie et toute sa douleur sauvage. Et cette voix appartient à Zarah Leander, la grande comédienne, la tragédienne du cinéma allemand, que l'on vient juste de découvrir », écrivit le *Berliner Lokalanzeiger*. On ne pouvait de toute façon plus guère redouter d'éreintement depuis que Goebbels avait transformé les articles sur le cinéma en « considérations artistiques », avec ordre de ne rien écrire de négatif, sauf sur demande explicite des autorités. Une admiratrice de Zarah, Edeltraud Richter, encore une enfant à l'époque, se rappelle cependant l'enthousiasme sans limite que lui inspirait « la Leander » : « L'effet était indescriptible. J'étais là, toute petite, dans la salle de cinéma, et le visage de Zarah occupait tout l'écran. Elle était si belle à regarder, j'aurais pu rester là des jours et des nuits. Et ses chansons ! Ses textes ne m'intéressaient pas tellement, c'était surtout le son de sa voix. Et je n'étais pas la seule. Un silence total régnait dans le cinéma, et tout le monde écoutait, ravi. »

Le deuxième film qu'elle interpréta sous la direction de Detlef Sierk, *La Habanera* (1937), fut un véritable triomphe, et sa chanson *Le vent m'a dit une chanson* devint un tube,

Avec le ministre Joseph Goebbels.

Goebbels était un homme très intéressant. Il avait beaucoup d'humour et de compréhension. Ce qu'il a fait par ailleurs, ça n'est pas mon affaire.

Zarah Leander

La Leander pourra peut-être devenir quelque chose si on lui trouve un scénario et un réalisateur.

Joseph Goebbels, journal, 8 février 1937

y compris hors des frontières. Son partenaire dans ce mélodrame était Ferdinand Marian, qui jouera plus tard le rôle-titre du *Juif Süss,* ce film de propagande réalisé par Veit Harlan. Après la guerre, frappé d'interdiction professionnelle, il se suicidera en même temps que son épouse.

Même Goebbels, qui n'avait pas pressenti le rayonnement qu'aurait Zarah Leander, sa capacité à attirer le public et l'effet qu'elle produirait sur les spectateurs, dut alors le reconnaître : « Elle nous vaut d'immenses succès économiques. » À partir de ce moment-là, il la prit sous son aile. Zarah Leander avait réussi sa percée en Allemagne. Au cours des années suivantes, elle tournerait dix films sous l'égide de la UFA. Elle a toujours répondu à ceux qui lui reprochaient d'avoir été la voix des nazis qu'elle n'avait jamais joué que dans des films d'amour, et non dans des films de propagande. Mais dans le Reich d'Hitler, les mélodrames remplissaient eux aussi une fonction politique. Sur les plus de mille longs métrages de fiction qui sortirent entre 1933 et 1945, les comédies représentaient 48 pour cent, les mélodrames 27 pour cent et les films de propagande seulement 14 pour cent de la production globale. Goebbels estimait de toute façon que la propagande ne devait pas se faire à coups de marteau : « Je ne souhaite pas un art qui prouve son caractère national-socialiste en se contentant d'afficher les emblèmes et les symboles nationaux-socialistes, déclara-t-il en 1937 devant la Chambre du cinéma du Reich. D'une manière générale, un trait essentiel de l'efficacité est de ne jamais apparaître sous la forme que l'on aurait désirée. À l'instant où les gens prennent conscience qu'ils sont la cible d'une propagande, elle est inefficace. » On comprend alors pourquoi, à ses yeux, la distraction était une affaire relevant des intérêts supérieurs de l'État : « En ces heures critiques, l'optimisme aide à dépasser les difficultés et à écarter les obstacles. On ne gagne pas une guerre sans optimisme, expliquera-t-il aux « créateurs culturels » lors d'un congrès annuel. Plus nos rues sont sombres, plus nos théâtres et nos salles de cinéma doivent rayonner de l'éclat des lustres. Plus la période est difficile, plus l'art, consolation pour l'âme humaine, doit s'élever au-dessus d'elle. » Goebbels voyait dans le cinéma un « instrument national d'éducation » dont la mission était d'embellir la vie réelle. « Les films avec Zarah Leander suivaient le même principe que dans la Rome antique, estime aussi Will Quadflieg, qui joua avec elle dans *Cœur d'une reine*. *Panem et circenses*, du pain et des jeux pour le peuple. Ses films faisaient oublier tous les problèmes politiques. On attirait les gens au cinéma pour qu'ils ne réfléchissent pas. »

Il paraît étrange, au premier regard, qu'une étrangère soit devenue une star dans l'Allemagne d'Hitler. Mais paradoxalement, à une époque où presque tout de ce qui était étranger était proscrit, ce sont justement des artistes étrangers qui ont accédé à la gloire et reçu les honneurs de l'État nazi. D'abord, il n'y avait tout simplement aucune star internationale en Allemagne ; d'autre part, au moins au cinéma, on aimait à se parer d'« exotisme » : Marika Rökk était hongroise, l'actrice Olga Tchechova était une émigrée russe, la chanteuse à succès Rosita Serrano venait du Chili, Kristina Söderbaum de Suède, Johannes Heesters de Hollande. Même le grand amour de Goebbels, Lida Baarova, était tchèque. Zarah n'était pas seulement une étrangère : elle jouait aussi le plus souvent ce rôle, celui d'une « étrangère à l'étranger ». À une époque où la propagande soutenait l'idée d'une guerre de conquête allemande, Zarah interprétait une chanteuse de variétés londonienne, une Suédoise atteinte par le mal du pays, une soi-disant Américaine, une petite chanteuse hongroise, l'épouse d'un grand propriétaire foncier russe, une reine écossaise, une altiste d'opéra italienne ou une star de revue danoise. L'héroïne souffrait en Amérique du Nord et du Sud, en Australie, en Hongrie, en Écosse et dans le désert. Alors qu'Hitler allait déclencher la Seconde Guerre mondiale et isoler encore plus le Reich du reste du monde, Zarah Leander exerçait pour les Allemands une fonction de soupape. L'historien du cinéma Karsten Witte résume ainsi ce phénomène : « En Zarah Leander, le spectateur allemand expiait ses pensées coupables de bonheur lointain et de sensualité. Zarah entretenait le feu, elle préservait la braise, comme une promesse de bonheur dont les spectateurs, à son époque, étaient en réalité coupés depuis longtemps. » Plus le monde des Allemands se rétrécissait et se recroquevillait sur lui-même, plus l'usine à rêve, en projetant ses images du monde, satisfaisait les besoins de ceux qui fréquentaient les salles de cinéma. *La Habanera*, notamment, évoquait le désir de ce que l'on ne pouvait pas avoir. L'héroïne, une Suédoise, tombe amoureuse à Porto Rico d'un torero exotique, et rêve de vivre dans ce pays méridional. Mais à peine arrivée, elle regrette la neige de sa patrie. « Cette nostalgie éternelle, beaucoup de femmes la ressentaient, estime la réalisatrice Helma Sanders-Brahms, mais tant qu'on eut l'impression qu'il y aurait encore beaucoup de victoires, cela faisait partie des désirs des soldats : l'envie d'aller au loin – et puis de revenir chez soi. »

De toute évidence, Zarah Leander incarnait même à l'écran l'exact contraire de ce que l'on prônait sous le Troisième Reich. Ne fût-ce que par son physique, elle formait un contraste éclatant avec l'idéal nazi de la « femme allemande », qui devait être aussi blonde et avoir les yeux aussi bleus que possible, être chaste et proche de la nature. On rejetait toute forme de maquillage et le port de bijoux, les longues tresses ou les « macarons » étaient la coiffure recommandée, et il était bien entendu exclu de fumer. « La femme a pour mission d'être belle et de mettre des enfants au monde », affirmait Joseph Goebbels. La féminité travaillée et suggestive de Zarah Leander était une surface de projection pour les désirs des spectateurs, que les nazis assouvissaient ainsi à moindres frais. « La jeune ouvrière allemande blonde n'était pas forcément au goût de tout le monde avec son apparence physique puissante, résistante, coriace, cette sévérité envers soi-même et envers les autres, explique le comédien Wolfgang Preiss. Ici, tout d'un coup, on avait une femme plantureuse, attirante, qui excluait toute idée sexuelle mais suggérait l'érotisme, ou même l'amour. Une femme qui dégageait un certain côté maternel, une chaleur des sentiments – c'est ce qui faisait son charme. » Zarah Leander devint l'idole du public précisément parce qu'elle ne répondait pas à l'idéal nazi : « En réalité, le concept nazi de "racée" aurait dû désigner l'aryenne froide, blonde et discrète, commente Helma Sanders-Brahms. Mais ce n'était pas le cas : "racé", cela désignait justement cette personnalité opulente, lourde, qui rappelait le judaïsme, avec ces grands yeux, ces paupières lourdes et cette nostalgie profonde. C'est ce mélange qui a tellement fasciné les nazis en elle. » Ce qu'il y avait d'excitant, au fond, c'était l'interdit – même pour les pontes du régime.

Dans une dictature où l'ordre et l'obéissance, la rigueur morale et l'idéologie raciale donnaient le ton, Zarah Leander incarnait la transgression permanente. Son prénom, Zarah, rappelait celui que l'on tamponnait depuis 1938 sur le passeport des femmes juives pour les stigmatiser. Elle raconte dans ses Mémoires que Goebbels l'a effectivement interrogée un jour sur son prénom, ce à quoi elle a répliqué : « Et le vôtre, Joseph, monsieur le ministre ? », ce qui lui aurait arraché un éclat de rire. Elle était à la frontière entre l'homme et la femme, « une créature étrangement androgyne » dont le corps généreusement féminin résonnait d'une voix presque masculine. Ses chansons, elles aussi, traitaient constamment de l'interdit. Ses textes étaient insolents, émancipés, et même lascifs : *L'amour peut-il être un péché ?, Surtout ne pas pleurer d'amour*... Tout cela allait à l'encontre de la morale dominante et bousculait les tabous. Même après que le président de la Chambre du cinéma du Reich eut interdit d'utiliser des mots anglais dans les chansons populaires, Zarah chantait encore : « Je suis et je reste comme ça – *yes, Sir !* » La plupart de ses morceaux contenaient en outre des éléments de jazz, des tournures exotiques et des formes musicales comme le tango, la habanera et la csardas, ce qui ne correspondait pas du tout aux critères du « bon répertoire de la chanson allemande ». Mais le simple fait que Zarah, lorsqu'elle chantait ces chansons-là, apparût comme une créature exotique et lointaine permettait d'éprouver ces sentiments interdits sans égratigner sérieusement le code des vertus nationales-socialistes.

Apparemment, elle ne remettait même pas en question la place de la femme dans la société nationale-socialiste. « Avant tout, nous considérons la femme comme la mère éternelle de notre peuple. Et en deuxième lieu, nous la considérons comme l'éternelle compagne de la vie, du travail, mais aussi du combat de l'homme », disait Hitler en 1935. La place de la femme, à ses yeux, était à la maison. Après tout, le sauvetage de l'Allemagne dépendait « du dévouement avec lequel nos femmes et nos jeunes filles se consacrent de nouveau à la famille et au devoir maternel ». Zarah, elle, jouait toujours des rôles de femmes autonomes, exerçant un métier – avec succès, le plus souvent –, s'opposant aux normes et aspirant à une vie passionnée. Pour les femmes allemandes, qui furent d'abord réduites à de simples ventres avant de remonter sur la brèche « à l'arrière », lorsque la guerre eut éclaté, cette image pouvait servir de consolation et de succédané à leurs propres nostalgies.

Mais la leçon de morale ne manquait dans aucun film : le plus souvent, l'héroïne était punie pour son indépendance supposée et son besoin d'érotisme, et elle était condamnée à l'échec. Ainsi, donc, tandis que l'on reconnaissait à cette star exotique le droit de mener sa vie comme elle l'entendait, le destin des héroïnes qu'elle campait était une mise en garde contre les risques liés à la transgression de la norme. Qui plus est, Zarah jouait toujours le même type de femme : la grande amoureuse, celle qui souffrait de sa passion mais était prête à se sacrifier pour son mari ou son enfant. Lorsqu'elle incarnait la beauté de la souffrance, elle arrachait des larmes aux spectateurs. Personne, disait-on, ne pouvait avoir l'air aussi merveilleusement séduisant et malheureux qu'elle. « Quand on est jeune fille, on est particulièrement sensible sur ce point, se souvient Edeltraud Richter. Et à cette époque où l'on devait toujours avoir la démarche militaire et l'air impassible, où l'on n'avait pas le droit de pleurer, évidemment, on versait volontiers une larme de temps en temps, pour compenser. Dans *Le Chemin de la liberté,* notamment, on mourait pratiquement en même temps qu'elle, et l'on se promettait de courir à la prochaine projection pour la revoir. » Le désir de passion que ressentait l'héroïne n'était jamais assouvi. Lorsqu'il lui fallait choisir entre l'homme exotique et le brave homme, elle choisissait ce dernier, qui lui assurait sinon le véritable amour, du moins l'existence. Mais malgré son abnégation et son renoncement, cette « noble femme » conservait tou-

Avec Willy Birgel dans La Belle Hongroise.

Que serais-je devenue sans l'Allemagne ? Je ne suis pas sentimentale, mais que serais-je devenue ? Numéro dix en Amérique ? Rien du tout !

Zarah Leander

Il est possible qu'elle n'en ait pas eu conscience, mais elle a froidement utilisé les failles que ce système avait ouvertes, entre autres, dans l'industrie du cinéma.

Cornelia Zumkeller, historienne du cinéma

Les acteurs devaient faire ce qui se trouvait dans le scénario et ce que le réalisateur leur disait de faire. Et le réalisateur, naturellement, recevait ses directives du ministère de la Propagande.

Evelyn Künneke, chanteuse et comédienne

jours sa grandeur. « En cela aussi, elle incarnait des vertus allemandes comme la bravoure, la fidélité, le dévouement, mais aussi le renoncement au plaisir », affirme une critique.

Ce type de « rébellion » allait en outre tout à fait dans le sens des nazis, qui considéraient leur mouvement comme un courant de renouveau et de modernité censé s'opposer à la bourgeoisie pétrifiée de l'époque impériale et de la période de Weimar. Dans *Magda* (1938), de Carl Froelich, l'un de ses plus grands succès, Zarah Leander est une chanteuse mondialement célèbre qui, après une carrière en Amérique à la fin du XIXe siècle, rentre à Ilmingen, son village natal. Son père, interprété par Heinrich George, se rend compte qu'elle a été la maîtresse de l'actuel directeur de la banque et qu'un enfant est né de cette liaison. Il tente de la forcer au mariage avec cet homme cupide et malaimé. Avec sa chanson *Seul l'amour rend belle une femme,* l'artiste « débauchée » au décolleté profond tente de se défendre contre les braves bourgeoises choquées. Elle commence par s'insurger, puis finit par céder. Mais avant que le mariage n'ait lieu, son promis, convaincu d'escroquerie, met fin à ses jours. Elle peut alors épouser en toute quiétude l'organiste auquel la lie un véritable amour. « On démasque ainsi une morale conjugale déplacée et mensongère », exulta Goebbels à propos de ce film.

Magda fut un grand succès non seulement en Allemagne mais aussi sur le plan international. Il valut à Carl Froelich, en 1939, le Prix national du cinéma et le prix de la mise en scène à la biennale de Venise. Les prévisions des nationaux-socialistes se réalisaient : Zarah Leander était devenue une grande vedette internationale. Goebbels envoya quarante roses à la star.

Avec *Magda,* son troisième film, Zarah Leander avait rempli ses obligations. C'était à elle, désormais, de décider si elle prolongerait son contrat ou non. Entre-temps, la situation politique s'était durcie. Pendant le tournage de *La Habanera,* en 1937, à Ténériffe, on percevait très bien les effets de la guerre civile espagnole : des canonnières croisaient le long des côtes, et des affrontements armés avaient lieu dans les ports. En novembre 1938, quelques mois seulement après la fin du tournage de *Magda,* on mit le feu aux synagogues en Allemagne. La persécution de la population juive se fit aussi plus sensible dans les milieux du cinéma. Après le tournage de *La Habanera*, Detlef Sierk quitta l'Allemagne parce que la vie de son épouse juive était menacée, et passa par la Suisse et la Hollande pour se réfugier aux États-Unis. C'est sous l'identité de Douglas Sirk qu'il se fit un nom à Hollywood.

Mais Zarah Leander se trouvait au sommet d'une carrière fulgurante et appréciait les feux de la rampe : « Parfois, nous étions autorisés à l'accompagner à une première, se rappelle Göran Forsell. Des milliers de personnes criaient, hystériques : "Zarah, on t'aime ! Zarah, on t'aime !" Nous nous sentions presque mal de constater que notre mère était devenue une diva qui rendait les gens fous. » Enivrée par son succès, elle prolongea le contrat qui la liait à la UFA. Même le déclenchement de la Seconde Guerre mondiale ne l'empêcha pas de rester au service de la propagande nazie – mais bien sûr elle ne voulait pas s'en rendre compte. Goebbels déploya de toute façon tous les moyens pour la retenir. Lors d'une longue discussion, le 14 juin 1939, il lui avait offert une villa et d'innombrables privilèges, et avait formé le vœu qu'elle se sente chez elle dans ce pays et se considère comme une Allemande. Zarah elle-même écrivit à la UFA à propos du déclenchement de la guerre : « Les événements des derniers temps ont encore renforcé mes sentiments pour la UFA et pour mes amis allemands. » Goebbels en personne tenta de dissiper les scrupules de sa star. Le 11 janvier 1940, il nota dans son journal : « Mme Leander s'inquiète pour ses enfants. Elle craint que la Suède puisse être impliquée dans le conflit. Je l'ai un peu tranquillisée. Les femmes sont totalement dénuées de sens politique. »

« Zarah voulait l'argent, explique le journaliste suédois Carl-Adam Nykop pour expliquer l'attitude de sa compatriote, et peut-être pensait-elle, comme tant de Suédois, qu'Hitler allait gagner la guerre et qu'en restant elle faisait un bon investissement pour le futur. » La guerre n'eut de conséquences que pour la famille de Zarah. Son mari, Vidar Forsell, quitta l'Allemagne pour gagner son poste d'officier de réserve dans l'armée suédoise. Il emmena avec lui au pays leurs deux enfants.

Zarah, elle, resta et profita des privilèges attachés au statut de star, même si elle se présente volontiers, dans ses Mémoires, comme une travailleuse inlassable qui n'avait pas le temps de mener une vie mondaine : « Pour les gens, être une star, c'est rester couchée sur une chaise longue, vêtue de soie et de dentelles, boire du champagne, manger des bonbons et lire de mauvais romans. En réalité, mon emploi du temps berlinois était fixé aussi précisément que celui de n'importe quel atelier ou usine. Du lundi matin à six heures moins le quart, lorsque le réveil sonnait, jusqu'au samedi à quinze heures, j'appartenais à la UFA. Régulièrement, en semaine, des tournages avaient lieu le soir jusqu'à minuit. Pendant un mois entier, les relations publiques m'imposèrent une sortie chaque soir. Un œuf dur, une tartine et une tasse de café ranimaient mes esprits avant qu'Herrmann ne vienne avec la voiture, une Horch, pour me déposer à Babelsberg à sept heures précises. À neuf heures, à la seconde près, on donnait le signal du tournage au studio. À midi, la pause déjeuner d'une demi-heure venait me libérer de mes costumes superbes, qui pesaient souvent affreusement lourd et étaient très chauds. Cette interruption suffisait à peine pour se débarrasser de toutes ces frusques, manger et s'étendre un instant sur la chaise longue de la loge. Ensuite, de midi et demi à dix-neuf heures, abstraction faite de brèves pauses cigarette, on enchaînait les prises. Ainsi s'écoulait la vie, jour après jour, semaine après semaine, une année après l'autre. On ne peut pas dire qu'il s'agissait d'une existence brillante. »

Mais Goebbels nota en décembre 1940 : « Elle prend du plaisir à travailler avec nous. » C'est vrai, Zarah Leander n'avait jamais été et ne fut plus jamais autant courtisée que dans son rôle de diva du Troisième Reich. Elle habita d'abord une villa située dans le Grunewald, puis à Dahlem, le quartier élégant de Berlin. Des domestiques lui assuraient une vie agréable dans la maison, elle disposait d'une Horch couleur crème avec chauffeur pour l'accompagner dans ses déplacements. « Nous étions gâtés, se rappelle Göran Forsell. Nous avions une cuisinière, une gouvernante pour nous, les enfants, une bonne, un professeur d'équitation et un professeur de gymnastique particuliers, un chauffeur qui nous conduisait à l'école – nous n'étions que quatre dans notre famille. On a peine à croire à tout cela aujourd'hui. » Lorsqu'elle en avait le temps, Zarah se rendait volontiers en ville avec son amie, la comédienne Grethe Weiser, pour aller faire du shopping dans les bijouteries ou fouiner dans les boutiques d'antiquités, à la recherche de beaux meubles pour la maison de campagne qu'elle avait achetée en 1939 en Suède avec l'argent de ses cachets et les revenus de ses disques.

Lönö se situait près de Norrköping. C'était une presqu'île de soixante hectares. Des étangs, des forêts et des champs, vingt-deux îles, d'autres îlots et récifs faisaient partie de la propriété. La maison avait deux étages et comptait trente-neuf pièces, dont une somptueuse bibliothèque. En achetant cette demeure, Zarah Leander avait réalisé l'un de ses rêves ; désormais elle passa régulièrement sur ses terres les moments où elle ne tournait pas. Goebbels s'intéressait beaucoup aux récits de cette travailleuse qui faisait le va-et-vient entre le Reich d'Hitler et la Suède neutre, et aimait discuter avec elle de la situation politique : « Un petit bavardage avec Mme Leander, écrit-il en 1940 dans son journal. Elle revient tout juste de Suède. Elle raconte des choses très intéressantes sur l'étranger. La Suède a désormais à notre égard une attitude beaucoup plus positive que par le passé. On considère qu'une victoire de l'Angleterre est exclue. Il n'y a plus de sympathies pour la Norvège. On ne pense plus que le pays puisse mener à l'avenir une existence indépendante. Vues intéressantes sur la mentalité suédoise. » Zarah Leander en informatrice du ministre de la Propagande d'Hitler : un aspect singulier de cette diva tellement « apolitique ».

Elle avait vendu sa morale politique au régime national-socialiste pour garantir sa carrière ; mais la vie de star ne nuisait pas au caractère de Zarah. Göran Forsell la décrit comme une « mère de rêve » qui, autant que possible, s'efforçait de donner à ses enfants une bonne éducation. « À la maison, ce n'était pas une diva, c'était un être radicalement différent, raconte son fils. Là, elle se promenait d'une manière totalement naturelle, sans maquillage, avec ses lunettes et ses taches de rousseur, les cheveux ébouriffés, en robe de chambre. Lorsqu'elle rentrait du travail, tard dans la nuit, elle lançait ses chaussures, elle nous réveillait avec une salade d'oranges et nous disait : "Allez, les enfants, on va chanter quelque chose." » Le dimanche, Boël et Göran s'installaient dans la chambre de leur mère et interprétaient avec elle des pièces de théâtre, ou bien jouaient aux petits chevaux ou au Monopoly. Sur le plateau aussi, Zarah veillait à tempérer ses allures de star. Ses collègues étaient unanimes à dire qu'elle faisait son travail avec une extrême discipline, qu'elle demandait très rarement des traitements de faveur, qu'elle était une personne joyeuse et pleine d'humour et qu'elle traitait les autres dans un esprit de camaraderie.

Elle aimait les grandes fêtes, et l'on dit que l'ambiance, dans sa villa, était souvent très animée. Selon des témoins, « elle n'avait que des noms d'hommes sur sa liste d'invités : elle voulait rester la seule femme pour attirer l'attention autant que possible ». On dit aussi qu'elle ne refusait pas une aventure amoureuse de temps en temps. On lui a prêté une liaison avec Viktor Staal. Son compositeur personnel, Michael Jary, lui a voué, selon la fille de celui-ci, un amour fervent. Mais il n'y eut jamais de scandale autour de sa vie privée. Une clause de son contrat s'y opposait de toute façon : selon la rumeur, elle s'était engagée par écrit à ne pas faire d'extravagances.

« Il est exact que les fêtes qu'elle donnait étaient des orgies, au moins pour ce qui concernait les repas et la boisson, affirme une critique de cinéma. On ne servait que les plats les plus raffinés, surtout des mets que l'on ne trouvait plus depuis longtemps déjà sur le marché libre. L'alcool coulait à flots, et là encore, ce n'étaient que des breuvages de premier choix. Zarah, qui devait toujours lutter pour garder la ligne, oubliait son régime pendant ses fêtes et mangeait pour trois. » Sa résistance à la boisson était devenue légendaire. Un témoin, Margot Hielscher, raconte ainsi : « Pendant le tournage de *Marie Stuart*, elle n'arrêtait pas de boire dans un gobelet d'étain, avant et après les prises. Je lui ai demandé ce qu'elle buvait. "Du lait, du lait, il faut boire beaucoup de lait pour rester belle." Un jour où elle se trouvait devant la caméra, j'ai pris le gobelet et je l'ai senti. Ce n'était pas du lait, mais du whisky. » Ce goût pour la bonne vie ne réussissait pas à sa ligne. Elle avait une tendance à l'embonpoint, et devait se soumettre, avant chaque film, à une cure d'amaigrissement radical – mais certains plans montraient tout de même qu'elle avait pris du poids.

La UFA, elle non plus, ne lésinait sur rien. Pour l'anniversaire de la star, en 1939, elle organisa une réception somptueuse dans la villa de Zarah. L'actrice raconte dans ses Mémoires : « Pour décorer la maison, on fit venir des wagons de cytises, qui avaient grandi sous le soleil de l'Italie. Serveurs et domestiques étaient vêtus de livrées violettes. Les tables étaient ornées d'orchidées lilas, et j'étais moi aussi entièrement habillée de cette couleur. Tout ce qui était "in" avait été invité, et le directeur général Ludwig Klitzsch, le chef suprême de la UFA, menait en personne le défilé du petit peuple du cinéma. » Preuve que Zarah Leander était devenue une locomotive du cinéma allemand : Goebbels honora cette réception de sa présence. Manifestement, le talent de comédienne de Zarah séduisait le ministre de la Propagande. Le dimanche, raconte Forsell, elle invitait régulièrement une dizaine de collègues pour un lunch dans sa villa. « Ma mère était une comique hors pair, elle avait un humour fantastique, elle aurait pu devenir clown. » Elle prenait un singulier plaisir à se moquer de Göring ou de Goebbels. « Je nous revois encore rire et nous taper les cuisses quand maman imitait Goebbels. » Mais manifestement, le ministère de la Propagande ne l'encouragea jamais à le critiquer en public...

Dans le programme obligatoire de la star de la UFA on trouvait les sorties publiques – premières, bals du cinéma, soirées de gala et réceptions –, organisées pour l'amour du peuple et le plaisir des notables nationaux-socialistes. Zarah Leander était régulièrement invitée chez Goebbels, qui s'entourait volontiers de vedettes et de starlettes, que ce soit dans sa maison de Lanke ou dans l'appartement de la rue Hermann-Göring. Il se montrait aussi assez souvent au KDDK, ce club d'artistes situé sur la prestigieuse avenue

Unter den Linden, où les gens de cinéma se retrouvaient entre eux. Zarah Leander décrit ses rapports avec Goebbels comme ceux d'une employée avec son « chef suprême », et elle porte sur lui un jugement tout à fait positif : « Personne ne peut affirmer que c'était un bel homme, mais lorsqu'il se passionnait pour un sujet, il n'était pas dépourvu de charme intellectuel. En de tels instants, il devenait éloquent, spirituel, ses yeux sombres étincelaient, sa voix prenait de la chaleur et de l'intensité. » Elle trouvait que Goebbels « défendait des points de vue intelligents sur le cinéma ». « Il aimait beaucoup trop cette forme d'art pour la détourner inutilement au profit de sa propagande. C'était un homme intéressant. Il ne me déplaisait pas. C'est seulement vers la fin qu'il a changé. Là, il est devenu stupide – et dangereux. »

Goebbels, qu'à son insu on surnommait « le bouc de Babelsberg », avait la réputation d'avoir été convaincu par les talents de certaines actrices sur le canapé où il faisait passer les auditions. Après la guerre, on ne trouvait pratiquement pas une seule artiste de la UFA à qui il n'ait pas fait des avances. Zarah Leander ne faisait pas exception à la règle. Dans ses Mémoires, elle se rappelle une fête dans la villa de Goebbels à Schwanenwerder ; elle dit s'y être retrouvée, par mégarde, seule avec lui. « Personne d'autre ne viendra, lui aurait annoncé le ministre. Je me suis dit que nous pourrions passer une soirée agréable tous les deux. » Les intentions de Goebbels, lorsqu'il lui adressa cette « invitation privée à caractère familial », étaient parfaitement claires. « Ce fut une scène de séduction de série B, mise en scène avec une naïveté complète. Une lampe géante pourvue d'un abat-jour en soie projetait un éclat jaunâtre sur mes mains, au piano. Dans un coin, la lumière des bougies vacillait. Les fleurs étaient splendides. Sur le divan, des coussins de soie, grands comme des matelas. Et la musique de Chopin. » Zarah raconte rapidement comment elle maîtrisa la situation en corrigeant les erreurs du ministre de la Propagande, qui lui interprétait un morceau au piano, et en réclamant le repas avec une certaine insolence : « Entretemps, j'avais appris que cela fait du bien aux puissants qu'on les contredise ou qu'on leur serve leurs quatre vérités : mieux, ils aiment cela. »

Dans ses relations avec les notables nazis, elle se plaisait bien dans le rôle de vedette capricieuse – c'est du moins ce qui ressort de ses Mémoires. Elle dit n'avoir rencontré Hitler qu'à deux reprises : une fois lors d'une « réception destinée aux artistes », une autre fois en 1939, pour la première du film *Le Chant du désert*. Elle décrit leur deuxième rencontre sur un ton léger : « Un aide de camp approche, se dirige vers moi et annonce : "Le Führer et chancelier du Reich désire, chère madame, que vous vous présentiez à sa table." Comme je manque de pratique dans la fréquentation des dictateurs, j'emboîte le pas à l'aide de camp avec des sentiments mitigés. Hitler se lève galamment, je m'assois tout en me demandant de quoi l'on peut bien discuter avec un monsieur répondant au nom d'Adolf Hitler. J'adopte un ton aimable et intéressé, et j'affiche un sourire maternel : "Dites-moi, monsieur le chancelier du Reich, avez-vous jamais essayé de faire quelque chose avec vos cheveux ?" Hitler tressaille et, en un éclair, se tourne vers moi. Lorsqu'il constate que j'ai l'air amicale et compatissante, il me sourit timidement et reprend le fil de la discussion, l'air sérieux et chagriné : "Vous ne vous imaginez pas tout ce que j'ai déjà essayé : de l'huile, de la pommade, de la cire à cheveux et toutes les teintures bizarroïdes possibles. Mais il n'y a rien à faire. Les cheveux me retombent toujours sur le front. C'est sans espoir." Puis nous mangeons quelques bouchées, et Hitler commande du champagne. »

Zarah Leander dit avoir conclu cette entrevue en allant fumer une cigarette sur la terrasse ; Hitler aurait ensuite poliment pris congé. Zarah a décrit toutes ses rencontres avec les notables nazis comme des apparitions pleines d'humour au cours desquelles elle décontenançait les « seigneurs » par son insolence. Le fait qu'Hitler et ses sbires aient été responsables de la répression et de la persécution dans le Reich, aient répandu la mort et le malheur sur toute l'Europe et soient entrés dans l'histoire comme d'épouvantables massacreurs semble ne pas l'avoir dérangée, même après coup. Pour elle, Hitler était « avant tout une voix qui hurlait dans le poste de radio – que je coupais immédiatement, car je suis sensible aux sorties agressives – et une personne incompréhensible, avec une moustache et un toupet, vue sur des milliers de photos et dans des centaines d'actualités hebdomadaires». Mais la Jeunesse hitlérienne l'inquiétait. Elle interdit à son fils d'y participer. «Il n'en est pas question, lui répondit-elle lorsqu'il lui demanda l'autorisation d'en faire partie. Les jeunes n'ont pas à défiler au pas comme des soldats et à brailler, ils sont là pour faire la fête et s'amuser.»

On ne sait pas quelle opinion Hitler avait de sa diva. Mais le dictateur était un vrai passionné de cinéma. Jusqu'au début de la guerre, il ne se passa pratiquement pas une soirée sans qu'il se fasse projeter dans les appartements de la chancellerie ou sur l'Obersalzberg un ou deux longs métrages qu'il choisissait avec Goebbels. Selon Albert Speer, l'architecte du Führer, celui-ci avait un faible pour les films anodins de divertissement et d'amour. Parmi ses comédiennes préférées, on trouvait Lil Dagover, Olga Tchechova – et Zarah Leander. Les films de revue «où l'on voyait beaucoup de jambes nues» lui plaisaient tout particulièrement, se rappelle Speer. Mais à deux reprises, et contre l'avis de Goebbels, il refusa de décerner à Zarah le titre de «comédienne d'État». Goebbels écrit certes, le 21 novembre 1941: «Dans ce contexte, j'évoque aussi le cas Leander. Le Führer défend le point de vue selon lequel Mme Leander doit bien entendu être elle aussi nommée comédienne d'État, d'abord parce qu'elle est véritablement une grande artiste, et en deuxième lieu parce qu'elle a beaucoup contribué à la diffusion du cinéma allemand à l'étranger.» Mais Hitler changea manifestement d'avis. Quelques mois plus tard, après la première du *Grand Amour*, le ministère de la Propagande fit une nouvelle tentative auprès de lui, et eut l'impression qu'il était réticent en raison de la nationalité suédoise de l'actrice. En septembre 1942, il fut répondu sans équivoque que le Führer ne souhaitait pas cette nomination.

Zarah Leander n'était pas seulement une figure de proue culturelle de l'État nazi. C'était aussi une poule aux œufs d'or. Pendant la guerre, notamment, où les loisirs n'étaient pas très nombreux, elle attira de plus en plus d'Allemands au cinéma. À mesure qu'Hitler conquérait de nouveaux territoires, la distribution des films s'étendait sur la quasi-totalité de l'Europe, et le nombre de cinémas dans l'« espace de la Grande Allemagne » doubla pour atteindre huit mille six cents salles et près de trois millions de places assises. En 1943, le nombre annuel de spectateurs ayant assisté aux productions du cinéma allemand dépassa pour la première fois le seuil du milliard. Les grands succès de l'époque de la guerre furent *L'Épreuve du temps,* avec Ilse Werner, et *Le Grand Amour,* avec Zarah Leander. Les productions allemandes profitèrent naturellement de l'interdiction définitive des films produits par Hollywood après la déclaration de guerre d'Hitler aux États-Unis en 1941. Pour l'exercice social 1942-1943, la UFA enregistra cent cinquante-cinq millions de Reichsmark de bénéfices nets, un chiffre qui atteignit même les cent soixante-quinze millions en 1943-1944. La plus grande partie de cet argent fut investie dans l'armement.

Les dix films que Zarah tourna pour la UFA figurèrent tous parmi les plus gros succès annuels. Rien d'étonnant à ce que Goebbels et la UFA aient tout fait pour commercialiser leur « produit » le plus brillant. Les tenues de l'actrice, ses apparitions publiques, étaient minutieusement préparées. Elle écrit à propos d'une tournée de promotion en Hollande, en 1938 : « Pour une première à Amsterdam, on m'avait transformée en paquet-réclame vivant. Chaque minute publique de ma "visite d'État" était prévue et consignée par écrit. Je savais d'avance qu'à mon arrivée à la gare centrale on m'offrirait des gardénias, et qu'on me servirait de la soupe au homard le dernier soir. » En France, occupée depuis juin 1940, elle se fit aussi acclamer pendant la Semaine culturelle allemande en 1941, et donna des autographes aux soldats sur les Champs-Élysées. Le journaliste suédois Carl-Adam Nykop rappelle avec effroi que Zarah, dans une interview, remarqua que Paris n'avait absolument pas changé sous l'occupation allemande, si ce n'est que les voyageurs en uniforme avaient remplacé les touristes. L'année où elle se rendit dans l'ex-capitale française pour les travaux de synchronisation du *Chemin de la liberté,* elle avoua à un journaliste national-socialiste: « Ma plus forte impression à Paris fut, le dimanche, le défilé de la garde d'honneur allemande devant l'Arc de triomphe. C'était poignant et bouleversant! » Zarah Leander était donc bien devenue un instrument de la propagande nationale-socialiste et elle acceptait ce rôle de bonne grâce. À plusieurs reprises, à la demande de Goebbels, elle chanta lors de concerts organisés pour la Wehrmacht. Elle se mit aussi à la disposition des collectes pour le Secours d'hiver, une association de bienfaisance, et ses interventions furent mises en scène par la propagande.

Malgré l'aide qu'elle apporta aux nazis, elle prendra ses distances, après coup, avec les événements politiques: « Personne ne parlait politique dans les studios, jamais », jurera-t-elle. C'était certainement vrai, *grosso modo*. La plupart des artistes et des comédiens demeurés en Allemagne préféraient rester à l'écart des questions d'actualité, ne fût-ce que pour éviter de gêner leur carrière. « Nous ne ressentions aucune espèce d'intérêt pour la politique, confirme Wolfgang Preiss. Nous étions très heureux de pouvoir réaliser un film, et nous nous concentrions sur notre travail. Alors ce qui se passait devant Moscou, par exemple, ne nous concernait guère. » Les studios de Babelsberg étaient même considérés comme un espace de liberté où la politique n'avait pas droit de cité. « Zarah Leander, elle aussi, se trouvait dans ces studios, coupée de ce qui se passait dans la rue. En cela, c'était un monde d'exception, estime la réalisatrice Helma Sanders-Brahms, et même lorsque Berlin fut bombardé on continua à tourner des mélos. Lorsqu'ils étaient devant la caméra, les comédiens se trouvaient dans une isolation acoustique totale, au sens propre du terme. » La comédienne de la UFA Ilse Werner estime même, en embellissant un peu la réalité: « Nous étions une grande famille et nous nous serrions tous les coudes. »

Mais derrière les décors, un marécage d'angoisse et d'indifférence se répandait partout. Les vedettes de la UFA, malgré leur égocentrisme, ne pouvaient pas empêcher la politique de pénétrer dans les studios. « Quand on parlait politique, c'était tout au plus en chuchotant, explique Margot Hielscher. Mais là aussi, on ne savait jamais qui

Zarah Leander donne des autographes à Paris en 1941.

La UFA l'a formée pour qu'elle devienne une star, et elle a joué ce rôle à la perfection. Le public était à ses pieds.

Brigitte Petterson, femme de chambre de Zarah Leander

Goebbels s'est servi d'elle pour accroître le prestige des Allemands dans les territoires occupés.

Carl-Adam Nykop, journaliste suédois

Cette femme était fabuleusement populaire. On la voyait, on l'aimait, on la connaissait partout.

Ilse Werner, chanteuse et comédienne

écoutait. Cela pouvait devenir tout à fait dangereux, et l'on avait très peur d'être dénoncé. » « L'ennemi était dans notre dos, confirme l'acteur Will Quadflieg. Personne n'osait dire ce qu'il pensait vraiment, sauf à un petit nombre d'amis. Nous, les comédiens, nous suivions le mouvement, c'était affligeant, mais compréhensible. Car nous voulions tous survivre à la guerre. »

Bien sûr, certains collègues avaient dû partir pour l'étranger, pour des raisons « raciales » ou politiques. Mais beaucoup jugeaient qu'il s'agissait de « cas isolés ». Une affaire de persécution et d'humiliation provoqua cependant la consternation dans les milieux du cinéma : à partir de 1937, Goebbels décida de mettre progressivement sur la touche Joachim Gottschalk, l'un des comédiens les plus populaires du Troisième Reich, et finit par l'inscrire sur la liste noire parce qu'il refusait de divorcer d'avec son épouse juive. « Bon sang, s'imaginer que cet homme se remplit les poches toute la journée dans le cinéma allemand et se couche toutes les nuits avec sa jeune Juive », aurait éructé Goebbels. Le 5 novembre 1941, Gottschalk se suicida au gaz, avec sa femme et leur enfant, dans son appartement. « Rares furent ceux qui eurent le courage et la cohérence de Gottschalk, affirme Will Quadflieg à propos de ce suicide. Nous avons tous été mortellement effrayés lorsque nous en avons entendu parler. Mais d'un autre côté nous nous demandions : Bon, et toi, quelle est ton attitude ? Tu participes à tout cela et tu ne te défends pas ? »

Après le début de la guerre, la situation s'aggrava. Goebbels était fermement décidé à ne plus tolérer la moindre « indocilité politique » de la part des artistes. Sa première victime au cours de la guerre fut le réalisateur Herbert Selpin. C'est lui que l'on chargea, pendant l'été 1942, de réaliser *Titanic* pour démontrer l'incompétence britannique. Lorsque le cinéaste, connu pour son caractère colérique, exprima sur le plateau en termes dédaigneux son opinion sur la guerre et la Wehrmacht, il fut dénoncé par son scénariste, et c'est Goebbels en personne qui lui fit la leçon. Comme Selpin ne retirait pas sur-le-champ ses propos, qui constituaient une tentative de « démoralisation de l'armée », Goebbels le fit arrêter avant même qu'il n'ait quitté son bureau, et on l'emprisonna. Le lendemain matin, on retrouva Selpin pendu dans sa cellule. « C'est typique de ces messieurs du cinéma, aurait alors déclaré le ministre. Ils commencent par ouvrir leur grande gueule, ils insultent le Führer et le Reich, et ensuite ils contestent tout. Mais une fois qu'on a prouvé leur culpabilité, ils perdent tout courage et ont le mauvais goût de se pendre à leurs bretelles. » Par affiches apposées dans les studios, Goebbels fit savoir que Selpin avait « gravement attenté au moral de guerre par ses basses calomnies et ses offenses contre les soldats et les officiers allemands au front ». On raconta que Selpin avait été assassiné par la Gestapo.

Plus la guerre s'enlisait, plus le climat de menace devenait pesant. Goebbels n'hésitait pas à ordonner des exécutions : en août 1943, le comédien Karl John fut condamné à mort par le tribunal populaire pour « propos défaitistes » – c'est-à-dire pour avoir plaisanté au sujet du Führer. En 1944, on prononça le même verdict contre des chefs des services de presse de la Terra et de la UFA, Erich Knauf et Richard Düwell. À cette époque, Zarah Leander était rentrée en Suède, et depuis longtemps déjà.

Elle avait eu connaissance des persécutions qui dépassaient le cadre de son entourage immédiat. Contrairement à d'autres, elle avait certainement accès aux journaux étrangers grâce à ses visites fréquentes en Suède. Dès la fin de 1941, des informations sur les atrocités de l'Holocauste filtrèrent dans les quotidiens anglais. En mai 1942, des syndicalistes juifs communiquèrent à la presse britannique des renseignements en provenance des clandestins polonais. La BBC en rendit compte en détail, et le *Daily Telegraph* annonça le 7 juin : « Plus de sept cent mille Juifs polonais ont été tués lors des plus grands massacres de l'histoire mondiale. » On parlait aussi dans cet article des camions spéciaux utilisés par les nazis comme chambres à gaz mobiles. L'opinion publique occidentale découvrit peu à peu la réalité de l'Holocauste. Le 17 décembre 1942, les adversaires d'Hitler publiaient une déclaration publique : les Américains, les Britanniques, les Soviétiques et huit gouvernements en exil y condamnaient « de la manière la plus vive les méthodes bestiales d'extermination» mises en œuvre par les Allemands.

Zarah Leander s'est félicitée avec complaisance, dans ses Mémoires, d'avoir toujours maintenu le contact avec une minorité persécutée: celle des homosexuels. «J'ai même entretenu ces amitiés pendant la guerre, et cela m'a valu, un jour, d'être convoquée auprès du chef de la UFA. Il m'a déconseillé toute relation avec des homosexuels. Mais j'ai absolument refusé que l'on me donne des ordres dans ce domaine. En dehors de mes heures de travail, je tenais à choisir mes amis moi-même. "Cela peut provoquer de terribles complications", a ajouté le directeur de la UFA. Je lui ai répondu: "Qu'à cela ne tienne, je les assume. En tant que Suédoise, je vois les choses tout à fait différemment. J'ai toujours considéré que les homosexuels sont des gens comme les autres. Combien de grandes personnalités de l'histoire humaine étaient homosexuelles! Et pourtant, elles jouissaient du respect, de l'amour et de l'admiration des gens qui les connaissaient. Ma conception suédoise de la morale me dit que nous ne devons pas être méprisants ni dénoncer tous ceux qui vivent autrement."»

Ce qui est regrettable, c'est que Zarah n'ait pas levé le petit doigt pour aider les homosexuels. On estime que cinquante mille se sont retrouvés dans les prisons et les camps de concentration nazis entre 1939 et 1945. Certaines évaluations font état de chiffres plus élevés, car tous les détenus homosexuels n'étaient pas stigmatisés par le triangle rose. Une grande partie d'entre eux avaient été internés pour crime, détournement de mineur, atteinte aux bonnes mœurs ou comportement asocial. Dès 1930, le *Völkischer Beobachter* écrivait que l'homosexualité rassemblait «toutes les pulsions malignes de l'âme juive» et que celles-ci seraient bientôt punies «comme les pires des crimes». Après l'assassinat en 1934 du chef de la SA, Ernst Röhm, dont l'homosexualité n'était cependant qu'un prétexte pour liquider les dirigeants de ce bras armé du mouvement nazi, la loi pénale réprimant l'homosexualité devint encore plus rigoureuse. En 1938, on prononça huit mille cinq cents condamnations. Ce chiffre ne baissa que progressivement après le début de la guerre. À partir de 1940, on put en revanche envoyer en camp de concentration tout homosexuel ayant eu plus d'un partenaire. Pour les membres de la SS, à partir de 1941, tout acte homosexuel entraînait la peine de mort.

Le plus fidèle auteur des textes de Zarah Leander, Bruno Balz, se retrouva lui aussi entre les griffes de la Gestapo. Le créateur des tubes *Le vent m'a dit une chanson, L'amour peut-il être un péché?, Quand une belle femme te dit «peut-être», Il s'appelle Waldemar* ou *Tu ne pourras plus jamais m'offrir des roses rouges* fut dénoncé en 1941. Il passa trois semaines dans les caves de la Gestapo, Prinz Albrecht Strasse, à Berlin. On dit que c'est le compositeur Michael Jary qui obtint sa libération, au motif qu'il avait besoin de lui pour le prochain film de Zarah Leander. Quant à l'actrice, ou bien elle n'a rien su de l'arrestation de son auteur préféré et ami, ou bien elle n'a pas réagi. C'est d'ailleurs après sa détention que Bruno Balz aurait eu l'idée du texte *Le monde ne disparaîtra pas pour autant*. Selon lui, cette rengaine contestée était dans un premier temps destinée à donner du courage aux homosexuels persécutés, et pas du tout à appeler l'Allemagne nazie à tenir bon, comme on le lui reprocha plus tard. Gary Philipp, qui se retrouva en camp de concentration parce qu'il était juif et homosexuel, raconte: «Dans le camp, lorsque nous étions entre détenus, nous chantions cette chanson, nous espérions qu'un miracle se produirait, que la guerre s'achèverait et que nous serions sauvés. Ça nous tranquillisait.» De ce point de vue, des airs comme *L'amour peut-il être un péché?*, avec lesquels Zarah conquit le cœur des Allemands et des chefs nazis, étaient au fond des hymnes aux homosexuels persécutés. Ce phénomène explique lui aussi leur succès: dans une chanson comme *Je sais qu'un jour surviendra un miracle,* chacun pouvait trouver un élément positif lié à son destin personnel. On pouvait la comprendre comme une chanson d'amour, une invitation pour les soldats du front ou de l'arrière à tenir bon, ou encore comme un encouragement aux persécutés.

Il est certes facile de reprocher aux gens, après coup, d'avoir accepté l'injustice. Zarah Leander avait une position privilégiée sous le Troisième Reich, de bons contacts avec les proches d'Hitler. Suédoise, pourvue d'un passeport de son pays natal et d'un droit illimité à entrer en Allemagne ou à en sortir, elle avait plus d'opportunités que d'autres pour intervenir en faveur des persécutés. « Pendant la guerre, j'ai moi-même participé à des opérations d'évasion, raconte Ingrid Segerstedt-Wiberg. Ça n'était pas une mission facile, et pour Zarah je crains que cela n'ait été pratiquement impossible. Il faut beaucoup de courage pour mener ce genre d'opérations, car dans des périodes comme celle-là, on joue sa vie. » Mais Zarah Leander tenait davantage à sa carrière – d'autant qu'elle avait eu beaucoup de mal à la construire.

Peu après le succès enivrant qu'elle avait connu avec *Magda*, les fours se succédèrent. *La Belle Hongroise* (1938), réalisée par Viktor Tourjansky, était une fade comédie amoureuse dont le seul élément notable était la chanson *L'amour peut-il être un péché?* Le film *Pages immortelles* fut lui aussi, tout au plus, un modeste succès. C'est à la veille de la Seconde Guerre mondiale, deux semaines avant l'invasion de la Pologne par Hitler, qu'on donna la première de cette romance. Zarah Leander y joue la maîtresse dévouée de Tchaïkovski, et renonce à son amour pour permettre au compositeur de mener sa carrière. Mis à part le fait qu'une fois de plus Zarah souffrait avec beaucoup de classe, la seule chose qu'on retint fut la chanson *Surtout ne pas pleurer d'amour*. Le sommet du mauvais goût fut atteint avec *Le Chant du désert*, dont la première fut donnée le 17 novembre 1939. L'actrice elle-même, que l'on découvre à cette occasion juchée sur un chameau, trouva le film bien encombrant quelques années plus tard: « Du sable entre les orteils et les dents dans ce scénario, j'apparais sans la moindre motivation dans le rôle de Grace Collins, une chanteuse adulée. Oh, que c'était mauvais! » Abstraction faite de sa tendance antibritannique, le film était tellement lamentable « que même le public allemand ne voulut pas en entendre parler. *Le Chant du désert*, cet échec absolu, fut retiré de l'affiche au bout de quelques jours. J'étais extrêmement ennuyée: mes deux films précédents, eux non plus, n'avaient pas été des succès ».

De telles débâcles étaient-elles vraiment « ennuyeuses »

pour Zarah ? Devait-elle craindre pour son emploi ? La question reste posée. Un peu plus tard, en tout cas, on diffusa en salle son film le plus coûteux, qui fut aussi le plus désastreux de sa carrière. *Marie Stuart,* réalisé par Carl Froelich, raconte la vie de la reine d'Écosse. Zarah Leander, dans cette mauvaise mise en scène, se déplaçait maladroitement, car même l'ampleur de ses costumes ne pouvait plus dissimuler ses kilos superflus. La reine ne connut pas le succès non plus avec ses chansons, car celles-ci intervenaient dans le film absolument hors de propos. Ce fut une catastrophe. Deux semaines après la première, le 1er novembre 1940, la Luftwaffe, sous les ordres d'un Göring fou furieux d'avoir perdu la bataille d'Angleterre, réduisait en cendres la ville britannique de Coventry. Les Anglais réagirent en déversant des torrents de bombes sur les villes allemandes.

Peut-être Zarah Leander, après ces échecs, aurait-elle abandonné les écrans, sans tambour ni trompette, si un nouveau réalisateur, Rolf Hansen, ne l'avait pas aidée à accéder à une nouvelle gloire. Le premier film qu'il tourna avec elle, *Le Chemin de la liberté* (1941), fut un gigantesque succès. Mais le deuxième, *Le Grand Amour,* dépassa tous les autres et fut l'apogée de sa carrière. C'est cependant aussi ce film-là que l'on qualifia ultérieurement de « brouet de propagande » et qui lui valut d'être traitée de « sirène nazie ». Zarah Leander y joue le rôle d'une chanteuse de variétés qui fait la connaissance, pendant une alerte aérienne, d'un jeune lieutenant de la Luftwaffe. Le coup de foudre est immédiat et réciproque, et ils passent la nuit ensemble. Mais la guerre s'oppose à leur mariage. Le jeune officier est constamment rappelé sur le front, quand il ne se porte pas volontaire pour la campagne de Russie. Hanna, la chanteuse, lui en veut. Mais lorsqu'il se retrouve, blessé, à l'hôpital militaire, elle comprend qu'en ces temps de guerre la loyauté militaire passe avant tout, et que son devoir de femme est de faire passer ses désirs personnels au second plan.

Le Grand Amour relève indiscutablement de la propagande. C'est le seul film tourné par Zarah Leander qui ait tenté d'illustrer la vie quotidienne en Allemagne – et c'était pour en donner une version radieuse. Pour la première fois, la diva quittait ses hauteurs célestes et se mêlait au petit peuple : la chanteuse Hanna Holberg prend le métro, comme il sied à une bonne Allemande en temps de pénurie d'essence. Les habitants de la maison se retrouvent à la cave au moment d'une alerte. Alors que dans la réalité l'angoisse de la mort, la terreur et une effroyable promiscuité caractérisaient l'atmosphère dans les abris antiaériens, c'est une ambiance gaie et détendue qui règne dans le film. Les personnages sont confortablement installés devant un café, et lorsque hurlent les sirènes annonçant la fin de l'alerte un petit garçon interrompu dans son jeu proteste : « Oh, ça tombe mal. » La guerre aérienne transformée en pique-nique. Goebbels lui-même intervint personnellement pour rétablir la réalité dans l'une des scènes du film, celle où le jeune couple célèbre ses fiançailles avec des amis et où le futur époux est tout d'un coup rappelé sur le front. « Le travail d'une semaine était toujours livré le samedi à M. Goebbels, qui regardait les rushes », raconte Wolfgang Preiss, qui tenait le rôle d'un colonel de la Luftwaffe. « Ce jour-là il a constaté – nous étions tout de même en guerre depuis plus de deux ans – qu'"une femme allemande ne vit pas comme ça". Il nous a donc fallu tourner de nouveau la scène, dans un appartement plus petit, avec moins d'invités, moins de champagne et plus de mousseux allemand. » Dans la version de Goebbels, Zarah avait abandonné sa robe à fleurs féminine pour un tailleur blanc et rigoureux, vraisemblablement destiné à rappeler la sobriété des uniformes des soldats.

Dans *Le Grand Amour*, Zarah Leander devint l'« incarnation des vertus féminines » requises à l'arrière. La chanteuse adulée abandonnait sa vie excitante et indépendante pour devenir une patiente épouse d'officier, qui jugeait que son rôle de femme au foyer était un accomplissement et se pliait aux impératifs militaires. C'est surtout aux femmes que s'adressait cet appel de la propagande : après le début de l'offensive lancée pendant l'été 1942 sur le front est, il n'existait plus en Allemagne une famille qui n'eût pas au moins un fils, un frère ou un père engagé dans le conflit. Presque toutes les femmes allemandes connaissaient désor-

Avec Viktor Staal dans Le Grand Amour.

La Suédoise Zarah Leander incarnait dans ses films toutes les vertus allemandes que les nationalistes voulaient inculquer au peuple : bravoure, fidélité, abnégation et surtout renoncement au plaisir.

Cornelia Zumkeller, historienne du cinéma

Elle n'aurait pas risqué sa carrière, non, pas du tout. Mais elle aurait certainement pu faire quelque chose si elle l'avait voulu.

Will Quadflieg, comédien

Dans ce pays, au fond, il était parfaitement indifférent de savoir si quelqu'un avait ou non chanté des chansons incitant les Allemands à tenir bon. Dans une dictature, presque tout est parfaitement indifférent. Vous êtes simplement forcé de faire ce que l'on exige de vous.

Evelyn Künneke, chanteuse et comédienne

mais la douleur de la séparation que ressentait Hanna Holberg. Le « happy end » de l'histoire leur donnait à espérer que l'attente porterait ses fruits et que ceux qu'elles aimaient reviendraient eux aussi après la victoire – peut-être y aurait-il « un miracle » ?

Dans le même temps, le film propageait l'idéal de l'« homme soldat », dont le premier devoir est la défense de la patrie, et pour qui la famille n'arrive qu'en deuxième place. Pourtant, l'amour, qui ne peut déboucher sur le bonheur conjugal avant la fin de la guerre, l'aide à survivre pendant le conflit. Comme le montrent des récits d'anciens soldats, Zarah Leander contribuait à relever le moral des combattants au front. « Je me rappelle, explique avec exaltation un témoin, que quand nous étions dans la boue, en Russie, nous entendions souvent la voix de Zarah à la radio, et cela nous consolait, nous redonnait de l'espoir. » Conformément à l'idéal national-socialiste de l'engagement patriotique, Hanna comprend que sa place est auprès des troupes : elle va chanter *Le monde ne disparaîtra pas pour autant* dans un château pillé de la France occupée, devant des soldats blessés de la Wehrmacht. Les hommes, dont certains portent au col les runes de la SS, reprennent joyeusement cet air de valse. À propos de cette scène, un critique de l'époque écrivit : « Le refrain décontracté n'enthousiasme pas moins les blessés assis dans la salle que leurs camarades sur l'écran. » Toute sa vie, Zarah Leander a affirmé n'avoir jamais chanté devant des soldats de la Wehrmacht. On doit donc considérer comme une ironie de l'histoire cinématographique le fait que les « camarades sur l'écran » aient été de véritables militaires. « Le théâtre dans lequel nous avons tourné cette scène contenait entre cinq cents et huit cents places. Pour limiter les frais de figuration, on a tout simplement envoyé des soldats occuper les sièges, se rappelle Wolfgang Preiss. Et quand Zarah chantait "Le monde ne disparaîtra pas pour autant, on a encore besoin de lui", elle apportait son aide, bien entendu, à la propagande : On a encore besoin du monde, on a encore besoin de vous, on a encore besoin de toi. »

Après la guerre, on reprocha à Zarah Leander d'avoir contribué à l'effort de résistance de la population allemande avec ses deux chansons *Le monde ne disparaîtra pas pour autant* et *Je sais qu'un jour surviendra un miracle.* Son film *Le Grand Amour* fut projeté pour la première fois le 12 juin 1942 – deux semaines après que la première grande attaque aérienne britannique eut réduit en cendres le centre-ville de Cologne. Sur le front de l'Est, les armées allemandes avaient lancé une nouvelle grande offensive. À ce moment-là, la catastrophe n'avait cependant pas encore eu lieu. (Un an plus tard, une armée d'Hitler serait sacrifiée à Stalingrad, et Goebbels appellerait à la « guerre totale » au Palais des Sports de Berlin.) Ainsi donc, les chansons, à cette époque, promettaient plus l'accomplissement d'un rêve de grande puissance qu'elles n'appelaient à l'héroïsme devant l'abîme. « Ce que nous voulions exprimer, c'était l'idée que la paix allait revenir, que les gens pourraient de nouveau mener une vie normale, se défendit plus tard Zarah Leander dans une interview. Les hommes au pouvoir l'ont interprété autrement : "Un miracle surviendra, et nous dominerons le monde." Mais ce n'est pas ce que nous voulions dire. » En tout cas, le principe énoncé par Goebbels, « la propagande qui agit de manière invisible », était respecté à la lettre. Le film obtint des autorités allemandes la mention « de grande valeur pour la politique de l'État, l'art et la nation ».

Le haut commandement de la Wehrmacht fut le seul à se plaindre : un lieutenant de l'aviation allemande ne couche pas dès la première nuit avec une femme ! Mais le chef de la Luftwaffe Hermann Göring, qui était plutôt bon vivant, écarta cette objection : « Si un lieutenant de la Luftwaffe ne profite pas des occasions, ce n'est pas un lieutenant de la Luftwaffe. » Il n'est cependant pas fait mention dans les documents officiels du rôle joué par la Leibstandarte SS Adolf Hitler dans la mise en scène de la chanson *Je sais qu'un jour surviendra un miracle.* Le fait que des prototypes du « guerrier germanique » dur comme de l'acier imaginé par Heinrich Himmler soient apparus sur scène en travestis, accédant ainsi au sommet de l'autodérision, est déjà en soi le signe d'une confusion mentale absurde face à l'histoire. « Comme comédien, j'étais un parfait inconnu, raconte avec plaisir Wolfgang Preiss. Un jour, alors que j'avais déjà revêtu mon costume de colonel, je suis passé dans le vestiaire des figurants ; les hommes de la Leibstandarte étaient déjà là et se changeaient. L'adjudant m'a vu, a hurlé "Garde à vous !", et ils se sont tous immobilisés comme ils étaient : en robe, avec leurs perruques de travers, à moitié maquillés ou en sous-vêtements. C'était une image grotesque. J'ai dit, aussi naturellement que possible : "Repos, continuez !", mais intérieurement, j'étais mort de rire. »

En 1944, le coût de la production, plus de trois millions de Reichsmark, avait déjà été largement couvert par les recettes, qui s'élevaient à plus de neuf millions. Près de vingt-sept millions de spectateurs virent *Le Grand Amour*. Zarah Leander était au sommet de sa carrière et devint l'une des stars les mieux payées du Troisième Reich. Alors qu'en 1937 ses revenus étaient encore de deux cent mille Reichsmark par an, en 1943 ils atteignaient quatre cent mille Reichsmark. Mais c'est avec ses chansons qu'elle gagnait le plus d'argent : *Il s'appelle Waldemar*, *Surtout ne pas pleurer d'amour*, *L'amour peut-il être un péché ?*, *Le vent m'a dit une chanson* étaient des airs populaires, et ses disques se vendaient à des millions d'exemplaires. Elle enregistra beaucoup de ces titres à la fois en allemand, en suédois et en français.

La guerre déclenchée par Hitler avait fini par atteindre l'Allemagne. Depuis février 1942, les Britanniques misaient sur la stratégie de la terreur. L'objectif affiché était d'« écraser le moral du peuple allemand » en larguant des tonnes de bombes sur les villes du pays. Lorsque la Royal Air Force reçut le soutien des États-Unis, au début de 1943, la souffrance de la population ne connut plus de pause. Désormais, les attaques de précision américaines se déroulaient dans la journée, tandis que les Anglais lançaient leurs bombes pendant la nuit. Dès 1940, Berlin lui-même avait été, à plusieurs reprises, la cible des attaques alliées. En janvier 1943, Roosevelt et Churchill exigèrent la capitulation sans conditions de l'Allemagne. Des rumeurs attisées par la propagande coururent alors dans tout le Troisième Reich : les Alliés, disait-on, ne voulaient pas seulement vaincre l'Allemagne, ils voulaient la détruire et exterminer sa population. Toutefois le slogan «Nos murs se brisent, mais pas nos cœurs!» ne put convaincre Zarah. Elle était suédoise et voulut rentrer chez elle. De toute façon, avec la catastrophe de Stalingrad, en février 1943, il devenait clair qu'Hitler allait perdre la guerre. Dans le discours tristement célèbre qu'il prononça au Palais des Sports de Berlin pour appeler l'Allemagne à tenir bon, Goebbels tenta de mobiliser les foules pour la victoire finale en demandant: «Voulez-vous la guerre totale?» La réponse de Zarah fut définitive: c'était non.

La diva ne pouvait certes pas se plaindre de ne pas avoir été traitée correctement. Depuis sa villa, qui disposait d'un abri antiaérien, on pouvait observer confortablement les bombardements sur Berlin. Mais elle vivait tout de même dans l'angoisse constante que sa maison soit à son tour atteinte par les bombes. La star ne se sentait plus aussi bien dans le Reich d'Hitler. Un conflit renforça encore cette impression: pour la première fois, pendant le tournage de son dernier film, *Le Foyer perdu*, elle entra en conflit avec Goebbels et la UFA – pas pour des motifs politiques, mais pour des raisons matérielles. Compte tenu de la raréfaction des devises, la compagnie, contrairement à ce que prévoyaient leurs accords contractuels, refusa de verser cinquante-trois pour cent du cachet de Zarah en couronnes suédoises, et proposa un paiement en Reichsmark. Furieuse, la vedette interrompit le tournage et resta chez elle pendant plusieurs jours, jusqu'à ce que la UFA cède et lui fasse son virement en couronnes.

À partir de l'automne 1942, Zarah Leander ne passa plus guère de temps en Allemagne et se servit beaucoup de son visa permanent pour la Suède. Son dernier «bref entretien» avec Goebbels, le 28 novembre 1942, fut encore à peu près pacifique. Le ministre tenta de la convaincre de tourner d'autres films, et apparemment elle accepta. Sur ce, il proposa à la superstar une demeure seigneuriale et une rente confortable, à une seule condition: qu'elle adopte la nationalité allemande. Il espérait vraisemblablement l'attacher ainsi pour toujours au Troisième Reich. Mais Zarah Leander était suédoise au plus profond d'elle-même. «Je refusai, écrit-elle, et nous nous séparâmes dans une ambiance glacée. » Elle avait de toute façon déjà pris sa décision : elle allait quitter définitivement l'Allemagne. Elle avait déjà transféré en Suède la plupart de ses objets de valeur. Elle parvint encore, au terme d'un concours de résistance à l'alcool – c'est du moins ce dont elle se vante dans ses Mémoires – à obtenir de Walther Funk, le ministre des Finances, l'autorisation de transférer à Lönö ses précieuses antiquités. Zarah était devenue une profiteuse de guerre.

Elle se rendit pour la dernière fois à Berlin le 3 mars 1943, pour la première du *Foyer perdu*. Le réalisateur Rolf Hansen rapporte : « Lorsque tout fut enfin terminé, vers onze heures et demie, nous partîmes pour Babelsberg, où la UFA donnait une réception. On servait, en pleine guerre, des boissons et un buffet si abondants que nous nous sommes demandé si nous n'étions pas victimes d'hallucinations. Plus tard, Zarah vint me voir et m'invita, avec quelques amis, dans sa villa de Grunewald pour continuer la fête en comité restreint. Bref, nous sommes partis, sans nous douter qu'entre-temps Berlin avait été bombardé. Au moment où nous sommes arrivés à la maison de Zarah, de hautes flammes s'élevaient de l'aile des cuisines. » La destruction de sa villa a sans doute achevé de la convaincre qu'il était temps de quitter l'Allemagne. En avril 1943, elle s'installa définitivement en Suède. Son contrat avec la UFA courait jusqu'à l'été 1943. Au cours des mois qui suivirent, la compagnie ne cessa de lui envoyer, chez elle, des propositions de scénarios ; la star les refusa tous. Elle ne voulait plus tourner pour le Reich. Et en septembre 1943, elle annonça à la presse suédoise que son contrat avec la UFA avait expiré.

Pour beaucoup de ses admirateurs allemands, le départ de Zarah fut un choc, « et, pour certains, un avertissement », comme l'écrivit plus tard un critique : « Lorsqu'on murmurait "Zarah Leander est partie", on exprimait un sentiment d'abandon et de fin du monde imminente. Alors que la guerre commençait à exténuer la population, on avait perdu l'objet d'amour le plus plantureux, le plus universel, le plus producteur d'illusions. » Mais la presse aux ordres du pouvoir réagit avec fureur lorsqu'elle donna en

Suède ce que les nazis appelaient des « interviews antiallemandes ». Le journal *Der Stosstrupp* écrivit le 20 juillet 1944, sous le titre « Zarah Leander, une amie des Juifs ! » : « La star de cinéma suédoise Zarah Leander, jadis connue en Allemagne, se produira à l'automne au cirque de Stockholm, dans une revue dirigée par l'agitateur antiallemand Gerhard. Gerhard est un bolcheviste de salon notoire, qui utilise les voyages de ses revues itinérantes dans toute la Suède pour se livrer à une agitation éhontée. L'organe communiste de Stockholm *Ny Dag* publie une interview de Zarah Leander où celle-ci reconnaît qu'elle est l'amie des Juifs. Et lorsqu'on lui demande si elle chantera des couplets antiallemands, elle s'en remet entièrement à l'organisateur du spectacle. » La revue dirigée par le chef de la SS, Heinrich Himmler, *Politischer Dienst für SS und Polizei,* publia elle aussi en 1944 un article fielleux et infamant : « Voilà un moment que nous ne l'avions pas vue, la superfemme Zarah Leander. *L'amour peut-il être un péché ?* – pour elle ça n'en était pas un, et si c'en était un (on en avait souvent l'impression avec elle), cela lui était égal. *Yes, Sir!* – le chemin du trottoir n'était jamais bien loin pour elle, et l'on s'estimait heureux d'être allé jusqu'au bout du chemin de la honte. *Seul l'amour rend belle une femme* – lorsqu'on peut le convertir en gloire et en argent. Elle a commencé par jouer la mondaine en Allemagne, puis a voulu refouler et remplacer la femme allemande. C'est nous qui l'avons placée sur un piédestal. Ses photos décoraient tous nos bunkers, et pour beaucoup de soldats elle était devenue la quintessence de la féminité. Maintenant, c'est sans doute le Popov qui occupe nos bunkers qui admire son sourire éclatant. Nous lui souhaitons bien du plaisir ! Zarah a disparu. Elle a filé au moment où elle avait tondu chez nous la prairie de l'érotisme et gagné suffisamment d'argent. La femme allemande peut reprendre son souffle. »

Cet accès de haine contre Zarah Leander n'empêcha cependant pas les nazis de continuer à montrer ses films, malgré les exigences de certains organes du parti qui réclamaient qu'on les retire de l'affiche. C'est sans doute une lettre de l'intendant du cinéma du Reich, Hans Hinkel, adressée à Goebbels qui fit pencher la balance en faveur de la diva : ses tubes, que l'on exportait encore, étaient selon lui « la locomotive de toute la production allemande, dont la vente serait ainsi remise en question ». Pour des motifs économiques, il déconseilla le retrait de ses films en Allemagne comme à l'étranger, en soulignant le fait que « dans les salles de cinéma du Reich, cinq cents copies tournent actuellement en reprise, et permettront d'engranger au total trois millions et demi de Reichsmark. On peut sans aucun doute renoncer à cet argent, mais pour la distribution cinématographique allemande il sera extraordinairement difficile de pourvoir cinq cents salles avec d'autres films ». Ceux de Zarah Leander restèrent donc autorisés, et ses chansons continuèrent à passer à la radio jusqu'au mois de janvier 1945.

Mais une mauvaise surprise attendait Zarah en Suède. Elle avait naïvement cru pouvoir renouer sans aucune difficulté avec ses succès d'autrefois. Or elle se heurta au mépris et au rejet. On lui reprocha d'avoir été la star d'Hitler. La réaction de nombreux Suédois fut pourtant très ambiguë. Ce pays, officiellement neutre, avait d'emblée entretenu un rapport singulier avec le régime nazi. Même après la prise du pouvoir par le Führer, les artistes et les gens de lettres avaient jugé tout naturel de travailler en Allemagne. Au début, les Suédois avaient même été fiers de constater que « leur » Zarah Leander était une star internationale et faisait carrière dans le Reich d'Hitler. Lorsque furent présentés *Première* et *Paramatta*, en 1937, au festival de Venise, les journaux suédois annoncèrent : « Zarah Leander représente la Suède à Venise avec un film autrichien et un film allemand. » Tous ses films avaient eu du succès dans son pays natal.

Après le début de la guerre, la Suède avait pris une position économique décisive ; ses livraisons de minerai de fer couvraient au moins trente pour cent des besoins allemands pour la production d'armes et de blindés. Afin de garantir son « indépendance » après l'occupation du Danemark et de la Norvège, et après l'entrée en guerre de la Finlande, la Suède accepta même le passage de troupes allemandes sur son territoire. En contrepartie, les Suédois reçurent du charbon et du textile allemands. Le royaume aurait échangé contre des devises, jusqu'à la fin de 1944, l'or de la Reichsbank, alors que l'on savait depuis le début de 1943 qu'il s'agissait d'or volé dans les zones occupées. De jeunes Suédois entrèrent même dans la Waffen-SS, devinrent gardiens dans des camps de concentration et participèrent à des pelotons d'exécution. Lors de l'attaque d'Hitler contre l'Union soviétique, en juin 1941, le roi Gustave V souhaita même par télégramme aux seigneurs de la guerre allemands « un grand succès dans l'écrasement du bolchevisme ». Mais un changement se fit jour au moment du désastre de Stalingrad, qui annonçait la fin du « Reich millénaire ». En Suède s'imposa alors une attitude antiallemande qui n'avait pas été, jusqu'alors, celle des milieux officiels.

Karl Gerhard, ancien ami et soutien de Zarah, fit tout ce qui était en son pouvoir pour faciliter le come-back de l'artiste dans son pays natal. Il décida de l'engager pour un de ses shows. Mais la nouvelle souleva une vague d'indignation, et la presse lança une véritable campagne contre la chanteuse. Carl-Adam Nykop, à l'époque rédacteur en chef du magazine *SE*, écrivit : « Un Suédois normal ne fréquente pas pendant plusieurs années le docteur Goebbels, ne se compromet pas avec la clique qui a tyrannisé de la manière la plus cruelle et la plus brutale qui soit les peuples qui sont nos voisins, ne fait pas de voyages dans les pays occupés et n'y reçoit pas les hommages des représentants de la puissance occupante. Même si l'on tient avant tout à gagner de l'argent, même si l'on trouve commode de se faire passer pour une idiote en politique et de s'en servir comme excuse. Ce n'est pas une excuse. »

C'est l'Association des réfugiés danois et norvégiens en Suède qui protesta le plus énergiquement : « Ils ont écrit une lettre à Karl Gerhard dans laquelle ils le menaçaient : Si tu passes l'éponge sur ce qu'a fait Zarah Leander au cours de ces années de guerre en Allemagne, ce sera aussi la fin de ta carrière », se rappelle Carl-Adam Nykop. Pour apaiser cette ambiance explosive, Karl Gerhard accueillit la bonne société de Stockholm lors d'une réception dans sa villa le 14 juillet 1944. Mais il y eut un scandale pendant la soirée : alors que quelques journalistes se dirigeaient vers Zarah pour lui parler, d'autres quittèrent ostensiblement la maison dès qu'ils apprirent qu'elle arrivait. Compte tenu des circonstances, elle annonça dans une lettre ouverte à Karl Gerhard qu'elle abandonnait son rôle dans la revue. Profondément blessée et amère, elle se retira dans sa propriété de Lönö.

Au cours des cinq années qui suivirent, la diva s'occupa de pisciculture et de bétail, de son potager et de son intérieur. Pendant quelque temps, elle accueillit chez elle des réfugiés qui avaient traversé la Baltique pour échapper aux Russes. Financièrement, elle n'avait pas de souci à se faire, mais elle n'avait que trente-six ans lorsqu'elle avait quitté la scène du jour au lendemain. Elle était, de toute son âme, une comédienne et une chanteuse, et son public lui manquait. Dans sa vie privée, tout n'allait pas non plus pour le mieux. Son mariage avec Vidar Forsell battait de l'aile, et sa situation compliquée aggravait encore les choses. Ils divorcèrent en 1946.

Pourtant, malgré tous les obstacles, Zarah Leander avait réussi à revenir sous les feux de la rampe. Après l'effondrement du Reich hitlérien, les Alliés lui interdirent de se produire dans les zones occupées. Mais dès le 13 novembre 1948 elle se retrouvait devant un public allemand pour un concert à Sarrebruck. La tournée qui suivit à travers l'Allemagne fut triomphale. Les Allemands n'avaient pas oublié « leur Zarah ». En Suède, c'est seulement le 5 août 1949, à Malmö, qu'elle fit son come-back. Au cours des années suivantes, elle tourna encore sept films, dont *Gabriela*, *Cuba Cabana* et *Ave Maria*, mais elle ne renoua pas avec les immenses succès du temps de la UFA. Les chansons qu'elle avait créées en Allemagne et ses rôles dans des comédies musicales lui permirent cependant de se produire dans le monde entier jusqu'à un âge avancé.

Mais les spéculations sur son passé politique n'avaient pas cessé pour autant, loin s'en faut. Pendant la guerre, déjà, les services secrets américains avaient observé avec suspicion ses activités. Le 19 décembre 1942, pourtant, Erik S. Eriksson, agent américain en Suède, avait envoyé à

Zarah Leander en 1972, lors d'une réception chez Willy Brandt.

L'Allemagne était sa deuxième patrie.

Göran Forsell, fils de Zarah Leander

« La mère des folles », disaient les Berlinois, parce qu'il lui était arrivé de chanter dans un club fréquenté par des homosexuels et que ceux-ci l'adoraient.

Ilse Werner, chanteuse et comédienne

ses supérieurs ce communiqué rassurant: «Elle n'est certainement pas une sympathisante du parti. Je suis plus que persuadé qu'elle est dans notre camp.» Un diplomate suédois affirma même, après la guerre, que Zarah avait travaillé en secret contre les Allemands et avait aidé des gens à s'enfuir. C'est surtout en 1951, lorsqu'elle déposa une demande de visa pour une tournée de concerts aux États-Unis, que les hommes des services secrets furent mis à contribution. Selon les uns, sous le Troisième Reich certains comédiens étaient devenus des espions à la solde du régime et Zarah Leander, notamment, avait œuvré efficacement en ce sens. Son époux, lui, fut accusé d'avoir transféré de grosses sommes d'argent en Suède afin d'y acheter des terrains pour des Allemands. Selon un autre rapport, elle avait travaillé pour les Soviétiques. À l'époque de la grande campagne anticommuniste aux États-Unis, de telles rumeurs suffisaient: le visa lui fut refusé. On trouve aussi dans les archives des services secrets suédois des informations contradictoires indiquant que Zarah Leander avait transmis des renseignements aux nazis selon les uns, aux Soviétiques selon les autres. Mais personne n'a jamais prouvé que la star ait jamais espionné qui que ce soit. Au fond, l'idée qu'une femme obnubilée par sa carrière ait eu une activité politique de ce genre est plutôt absurde.

Dans le Reich d'Hitler, Zarah Leander était une diva adulée que l'on pensait hors d'atteinte. Mais son chant du cygne dura des décennies, et se transforma peu à peu en une grotesque parodie. Avec sa silhouette de matrone, son visage sillonné de rides, elle se produisit très fréquemment sur scène lors de nombreuses «tournées d'adieux». Elle était devenue son propre fossile. En 1978, après la mort de son troisième époux Arne Hülphers, elle eut une attaque. Elle mourut à Stockholm le 23 juin 1981. Zarah Leander avait été une femme impressionnante, avec une voix magnifique qu'elle aurait sans doute prêtée à n'importe quel régime pourvu qu'il lui en offre une somme suffisante. Mais seul le Reich d'Hitler lui avait permis de devenir une star: c'est chez les Allemands que son côté mélancolique et nostalgique avait produit les meilleurs effets, c'est sous la dictature que l'on avait eu le plus besoin du mythe qu'elle incarnait. Elle avait ignoré la responsabilité politique que porte une star internationale. Selon son échelle de valeurs l'argent venait d'abord, la morale ensuite. Elle avait d'ailleurs toujours affirmé n'être rien d'autre qu'une chanteuse : « Je suis la Leander, et cela doit suffire. »

Marlene Dietrich

L'adversaire

Tout le monde connaît sans doute la réponse que j'ai donnée au régime d'Hitler lorsqu'on m'a invitée à rentrer et à devenir la « reine de l'industrie cinématographique allemande ». Ce que l'on ne sait pas, c'est que je n'ai pas pu m'empêcher de retourner la lame dans le cœur vaniteux de ces messieurs.

Si Hitler n'avait pas existé, j'aurais eu beaucoup d'enfants – et un foyer dans ma patrie.

Je suis allemande et je comprends les Allemands. Ils ont tous besoin d'un guide. Nous en voulons tous un, les Allemands sont comme ça. Ils voulaient leur Führer. Et ils l'ont eu.

Beaucoup d'artistes sont tellement pris par leur travail et dans une telle situation de dépendance qu'ils ne peuvent pas l'abandonner pour des motifs politiques.

Je suis fière de mon humour berlinois, qui est unique au monde et qui m'a souvent soulagée au cours d'une vie difficile.

Bien entendu, j'aimais l'Allemagne d'avant Hitler, ma patrie, et mes souvenirs sont beaux et souvent tristes, comme tous les souvenirs.

S'ils avaient du caractère, les Allemands me haïraient.

Marlene Dietrich

Elle aimait la culture allemande, la République de Weimar. Lorsque les choses ont commencé à changer, lorsque ce pays, avec sa culture et sa beauté, s'est transformé en une incarnation de la laideur et de la cruauté, elle a eu beaucoup de mal à l'accepter. Elle ne s'est pourtant pas détournée de sa patrie, mais de ce qu'elle était devenue.

Maria Riva, fille de Marlene Dietrich

C'est un pur souvenir du monde de strass des années 1920 et 1930, dont elle incarnait sans doute les rêves avec le plus de pureté. Mais elle était crédule, et ces rêves elle les partageait aussi : elle était à la fois déesse et créature de cet ultime romantisme occidental, né de l'esprit du cinéma.

Gunar Ortlepp, journaliste

Tout ce que fait Marlene est parfait. C'est une comédienne parfaite, un cameraman parfait, une créatrice de mode parfaite.

Alfred Hitchcock

En Allemagne il n'y a eu que deux superstars : Marlene Dietrich et Adolf Hitler.

Karel Dirka, producteur

Sa beauté était stupéfiante, mais froide. Son rayonnement était sensuel, érotique, mais dominé par la raison. Elle n'était jamais une victime, comme Rita Hayworth ou Marilyn Monroe.

Hellmuth Karasek, journaliste

Elle savait parfaitement ce que les hommes attendaient d'elle. Et elle savait se servir d'eux. Les deux mille GI qui l'attendaient dans la salle de l'opéra d'Alger ne pouvaient pas lui donner le trac – elle percevait à peine leurs braillements, leur impatience, leurs cris enragés. Marlene Dietrich fit enfin son entrée sur scène dans un uniforme d'officier américain taillé sur mesure, une petite valise à la main. Cette apparition assez peu spectaculaire troubla un instant les soldats – mais ils ne tardèrent pas à être récompensés. La star sortit de sa petite valise une robe très translucide. Un pas élégant, et déjà elle se trouvait derrière un paravent installé sur la scène. Quelques secondes plus tard, elle ressortait vêtue de sa légendaire « robe nue », un voile de tissu scintillant de paillettes qui laissait tout deviner sans rien montrer vraiment. Dans cette tenue, Marlene Dietrich était la quintessence de la femme à laquelle aspirent les soldats de toutes les armées. L'apparition écarta les bras. « Les hommes poussèrent un cri animal. Pendant cinq ou six minutes, ils hurlèrent : Aahhh ! C'était un spectacle fantastique : les gars étaient complètement partis. Et Marlene jouait totalement le jeu. Elle était là, elle se laissait porter », se rappelle Joshua Logan, son ancien collègue de la United Service Organisation. Ensuite, les « gars » eurent droit à l'entraînant *See what the boys in the backroom will have*. Elle savait comment gâter les *boys :* le numéro de la « scie chanteuse » ne laissait personne indifférent. Marlene s'asseyait sur une chaise, relevait bien haut sa robe et plaçait entre ses jambes une longue scie sur laquelle elle jouait la *Pagan love song*. Dans cet opéra fin de siècle d'Alger, on n'avait encore jamais entendu cet hymne païen à l'amour. Et la plupart des jeunes soldats américains n'avaient encore jamais vu un spectacle d'une telle audace.

Les hommes en tenue de combat qui peuplaient la salle, ce 11 avril 1944, ne voyaient aucun inconvénient à ce que la femme qui se produisait devant eux ait un nom allemand et qu'elle soit originaire d'Allemagne. Ils étaient fascinés par cette créature blonde qui chantait et dansait là pour la première fois devant les troupes américaines stationnées outre-mer. Et cela ne les dérangeait pas non plus que des nazis de premier plan – ceux-là mêmes qu'ils combattaient les armes à la main – aient partagé leur enthousiasme pour « la Dietrich ». Le sbire d'Hitler Joseph Goebbels, par exemple, était subjugué par cette femme. Il avait longtemps rêvé d'en faire le porte-drapeau de la culture cinématographique allemande. Mais Marlene Dietrich ne voulait à aucun prix servir de figure de proue à l'idéologue nazi. Hitler et Goebbels avaient tenté de s'attirer ses faveurs : la diva avait toujours repoussé leurs avances. Au lieu de ceindre la couronne de « reine de la UFA » qu'on lui proposait et de tourner des films de divertissement à Berlin, elle préférait aller se donner en spectacle devant des soldats américains, sur le front. Son public portait la tenue kaki et olive, et pas l'uniforme vert-de-gris. C'est pour les GI que la star mondiale était là, sur la scène, sexy et inaccessible. Pour les nazis, elle était juste inaccessible.

Ce n'est pas seulement auprès des soldats que Marlene Dietrich avait un succès fulgurant. Des hommes d'un tout autre genre avaient succombé, les uns après les autres, à ses charmes : des individualistes, des artistes, des personnages qui exécraient les uniformes et l'uniformité. Lorsque l'Américain Joseph von Sternberg était entré au Berliner Theater, un soir de septembre 1929, ce réalisateur excentrique d'Hollywood qui se montrait si volontiers d'habitude en bottes à lacets, en culotte de cheval et en turban portait des vêtements tout à fait conventionnels, une tenue noire adaptée à une soirée théâtrale. La pièce qu'il venait voir et qui attirait en masse le public berlinois depuis le début de cette saison s'appelait *Deux cravates*. Mille cinq cents spectateurs remplissaient la salle ce soir-là. On leur proposait un spectacle endiablé : une musique de jazz les entraînait dans le monde des gangsters de Chicago, cinquante acteurs et chanteurs tourbillonnaient sur un rythme de charleston. Hans Albers brillait dans le rôle principal. Mais Sternberg remarqua surtout une femme qui se déplaçait sur la scène avec une lascivité et une élégance incroyables. Dans chaque tableau, elle interprétait ses chansons en bon anglais et rayonnait d'une arrogance mêlée d'ennui. Quelques minutes après que Marlene Dietrich, alors âgée de vingt-huit ans, eut fait son entrée en scène, Joseph von Sternberg savait que sa quête était achevée. Il avait trouvé sa Lola Lola, son ange dangereux et séducteur. Car si Sternberg s'était rendu au Berliner Theater, ce n'était pas pour son plaisir : il cherchait une comédienne pour son dernier projet en date. C'est ici, en Allemagne, qu'il voulait tourner l'adaptation cinématographique du roman d'Heinrich Mann *Professeur Unrat*. Ce qui lui manquait encore, c'était la Lola idéale, la chanteuse du night-club L'Ange bleu qui devait faire tourner la tête du professeur. Mais pour l'instant, c'est Sternberg, le professionnel hollywoodien, qui risquait de perdre la sienne.

La Marlene qu'il voyait sur scène était une créature des années folles qui incarnait tout ce que nous appelons aujourd'hui la « culture populaire ». Les derniers succès du disque et de la radio, les films au cinéma – tout était disponible, facile à consommer. Un marché gigantesque pour une industrie montante et une scène immense pour les artistes en vogue.

Les années 1920 furent folles partout en Europe et en Amérique, mais pour les Allemands elles ouvraient une ère nouvelle. Les bouleversements politiques et sociaux avaient ébranlé la nation en 1918. La défaite et la révolution du 9 novembre 1918 avaient terrassé la monarchie – et détruit plus d'une illusion de grandeur impériale et d'éclat aristocratique. « Pourquoi me faut-il vivre cette époque épouvantable ? Moi, je voulais une jeunesse dorée, une jeunesse joyeuse. Et voilà où nous en sommes. L'empereur me fait tant de peine, lui comme tous les autres. La populace

Marlene (à droite) en 1906 avec ses parents et sa sœur.

C'est la guerre ! Affreux ! Papa est parti pour l'Ouest le 6 août. Maman pleure sans arrêt.

Marlene Dietrich, journal, 15 août 1914

Maintenant ils sont tous morts. Papa a été enterré aujourd'hui. Ce matin, nous n'avons pas été à l'école, mais au cimetière militaire, voir papa. On venait de creuser sa tombe.

Marlene Dietrich, journal, juin 1916

s'attaque à tous ceux qui roulent en voiture. Nous avions invité quelques dames pour le thé, aucune n'a franchi les barrages. Sauf la comtesse Gersdorff. Des soldats armés ont arraché la cocarde de son mari sur le Kurfürstendamm. » Ces phrases que la jeune Marlene, âgée de dix-sept ans, écrivit le 9 novembre 1918 dans son journal expriment l'étonnement, le désarroi.

La jeunesse de Marlene Dietrich, née le 27 décembre 1901 sous le nom de Maria Magdalene Dietrich, n'a été « dorée et joyeuse » que jusqu'en 1914. La Première Guerre mondiale eut des conséquences sur elle autant que sur sa famille. Le 16 juin 1916, son père adoptif, Eduard von Losch, mourut sur le front de l'Est. Il avait épousé en 1911 la mère de Marlene, Josephine. Le père naturel de l'enfant, le lieutenant de police Louis Erich Otto Dietrich, était mort en 1907. Dans les Mémoires de Marlene, l'image des deux hommes en uniforme se mêle en un portrait idéal. « Mon père : une stature élevée et imposante, l'odeur du cuir, des bottes reluisantes, une cravache, des chevaux. Mon souvenir est flou, indistinct. » Son deuxième père, un noble qui servait dans les grenadiers de la garde, permit à la veuve Dietrich et à ses deux filles de connaître une rapide promotion sociale et de fréquenter les milieux les plus huppés de l'Allemagne wilhelmienne. Dans la maison familiale, à Schöneberg, régnait une discipline prussienne qui n'empêchait pas la curiosité d'esprit. Marlene et sa sœur aînée, Elisabeth, étaient des privilégiées : lycée, cours de musique, après-midi mondains, gouvernantes française et anglaise. Les enfants assimilèrent cependant aussi les vertus prussiennes : « Faire son devoir » était l'idéal qu'on leur inculquait. En 1991, dans une interview, Marlene Dietrich résumait ainsi l'héritage qu'elle avait gardé de ces années-là : « Dans mon enfance, j'ai toujours appris à me contenir. J'ai aussi appris à ne pas importuner les autres avec des sentiments personnels négatifs. »

À partir de 1914, la grisaille de la vie quotidienne en temps de guerre rendit l'existence plus pénible. En Allemagne, les gens espéraient une victoire rapide. Au bout du compte, ils passèrent les hivers suivants le ventre presque vide, nourris à la betterave. Les familles ignoraient ce que devenaient les leurs sur le front. Tout cela, mais aussi et surtout la mort de son père adoptif, assombrit la vie de la jeune Marlene. Elle savait fort bien, désormais, que la guerre n'était pas un jeu d'aventures.

La défaite et la révolution de novembre 1918 transformèrent la vie de tous les Allemands. Chacun réagit à sa manière. Beaucoup refusèrent la nouveauté, restèrent agrippés à l'ancienne grandeur nationale et à de vieilles valeurs. Face à la jeune république, ils devinrent ainsi des adversaires aigris de la démocratie. D'autres, à l'esprit plus ouvert, se firent à ce changement. Leur sentiment de résignation se transforma en une attitude ironique qui permit d'affronter plus facilement des réalités dégrisantes. Quel rôle les valeurs et la morale pouvaient-elles encore jouer après une guerre aussi épouvantable ? On s'amusait, on vivait – Berlin devint une ville où l'on pouvait, même en ces temps de vaches maigres, trouver n'importe quelle espèce de plaisir, d'activité sexuelle et de drogue. C'est dans ce monde-là que grandit la jeune Marlene Dietrich. Et elle comprit qu'elle pourrait y tenter sa chance.

Cette fille de bonne famille voulait faire une carrière de musicienne. Elle suivit des études de violon de 1919 à 1921. La vie d'étudiante indépendante, qui n'était pas du tout courante à cette époque pour les jeunes femmes, mais aussi l'atmosphère de bohème qui s'attachait à la capitale (elle devint au début des années 1920 le siège du groupe du Bauhaus) renforcèrent le style personnel de Marlene. C'est en 1921 qu'elle trouva son premier emploi dans la capitale : elle fut la première femme à jouer dans un orchestre de cinéma muet. Ironie du sort, ses jambes magnifiques furent d'abord un obstacle à sa carrière : elle fut congédiée au bout de quelques semaines parce que ses mollets et ses genoux, qu'elle montrait insolemment, étaient une source de distraction permanente pour ses collègues masculins.

Pourquoi, dans ces conditions, ne pas faire un usage professionnel de l'effet qu'elle produisait sur les hommes ? Marlene partit en tournée avec le Girls Cabaret Guido Tilscher. Ses jambes avaient été un problème ? Désormais, elles seraient un atout dans sa carrière – et elles le resteraient longtemps. De retour à Berlin, elle dansa dans des revues. La scène, les feux de la rampe et l'admiration devinrent l'élixir quotidien de la jeune femme ; mais elle ne comptait pas faire carrière comme danseuse de music-hall. Cette fille de vingt ans n'était pas seulement belle et disciplinée : elle était ambitieuse et n'avait pas froid aux yeux. Elle se présenta ainsi un jour à l'école d'art dramatique de Max Reinhardt, qui était déjà une légende à cette époque. Après des débuts encourageants, les examinateurs ne lui accordèrent pas son diplôme. Mais elle parvint tout de même à se glisser par la petite porte dans le monde théâtral de Reinhardt. Elle prit régulièrement des leçons de chant et des cours particuliers de comédie auprès d'un de ses disciples, et fréquenta avec assiduité les salles du maître. Elle parvint à y grappiller de petits rôles qui lui permirent de fréquenter les grandes stars du temps. En 1923, elle s'était déjà produite en public à quatre-vingt-douze reprises, et avait minutieusement réglé sa présence scénique.

Cette jeune comédienne avait quelques atouts dans son jeu – et elle avait l'instinct nécessaire pour s'en servir : dans cette métropole qu'était Berlin, la vitalité du spectacle vivant n'empêchait pas le boom de l'industrie du grand écran. Marlene demanda à un oncle qui entretenait des relations commerciales et mondaines avec le milieu du cinéma de lui faire rencontrer des réalisateurs. En 1922, elle obtint effectivement un rôle minuscule – et ne se trouva pas du tout photogénique : en voyant le film *Les hommes sont ainsi*, elle estima qu'elle ressemblait « à une pomme de terre avec des cheveux ». Cela n'empêcha pas le comédien Wilhelm Dieterle de lui confier en 1923, pour ses débuts de réalisateur, un rôle dans son film *La Carrière*. Et elle se fit peu à peu connaître du public et de quelques critiques.

C'est aussi dans le monde du cinéma qu'elle rencontra, en 1922, son premier grand amour : Rudi Sieber était chargé de la distribution des petits rôles chez un producteur. Dès qu'il la vit, il décida que Marlene occuperait une place importante dans sa vie. C'était un homme expérimenté et plein de charme : il parvint à conquérir le cœur de la jeune actrice. Ils se marièrent le 17 mai 1923, et le 13 décembre 1924 naquit Maria Elisabeth, l'unique enfant de Marlene Dietrich.

Quelques mois après cette naissance, le rôle de mère ne suffisait déjà plus à la jeune femme. Comme son époux, Marlene se plongea à corps perdu dans la vie nocturne berlinoise. Ce prétendu couple de rêve échappait, la nuit, aux contraintes du jour. Ils parcouraient les bars et les night-clubs de la capitale, pas toujours ensemble, mais en partageant le même enthousiasme pour la frivolité de cette cité dont le cœur battait si fort. Marlene était connue comme une « girl du Kurfürstendamm », trop jolie et trop légère pour qu'on puisse la prendre au sérieux comme comédienne, mais trop douée pour qu'on l'ignore. En 1924, un journaliste parla de l'« éloquence de ses jambes » et de sa « belle jeunesse de femme bouillonnante ». Le roi de la critique, Alfred Kerr, affirma apprécier Marlene « pour sa chair ». En 1926, elle put enfin associer son image de marque à un rôle. Dans la pièce de théâtre *Duel au Lido*, elle était une Française mangeuse d'hommes. Portant un pantalon de soie des plus avantageux, elle campait une jeune femme moderne et ambitieuse libérée des contraintes de la morale. En 1927, elle joua, avec la chanteuse de cabaret Claire Waldoff, dans la comédie musicale *De bouche à bouche*. Elle y donnait à voir ce qui, plus tard, fascinerait tellement Joseph von Sternberg : une nonchalance retenue lorsqu'elle se déplaçait et l'air de s'ennuyer lorsqu'elle chantait – comme ça, en passant, sans jamais donner de la voix.

Mais sa carrière cinématographique stagnait, aucune percée ne s'annonçait. La vie nocturne de Berlin mettait aussi à mal le couple qu'elle formait avec Rudi Sieber. Sa fille Maria avait une famille aimante, mais sa mère n'était pas très disponible. Marlene partit d'ailleurs en voyage. Après plusieurs spectacles à Vienne, où elle eut une liaison avec la star du cinéma autrichien Willi Forst, elle revint à Berlin.

Son contrat suivant fit d'elle une célébrité locale. Elle jouait de la scie musicale dans la revue *C'est dans l'air* ; assise sur une chaise, elle faisait vibrer la lame d'acier entre ses jambes écartées. C'est ainsi que tout Berlin finit par découvrir les plus belles jambes de la ville. On en fit bientôt des chansons : « Marlene, notre idole, aux si belles guiboles... »

Lorsqu'elle rencontra Sternberg au Berliner Theater, elle avait déjà tourné dans seize films – des œuvres qu'elle renia sans regret par la suite. Lorsqu'elle joua, en 1929, la pièce *Deux cravates,* elle montra au public et au réalisateur venu d'Hollywood tout ce qui la caractériserait plus tard : un singulier mélange de vitalité et de mélancolie ; une voix qui laissait percer une légère tristesse, voire une certaine résignation ; une attitude consistant à prendre le monde tel qu'il est, mais sans se laisser dominer par lui.

Transformer le monde n'était pas son affaire. Elle ne s'intéressait pas à la politique quotidienne de la République de Weimar, et se préoccupa tout aussi peu d'Hitler et de son parti, qui méprisaient ce régime et voulaient étouffer la démocratie. Marlene Dietrich s'intéressait surtout à sa carrière. Et c'est en 1930 qu'elle décolla véritablement. Dans le film tourné par Sternberg pour la UFA, *L'Ange bleu,* elle joue le rôle de Lola Lola, dont les numéros aguichants rendent fou un vieux professeur de lycée – interprété par Emil Jannings –, petit-bourgeois mal aimé. Son amour pour la chanteuse et le milieu dans lequel il se retrouve à L'Ange bleu, un night-club, lui rendent toute vie sociale impossible. « Je suis faite pour l'amour, de la tête aux pieds », chante sur scène Lola la séductrice ; mais lorsque le professeur – attiré vers elle comme un insecte par l'éclat de la lumière – a succombé à ses charmes, elle joue l'impassible : « Ce n'est pas ma faute si les mites se brûlent. »

Dans *L'Ange bleu,* Marlene Dietrich, la petite nouvelle du cinéma, éclipse Emil Jannings, une star de renommée internationale. Mais les patrons de la UFA, et notamment le magnat de la presse Alfred Hugenberg, furent tellement choqués par le contenu du film qu'ils ne remarquèrent pas le talent de Marlene : persuadés que l'œuvre serait un fiasco, ils renoncèrent à prendre une option pour d'autres tournages avec la comédienne. Il n'y avait pas de place, dans leur imaginaire, pour cette étoile montante. L'Allemagne que voulait Hugenberg, et que les nazis construiraient à partir de 1933, devait passer la marche arrière dans le domaine culturel, revenir aux valeurs nationales et à celles de la petite bourgeoisie. La première de *L'Ange bleu* dans la capitale fut provisoirement annulée. Mais un représentant de la Paramount à Berlin envoya un câble à Hollywood : « Elle est sensationnelle – prenez-la sous contrat ! » Et la Paramount ne rata pas l'occasion. Les Américains versèrent vingt mille Reichsmark de dédit pour libérer Marlene de tous les contrats qui la liaient encore à Berlin. Dès 1930, elle n'avait déjà plus à se prononcer pour ou contre l'Allemagne. Elle était libre, et l'aventure d'Hollywood pouvait commencer.

Marlene partit pour l'Amérique le jour même de la première berlinoise de *L'Ange bleu*. Son époux, qui comptait rester à Berlin avec sa maîtresse, Tamara, et la petite Maria, n'y voyait aucune objection. Mais l'actrice allemande allait constater, non sans effroi, que Hollywood et Berlin étaient à des années-lumière l'un de l'autre. Sternberg et les patrons de la Paramount lui réservaient en effet une petite surprise : ils lui firent immédia-tement comprendre que, s'ils étaient intéressés par son potentiel, ils allaient totalement transformer son style en fonction des besoins du studio. Fier de sa découverte, Joseph von Sternberg se mit à modeler Marlene selon les principes des créateurs d'images de la Paramount. Il l'envoya chez un orthophoniste pour améliorer son accent ; il lui prescrivit un régime et des séances de gymnastique. Il lui conseilla de se faire arracher deux molaires pour avoir les joues plus creuses. Le maquillage et l'épilation des sourcils achevèrent cette métamorphose hollywoodienne.

« L'éclairage de Sternberg et le maquillage avaient effacé les traits grossiers de Lola Lola, et la symétrie de son visage semblait désormais tout évoquer à la fois : l'énigme, la nostalgie, la séduction, la chaleur, la vulnérabilité, la satiété », écrit un des biographes de Marlene, Steven Bach. Le terrain était ainsi préparé pour le mythe Marlene Dietrich. La femme disparut derrière une image qui tenait du masque. « Elle n'était plus une personne privée. Elle se comportait à l'égard des autres comme ils avaient besoin qu'elle fût – et envers elle-même, elle était sans pitié », note une journaliste à son propos. Marlene elle-même parla en

1991, dans une interview, d'une « vie privée endommagée ». Des campagnes publicitaires soigneusement orchestrées diffusèrent sa nouvelle image aux États-Unis. Avant même qu'on ne pût la voir dans les salles, on lisait sur des affiches et dans les journaux : « La nouvelle star de la Paramount : Marlene Dietrich. »

Alors seulement on la présenta à l'écran : dans *Cœurs brûlés* (*Morocco*), elle tient le rôle d'une héroïne apatride et blasée qui chante dans les night-clubs parisiens puis, en Afrique, s'éprend d'un soldat de la Légion étrangère interprété par Gary Cooper. En frac et haut-de-forme, elle joue une femme énigmatique qui ne parvient pas à échapper au milieu de la prostitution et de la cocaïne. Elle reprend enfin la route, vers Buenos Aires, mais c'est pour y mener la même vie. « Il y a aussi une Légion étrangère des femmes », lui fait dire le scénario – une devise qui cadre assez bien avec la suite de sa vie. *Cœurs brûlés* battit tous les records d'entrées aux États-Unis. Malgré la crise, les caisses de la Paramount et des exploitants de salles explosèrent. Le *Los Angeles Times* écrivit : « Miss Dietrich se distingue par sa nonchalance provocatrice et une expressivité qu'elle utilise avec une admirable retenue. » Elle répétait longuement chaque mot, chaque mouvement, chaque regard profond et mystérieux. Elle ne laissait rien au hasard, car la beauté, elle le savait, n'est pas le produit du hasard. La recette de son succès devait rester secrète. En tout cas le style Dietrich triomphait déjà dans le monde entier. Et chez elle, on était fier de cette plante berlinoise qui fleurissait si bien de l'autre côté de l'océan.

Marlene Dietrich revint à Berlin, mais ce fut un simple coup d'essai. La métropole la reçut magnifiquement lors de cette visite éclair, en 1931. Ce fut le premier et le dernier triomphe que lui accorda sa patrie. « La Dietrich » à Berlin : tout le monde voulait voir ça. Toutes ses sorties en public tournèrent à l'émeute, les Berlinois étaient enthousiastes. Mais la satisfaction de Marlene resta contenue. La jeune femme, qui avait alors vingt-neuf ans, avoua à un ami journaliste : « À Berlin, quand j'étais une petite comédienne, j'ai eu la vie dure. Vous savez, la gloire est venue un peu trop tard. » Et en Allemagne, tous ne la portaient pas au

En 1931, Marlene Dietrich fit venir sa fille Maria aux États-Unis. À droite, son époux, Rudi Sieber.

C'est lui [Rudi Sieber] qui lui a annoncé que quelque chose d'effroyable se produisait en Allemagne. C'est lui qui lui a dit : « Reste là-bas. » Il avait une bien plus grande conscience politique qu'elle. Il lui a donné beaucoup de force.

Maria Riva, fille de Marlene Dietrich

Quand on lui demande ce qu'elle pense d'Hitler et des nazis, elle répond : « Je ne parle jamais de politique. »

Dorothy Calhoun, journaliste américaine,
Motion Picture, *janvier 1934*

L'unique élément de désespoir, lors de ce premier séjour à Hollywood, fut la nostalgie de ma toute jeune fille, que j'avais laissée avec mon mari et la nurse à Berlin parce qu'elle était trop petite pour entreprendre un aussi long voyage.

Marlene Dietrich

pinacle : les représentants du parti nazi qualifiaient sa prestation de « kitsch décadent de troisième classe » et réclamaient qu'on la bannisse des cinémas allemands.

Aux États-Unis non plus les critiques ne manquaient pas : les organisations féminines américaines, moralistes et rigides, appelaient au boycott de Marlene Dietrich parce qu'elle était faite pour les rôles de prostituée. On lui faisait un autre reproche : elle vivait à Hollywood alors que son mari et leur enfant étaient en Allemagne. Pour sauver son image de marque, Marlene décida de faire venir sa fille Maria auprès d'elle. Son époux Rudi Sieber s'installa à Paris avec sa maîtresse, Tamara. Il fut chargé du doublage des films pour la Paramount. Marlene pensait avoir tout réglé. Personne ne souffrirait. C'est du moins ainsi qu'elle voyait les choses.

Tandis que *Cœurs brûlés* résorbait le déficit financier de la Paramount, son film suivant, *X 27*, fut un échec relatif. Marlene y était une prostituée viennoise engagée comme espionne par le chef des services secrets autrichiens pendant la Première Guerre mondiale. Mais la Dietrich dans ce type de rôle, c'était devenu un cliché. Suivit *Shanghai Express*. Ce film fut le plus grand succès de Sternberg, et fut nominé pour trois oscars. Le magazine américain *Vanity Fair*, lui, ne l'apprécia pas : « Sternberg échange son style franc et ouvert contre un amusement chic, et surtout contre les jambes gainées de soie de la Dietrich ; il en fait la reine des putains. » Le réalisateur ne se laissa pas impressionner. Dans *Blonde Vénus*, Marlene tenait le rôle d'une chanteuse de night-club se prostituant pour pouvoir nourrir son enfant et payer le traitement de son époux malade. Ce film-là fut un four.

Pendant ce temps-là, en Allemagne, les nazis appelaient au boycott d'*X 27*, qu'ils considéraient comme du « Remarque de deuxième zone ». Selon leurs critères, c'était doublement insultant, car l'excellente adaptation du roman d'Erich Maria Remarque *À l'ouest rien de nouveau* les avait révulsés par son message antimilitariste.

En 1932, Marlene connut de sérieux problèmes. Le public rejetait ouvertement ses films. La Paramount allait mal, elle était au bord de la faillite, et le secteur du cinéma, dans son ensemble, souffrait de la crise économique. Des temps difficiles commencèrent pour Marlene Dietrich et Joseph von Sternberg : ils n'avaient plus aucun ami à la Paramount. Les gens qui étaient venus chercher à Hollywood le réalisateur et sa découverte avaient été ou bien licenciés ou bien mis sur la touche. Sternberg, âgé de trente-huit ans, fit savoir qu'il en avait plus qu'assez du milieu du cinéma et qu'il comptait prendre sa retraite pour peindre, lire et construire une maison.

Marlene, elle aussi, voulut changer de vie. Elle annonça qu'elle allait revenir en Europe pour reprendre sa carrière sur les scènes berlinoises et parisiennes. Mais l'Allemande resta à Hollywood, parce qu'elle y était forcée par contrat. Paramount ne voulait pas la laisser partir, et l'on préféra verser à la vedette désœuvrée quatre mille dollars hebdomadaires d'argent de poche. Enfin, les patrons des studios l'engagèrent pour le film *Cantique d'amour*. Sous la direction de Rouben Mamoulian, elle devait – comme dans ses quatre premiers films américains – jouer une fille légère. Marlene n'était pas précisément enthousiasmée par le rôle de Lily, et s'abstint de se rendre à des réunions préalables importantes. Lorsque la Paramount finit par lui supprimer ses quatre mille dollars, elle se considéra comme libérée de toute autre obligation contractuelle. Elle envisageait de quitter Hollywood et de rentrer en Europe en décembre 1932. La crise politique permanente en Allemagne ne l'effrayait pas. Les nazis au gouvernement ? Et alors ? En fait personne, à l'époque, ne pouvait vraiment imaginer la catastrophe qui allait frapper le pays. Berlin demeurait une perspective de carrière intéressante.

Joseph von Sternberg partageait ce point de vue : il faisait régulièrement des allers et retours dans la capitale allemande, rencontrait de temps en temps Leni Riefenstahl et dînait avec Alfred Hugenberg. Mais aucun projet concret concernant Sternberg et Marlene ne vit le jour. C'est un tout autre élément qui décida de la suite du parcours de l'actrice : ses avocats lui conseillèrent vivement de respecter son contrat avec la Paramount. Elle accepta donc, le 3 janvier 1933, de tourner *Cantique d'amour* – à contrecœur, parce qu'elle se sentait « assignée à résidence » auprès de la Paramount.

C'est ainsi que pour elle la prise de pouvoir d'Adolf Hitler et les bouleversements politiques en Allemagne passèrent d'abord inaperçus, d'autant qu'elle se consolait aussi avec des aventures amoureuses. Les candidats s'appelaient Maurice Chevalier, qui travaillait pour la Paramount, Rouben Mamoulian, le réalisateur avec lequel, donc, elle tournait *Cantique d'amour*, et Brian Aherne, qui était son partenaire masculin dans le film.

Sternberg, lui, découvrit à Berlin la nouvelle réalité politique. Le 28 février 1933, alors qu'il se dirigeait en taxi vers l'aéroport de Tempelhof, il passa devant le bâtiment du Reichstag, dont les ruines fumaient encore. On accusa un jeune communiste hollandais répondant au nom de Marinus Van der Lubbe d'avoir allumé l'incendie – mais aujourd'hui encore, on soupçonne les nationaux-socialistes d'avoir tiré les ficelles de cet attentat. Grâce au choc que produisit cet événement, le gouvernement d'Hitler eut les mains libres pour affronter communistes et adversaires politiques : le président du Reich, Hindenburg, prit un décret d'urgence pour suspendre la Constitution et accorda des pouvoirs élargis au chancelier. Sternberg, qui se disait lui-même apolitique, ne comprit pas ce qui s'annonçait. Il était en cela semblable à beaucoup d'Allemands. Presque personne ne prenait le péril nazi au sérieux. Le fait que son interlocuteur à la UFA, Hugenberg, ait financé les nazis et accepté de servir de marchepied à Adolf Hitler pour accéder à la chancellerie ne l'intéressait pas particulièrement.

De loin, Marlene voyait plus clair. Elle comprit peu à peu qu'elle n'aurait de toute façon aucune chance avec Sternberg en Allemagne. Avec la « révolution brune » qui agitait son pays natal, elle pressentait qu'il était irréaliste d'y prévoir le tournage d'un film avec un Juif américain originaire de Vienne. Elle ne se trompait pas : dès le mois d'avril 1933, les nazis déchurent de leur nationalité quelques artistes juifs de premier plan. La mesure toucha Max Reinhardt, Kurt Weill et Lion Feuchtwanger. Tous ceux qui ne correspondaient pas à la vision nazie de l'art étaient menacés. Thomas et Heinrich Mann, Bertolt Brecht,

Arthur Koestler, Fritz Lang et Billy Wilder, mais aussi la totalité des peintres modernes et des architectes qui avaient forgé le style du Bauhaus. Ils étaient tout d'un coup considérés comme indésirables. Pour échapper aux persécutions, tous ceux-là émigrèrent, et beaucoup d'autres avec eux.

Le 10 mai 1933, le régime porta un deuxième coup à la vie culturelle allemande. Des étudiants et des activistes nazis brûlèrent en public les œuvres de Marx, Freud, Heine, des frères Mann, de Stefan Zweig, d'Erich Maria Remarque et de centaines d'autres, considérés comme « dégénérés ». C'est Adolf Hitler, ce peintre raté de cartes postales, qui décidait désormais quelles œuvres avaient droit de cité. Les artistes et les auteurs qui ne correspondaient pas à son image du monde étaient expulsés, combattus et même – comme dans le cas de l'éditeur de la *Weltbühne*, Carl von Ossietzky – enfermés en camp de concentration dans des conditions abominables.

Marlene Dietrich n'avait pas la moindre sympathie pour les nouveaux détenteurs du pouvoir en Allemagne et pour leur politique culturelle. Elle jouissait d'une remarquable liberté d'esprit – elle était libre de préjugés, de conventions, elle avait été nourrie par la vie culturelle des années folles à Berlin. Mais elle se sentait aussi liée aux idéaux aristocratiques prussiens, et méprisait Adolf Hitler, ce chef nazi issu de la populace, et ses compagnons de parti. Leurs péroraisons sur la « communauté du peuple allemand » la laissaient de marbre. C'est elle, et elle seule, qui décidait avec qui elle formait sa communauté personnelle. Son époux la conforta dans son attitude. Il vit de ses yeux ce qui se passait à Berlin, et lui envoya un télégramme à Santa Monica : « Situation épouvantable. Bars en grande partie fermés. Théâtres, cinémas impossibles, rues vides. Juifs de notre connaissance sont à Paris, Vienne, Prague. »

Ce qui se produisit en Allemagne après la prise du pouvoir par les nazis eut des retombées à Hollywood. Tandis qu'un pays européen de poètes et de penseurs devenait un désert culturel, l'Amérique s'enrichissait des plus grands esprits venus d'Allemagne. Mais même les meilleurs connaissaient d'énormes difficultés dans le Nouveau Monde. Hollywood offrait certes des possibilités de travail aux acteurs et aux cinéastes, mais de nombreux émigrés débarquaient aux États-Unis sans avoir la moindre perspective concrète. C'est seulement s'ils avaient de la chance que les nouveaux venus à Hollywood, encore désorientés et souvent dépourvus de moyens, rencontraient des personnes disposées à les aider et à se montrer généreuses. Avec Ernst Lubitsch, Salka Viertel ou Lion Feuchtwanger, Marlene Dietrich faisait partie des personnes installées. « Fort heureusement, j'étais en Amérique quand les nazis sont arrivés au pouvoir. Comme tout le monde aux États-Unis, j'étais donc informée des atrocités et des autres événements qui se déroulaient en Allemagne. J'ai ainsi pu aider beaucoup de personnes persécutées à s'échapper et leur trouver d'abord un toit, puis un travail », raconte-t-elle avec modestie dans ses Mémoires. Ce qu'elle oublie de dire, c'est qu'elle fit des dons financiers considérables destinés à adoucir la détresse de nombreux réfugiés politiques – et qu'elle sauva peut-être même des vies. Car les États-Unis s'en tinrent à leurs quotas d'immigration fixes et relativement sévères ; en outre, ils ne délivraient de visa d'entrée que si le demandeur pouvait apporter la preuve que quelqu'un, ici en Amérique, garantissait ses revenus financiers. Marlene comprit que la discipline était l'impératif du moment : la sécurité et la disponibilité de ses fonds étaient désormais plus importantes que ses préférences artistiques ou son désir de changer de studio. Les émigrés n'étaient pas les seuls à avoir besoin de soutien. En Allemagne vivait sa famille : sa mère, sa sœur, le mari de celle-ci et leur fils Hasso. Eux aussi pouvaient nécessiter une aide financière.

Marlene fut confirmée dans son pragmatisme par le succès du premier long métrage qu'elle tourna sans Sternberg. *Cantique d'amour,* ce film qu'elle aimait si peu, reçut dans la presse un accueil enthousiaste. Le *New York Times* écrivit à propos du premier rôle : « Marlene Dietrich plane à travers *Cantique d'amour* avec la grâce lyrique d'une créature envoyée par le ciel pour embellir l'instant. » On n'a jamais oublié la chanson que Marlene, dans le rôle de la prostituée, chante dans ce film, une cigarette au coin des lèvres – une attaque érotique frontale qui constituait une promesse pour n'importe quel homme : « Johnny, le jour de ton anniversaire... »

Ce type de femme n'était pas exactement du goût des nazis. Marlene se situait en fait aux antipodes de leur idéal féminin. Son attirance pour l'androgynie, ses aventures homosexuelles occasionnelles, son goût pour les tenues masculines étaient une provocation – pas seulement en Allemagne, d'ailleurs. Mais Goebbels avait d'autres raisons de regarder d'un mauvais œil le succès de Marlene Dietrich. Ce qui le dérangeait, c'était que l'unique star mondiale allemande du cinéma ne célébrât pas son triomphe à Berlin, mais à Hollywood. Le « bouc de Babelsberg » fit courir dans la presse des commentaires fielleux. Les Allemands apprirent ainsi qu'ils devaient renoncer à Marlene : « On peut douter que le public allemand pourra encore voir des films de Marlene Dietrich, car elle a choisi le dollar. »

On promulgua à Berlin, fin 1933, un décret interdisant aux « créateurs de cinéma aryens » vivant à l'étranger de travailler en Allemagne. Motif : ils sabotaient la construction de la nouvelle culture, ce qui faisait d'eux des traîtres. Ce fut un choc pour Marlene Dietrich, qui tenait à conserver aussi sa bonne réputation en Allemagne. Elle avait d'ailleurs évité, jusque-là, d'exprimer en public ses critiques contre le Reich. En mars 1934, elle partit pour Berlin. Elle comptait y apaiser les remous, pour ne pas porter préjudice aux membres de sa famille qui vivaient encore dans la capitale allemande. Le 14 mars 1934, le directeur de la Chambre du cinéma du Reich, une institution créée par les nazis, annonça que Marlene avait versé « une somme considérable » pour le fonds de bienfaisance de l'institution. Mais deux jours plus tard, les autorités interdisaient la diffusion de son film *Cantique d'amour* en Allemagne. Les journalistes aux ordres du docteur Goebbels expliquèrent pourquoi : Marlene Dietrich était « une comédienne allemande qui, en Amérique, se complaisait dans les rôles de putain. Comme le monde entier savait qu'elle était allemande, elle donnait de l'Allemagne une image totalement erronée et non objective ».

La « putain » coupa peu après les ponts avec son pays. Sa visite au pays lui avait fait comprendre qu'elle n'avait aucun avenir dans le Reich d'Hitler. De toute façon, elle n'était pas disposée à se laisser atteler au char de la propagande par un « nain grotesque » – c'est ainsi qu'elle appelait Goebbels. Elle avait vu ce que les nazis avaient fait à beaucoup de ses amis du temps de la bohème à Berlin : interdictions professionnelles, livres brûlés, déchéance de leur nationalité, campagnes de presse. Son don à la Chambre du cinéma, on l'apprit ultérieurement, était la contrepartie à deux concessions qu'elle avait arrachées aux autorités nationales-socialistes : elles avaient accordé un visa de sortie pour l'Amérique à son époux Rudi Sieber, et elles avaient accepté que le passeport de Marlene ne soit pas déclaré périmé du jour au lendemain. La star internationale ne tenait pas à se retrouver apatride et privée de tous ses droits.

Elle quitta l'Allemagne sans deviner qu'elle ne reverrait sa patrie que dix ans plus tard. Mais elle resta allemande – au fond d'elle-même et pour le monde extérieur. En revenant d'Europe, sur le paquebot *Île-de-France*, elle se lia d'amitié avec l'écrivain Ernest Hemingway. Cette femme qui venait, résignée, d'abandonner sa terre natale, il la surnomma immédiatement *The Kraut* (la Boche). Ce trait moqueur d'Hemingway disait bien, déjà, qu'aux yeux des Américains elle resterait avant tout une Allemande.

Hollywood ne la consola pas non plus au cours des années qui suivirent. Le film de Sternberg sur Catherine II, *L'Impératrice rouge*, dans lequel elle jouait le rôle principal, reçut un accueil impitoyable de la critique. Les journalistes concentrèrent leurs tirs sur la star et critiquèrent ses allures : « Dietrich amoureuse », lisait-on sur un bandeau en pleine page, suivi, en plus petits caractères, des mots : « Le grand amour de Dietrich, c'est... la Dietrich ! » Ses liaisons amoureuses furent exposées au grand jour, tout comme le couple « ouvert » (c'est-à-dire inexistant) qu'elle formait avec son mari Rudi Sieber.

Sternberg, qui l'avait jadis prise sous son aile et en avait fait une idole érotique dans le monde entier, voyait arriver le moment où leurs chemins se sépareraient. Il était de toute façon contrarié de constater que lui n'avait pu posséder cette créature qui avait des liaisons avec un nombre incalculable d'hommes et de femmes. Elle était sa créature d'un point de vue artistique, mais elle n'avait pas placé sa vie amoureuse sous sa tutelle. Ces tensions avaient fait du bien à beaucoup de leurs films communs, mais ces affrontements devenaient désormais routiniers et improductifs. Le film *La Femme et le pantin*, tourné à la fin de 1934, devait être un ultime hommage à Marlene, dans le rôle de la belle Espagnole sans cœur, Conchita, qui ne peut que rendre les hommes malheureux. Le film indigna les censeurs, les critiques et les spectateurs. Pour Marlene, il sonna la fin de son travail avec son mentor. En privé, elle reconnaissait avec tristesse : « Je l'ai déçu. Je n'ai jamais été l'idéal qu'il recherchait. J'ai tenté de faire ce qu'il voulait, mais sans succès. Il n'a jamais été vraiment content. » Elle déclara publiquement, non sans diplomatie : « Pendant un certain temps, M. von Sternberg voudrait ne plus tourner de films. Il a de nombreux centres d'intérêt à côté du cinéma, notamment la peinture. Il aimerait se reposer et considère que le moment est venu pour moi de suivre mon propre chemin. »

Les nazis ne purent s'empêcher de commenter cette évolution. La fille de Marlene, Maria, raconte qu'un messager du consulat d'Allemagne fit passer à sa mère un éditorial qui « avait été publié dans les principaux journaux allemands, à la demande pressante du ministre de la Propagande du Reich, Joseph Goebbels ». On y lisait : « Félicitations à Marlene Dietrich. Elle a enfin congédié le réalisateur juif Joseph von Sternberg, qui lui a toujours fait jouer des prostituées ou d'autres femmes déshonorées, sans jamais lui donner un rôle à la hauteur de cette grande citoyenne et représentante du Troisième Reich. » On lisait encore : « Marlene devrait à présent rentrer chez elle, reprendre son rôle historique de figure de proue de l'industrie cinématographique allemande, et ne plus se laisser utiliser comme un outil par les Juifs d'Hollywood. »

Mais Marlene suivit son propre chemin. Elle comprit qu'elle avait un problème d'image. Les mises en scène de Sternberg l'avaient cantonnée au rôle de la femme « glamour » mais hors d'atteinte et cruelle. Le réalisateur en vogue d'Hollywood Ernst Lubitsch se mit en tête de changer les choses. Lui aussi trouvait qu'on l'avait trop présentée comme « la Dietrich » et trop peu comme « Marlene ». C'est cette dernière qu'il fallait désormais mettre au premier plan dans ses films – une belle femme dotée d'esprit et d'humour, une créature humaine – ni une déesse ni une diablesse. Dans sa comédie *Désir,* elle joue une voleuse de bijoux qui rencontre à Paris l'Américain Tom Bradley – interprété par Gary Cooper – et cherche refuge auprès de lui. La revue *Time* ne tarit pas d'éloges : « Une comédie romantique, pleine de raffinement et de charme, dans laquelle Marlene réalise sa meilleure performance depuis qu'elle est devenue trop convenable pour montrer les jambes qui ont fait sa célébrité aux États-Unis. » Elle était revenue dans le circuit, et sa réputation lui permettait encore d'exiger des cachets faramineux pour chacun de ses films. En 1936, on lui offrit deux cent mille dollars pour *Le Jardin d'Allah* – ce qui faisait d'elle, selon *Time,* la femme la mieux payée du monde.

Soixante valises portant le monogramme « MD » étaient empilées sur le quai du port de New York, et attendaient d'être chargées. Le paquebot *Normandie* devait faire franchir l'Atlantique à une passagère très particulière : à la mi-juillet 1936, Marlene était de nouveau en route pour l'Europe – et la presse l'accompagnait. « Elle suspendit toutes les règles de l'astronomie : la terre et le navire tournaient autour d'elle, et plus autour du soleil », écrivit le magazine féminin *Vogue.* La star voyagea dans des conditions très agréables ; on lui avait réservé une suite de quatre pièces en première classe, et elle était l'objet de toutes les attentions – par exemple, *Désir* fut projeté à bord en son honneur. Toute la journée, elle posait entourée de sa cour ; elle se faisait photographier, illuminée par son propre éclat. La journaliste de *Vogue* était charmée. Elle écrivit : « Même les vagues ont succombé au charme de Marlene. Le deuxième jour, la mer a eu un comportement un peu déplacé, et le capitaine a dit à Miss Dietrich : "Je vous demande mille fois pardon. Je veillerai à ce que cela ne se produise plus." » L'article ne dit pas si Neptune respecta effectivement, par la suite, le culte que l'on rendait à la voyageuse.

La traversée sur le *Normandie* mena Marlene au Havre, *via* Londres. On lui réserva un accueil triomphal à Victoria Station, et la police eut bien du mal à contenir la foule. Elle descendit du train vêtue de vison et de velours rouge – lorsqu'elle se présentait en public, elle adoptait volontiers l'allure des personnages à paillettes qu'elle interprétait à l'écran. Le triomphe de Marlene Dietrich se poursuivit : à Londres, au cours de l'été 1936, le producteur Alexander Korda lui signa un contrat de quatre cent cinquante mille dollars (entre six et sept millions de dollars actuels) pour *Le Chevalier sans armure*. Elle avait besoin de cet argent, autant pour mener son train de vie luxueux que pour financer le séjour de son époux Rudi à Paris. Marlene, qui était désormais engagée en politique, soutint aussi de nombreux collègues et amis allemands qui vivaient depuis le début du nazisme dans des pays considérés comme sûrs. Un point au moins les rattachait à elle : aucun d'entre eux ne savait où il était vraiment chez lui.

Le quotidien berlinois *8 Uhr Abendblatt* commenta le 31 juillet 1936, sous le titre « Marlene insulte sa patrie », son séjour en Grande-Bretagne : « La comédienne de cinéma Marlene Dietrich, arrivée hier à Londres, a déclaré à la presse qu'elle n'envisageait pas de revenir un jour en Allemagne, parce qu'on l'y avait trop mal traitée. Selon elle, on l'y agresse et l'on déteste ses films, car on ne peut pas lui pardonner d'avoir quitté l'Allemagne, ce dont elle n'est pas responsable. On peut se demander si sa tentative pour assurer sa promotion en Angleterre aux dépens de son ancienne patrie sera ressentie comme une recommandation particulière... »

À Londres, la superstar qu'était devenue Marlene tomba amoureuse de l'idole britannique du cinéma Douglas Fairbanks. Le couple loua un étage entier à l'hôtel Claridge. Plus tard, Fairbanks décrivit Marlene comme une « brave jeune fille allemande au grand cœur, qui avait parfois des idées assez peu conventionnelles. Elle savait précisément quel masque l'opinion publique voulait voir, et il lui plaisait de jouer la Vénus distante et intouchable qui affolait les hommes ; mais il y avait aussi la Marlene maternelle. Et puis il y avait encore la Marlene tout à fait normale, qui aimait faire la cuisine et jouer des tours. Une gentille petite fille, très talentueuse, très prévenante, très intelligente ». Selon Fairbanks, c'était « une maîtresse admirablement peu conventionnelle, une philosophe et une amie – qui faisait parfois preuve d'une certaine insolence ».

En ce Noël 1936, l'ambiance festive ne put fléchir l'actrice. Rien n'y fit, pas même les appels de sa fille Maria – la fillette de douze ans tenta de convaincre sa mère qu'on ne pouvait pas renvoyer un visiteur le jour de Noël. Marlene, elle, le pouvait – surtout s'il s'agissait d'un émissaire du ministre de la Propagande du Reich, le docteur Goebbels. Dans le hall de l'hôtel Mayfair, un Allemand attendit pendant toute une journée que la star veuille bien lui accorder une audience. En vain. Marlene était habituée aux visites masculines, mais le racolage de ces seigneurs autoproclamés lui déplaisait souverainement, et elle repoussait toujours impitoyablement leurs propositions. L'envoyé de l'Allemagne, un agent cinématographique répondant au nom d'Alexander von der Heyde, se disait soucieux de la protéger contre les calomnies dans son pays natal. Il lui fit parvenir un billet : « Je me trouve tout seul en cette soirée de Noël à Londres, où je ne connais personne, et malgré tout, je suis heureux et satisfait, parce que, au bout de six mois, j'ai enfin obtenu qu'on vous rende officiellement justice dans votre rôle d'artiste, d'être humain et d'Allemande. » « Je vous informe aujourd'hui qu'à la demande du docteur Goebbels, ministre du Reich, désormais aucune publication entamant le prestige de Mme Dietrich ne sera plus admise de la presse allemande », lisait-on dans une lettre que le « Dramaturge du cinéma du Reich » avait transmise à von Heyde le 22 décembre.

Outre son offre chevaleresque de protection contre la presse, ce dernier pensait avoir quelques autres propositions à faire. Son cadeau de Noël pour Marlene était joliment emballé. Aucun homme ne lui avait encore jamais promis autant : « Le monde entier » – les nationaux-socialistes faisaient rarement moins – serait à ses pieds si Marlene revenait à Berlin pour y devenir la « reine de la UFA ». Elle avait les mains libres : c'était à elle de décider de ses cachets, de ses réalisateurs et de ses scénarios. Suivait tout de même le codicille qui caractérisait toutes les promesses nazies : on ne désirait pas que des Juifs figurent parmi ses collaborateurs. La star internationale Marlene Dietrich, porte-drapeau de la culture cinématographique allemande : Goebbels en espérait une énorme hausse de prestige pour l'État national-socialiste. Et cette idée semblait plaire aussi à Hitler. Le jugement du dictateur sur Marlene était mitigé, se rappelle dans une interview télévisée le régisseur du Berghof, Herbert Döhring : « On pouvait voir chez nous beaucoup de films américains qui n'étaient pas projetés dans les salles. C'est comme cela qu'il a vu Marlene Dietrich, et il la trouvait toujours excellente, comme artiste, comme comédienne. » Mais ni les qualités professionnelles ni les atouts physiques de l'artiste ne pouvaient faire oublier à Hitler qu'elle s'était détournée de l'Allemagne. « Elle montrait souvent ses jambes, et il a toujours aimé regarder les jambes. Mais autrement, il la qualifiait d'hyène. Il ne l'aimait pas, parce qu'elle avait fichu le camp », raconte Döhring. Hyène ou non, Marlene Dietrich était considérée comme la femme la plus fascinante du monde. Mais voilà : comment la convaincre de se rallier aux nazis ?

« Le Führer aimerait que vous rentriez chez vous » : tel était donc le message que lui portait l'envoyé allemand. Mais pour Marlene, ce Reich n'avait jamais été un domicile. Le Berlin qu'elle connaissait et qu'elle aimait n'existait plus. Les plus grands esprits, les artistes les plus inspirés, avaient quitté le pays – les uns parce qu'ils étaient juifs, les autres parce qu'ils étaient victimes de la persécution politique, et beaucoup d'autres parce qu'ils rejetaient les idéaux politiques et artistiques que l'on prônait dans l'Allemagne d'Hitler. Marlene connaissait un nombre incalculable d'exilés, elle les avait aidés, consolés, maternés, elle leur avait fait la cuisine. Elle savait bien où se situaient leurs sympathies personnelles. Et cette expérience vécue décuplait son instinct politique : « Jamais », fit-elle savoir à l'émissaire, elle ne servirait de figure de proue à la propagande nazie.

Elle envoya un autre signal sans équivoque : le 6 mars 1937, dans les nouveaux bâtiments de la mairie de Los Angeles, elle jura fidélité à la Constitution et au drapeau américains. Vêtue d'un tailleur strict et d'un chapeau de feutre à larges bords, elle avait attendu l'instant décisif dans le couloir, en fumant cigarette sur cigarette. C'est le fonctionnaire des services de l'immigration George Ruperich qui reçut sa demande de naturalisation. Devant la porte attendaient sa Cadillac seize cylindres et la presse. Avant qu'elle ne remonte dans la gigantesque voiture, elle expliqua aux journalistes qui l'attendaient : « Je vis ici, je travaille ici. Et l'Amérique a toujours été bonne pour moi. » Elle ne prononça pas un mot contre l'Allemagne nazie.

Cela n'empêcha pas la presse allemande de réagir avec virulence. Julius Streicher ne se priva pas du plaisir de relancer la polémique dans son journal, le *Stürmer :* Dietrich, écrivit-il, avait passé tant d'années parmi les « Juifs du cinéma » d'Hollywood que ces « contacts juifs » l'avaient rendue « totalement non allemande ». Sous une photo on pouvait lire : « Un juge en manches courtes reçoit le serment qui permettra à Dietrich de trahir sa patrie. » Aux États-Unis aussi, certains avaient des sympathies pour l'Allemagne d'Hitler – c'était par exemple le cas de l'éditeur américain Hearst. Ses journaux attaquèrent Marlene avec ce titre : « Elle déserte sa patrie ! »

La presque Américaine qu'elle était devenue – pour des raisons administratives, il lui faudrait deux ans avant d'obtenir son passeport – commença par essuyer quelques revers. Le film britannique *Le Chevalier sans armure* avait été un four, tout comme l'impeccable comédie *Ange* d'Ernst Lubitsch. La superstar dut ensuite subir une humiliation publique : les propriétaires de salles indépendantes en Amérique publièrent des encarts en pleine page dans les revues professionnelles d'Hollywood. Elle y était désignée comme un « poison pour les caisses ». Elle ne trouva guère consolant de s'y trouver en bonne compagnie : étaient en effet également concernés Greta Garbo, Joan Crawford, Katherine Hepburn et même Fred Astaire, dont les derniers films n'avaient pas rapporté beaucoup d'argent. Ces annonces et ces échecs eurent des conséquences : la Paramount laissa tomber Marlene – elle reçut un dédommagement et perdit un rôle sur lequel elle comptait.

Elle partit se réfugier en Europe. C'est à Venise qu'elle pansa ses plaies au cours de l'été 1937. À l'hôtel des Bains,

Avec Joseph von Sternberg (à gauche) et Erich Maria Remarque (à droite).

Marlene Dietrich n'est pas une femme ordinaire.

Joseph von Sternberg

Sternberg transformait en enfer la vie de tout le monde, mais avec la Dietrich il était particulièrement vulgaire.

Cesar Romero, partenaire de Marlene Dietrich au cinéma

Elle est bonne à quatre-vingt dix pour cent, et d'une épouvantable bêtise pour les dix pour cent restants.

Erich Maria Remarque

au Lido, elle fréquentait régulièrement une table occupée par des émigrés. Dans cette assemblée mélancolique on trouvait aussi Rudi Sieber et Joseph von Sternberg – ce n'était pas exactement la meilleure compagnie pour se reposer d'Hollywood. Mais le salut ne tarda pas : l'homme qui, cet été-là, se présenta à sa table, dans la salle Belle Époque de l'hôtel des Bains, était un gentleman aux manières exquises – du moins lorsqu'il était à jeun. Il invita Marlene à danser en y mettant des formes parfaites. « La plus célèbre chômeuse du monde regarda le monocle du romancier le plus vendu au monde, et son monocle regarda l'œil du Sphinx », écrit le biographe Steven Bach à propos de la rencontre de l'actrice avec Erich Maria Remarque. L'auteur du roman *À l'ouest rien de nouveau* avait été forcé par les nazis à quitter l'Allemagne, en 1933, bien qu'il ne fût ni juif ni communiste. Mais le régime considérait son roman pacifiste comme une provocation.

Cet auteur à succès menait dorénavant une existence d'homme du monde, et se promenait d'un lieu de plaisirs européen à un autre. Outre les belles femmes et les voitures rapides, sa plus grande faiblesse était l'alcool. Mais Marlene fut charmée par cet homme qu'elle avait déjà rencontré à Berlin et qui partageait désormais avec elle le destin des exilés. Ce fut un coup de foudre immédiat et réciproque qui les mena provisoirement à Paris. Tous deux décidèrent de repartir ensemble pour l'Amérique. Mais il restait un problème désagréable à résoudre : Marlene Dietrich était arrivée en Europe avec un passeport allemand. Bien qu'elle eût prêté serment à la Constitution américaine, sa naturalisation formelle tardait encore. Or le passeport du Reich allemand allait bientôt être périmé. Bon gré, mal gré, elle dut faire, en novembre 1937, une démarche humiliante pour le renouveler à l'ambassade d'Allemagne à Paris.

Dans la gueule du loup, le comité d'accueil était impressionnant : le comte Johannes von Welczek, ambassadeur d'Allemagne, la reçut debout, flanqué de quatre diplomates de haut rang qui se tenaient derrière leurs chaises. Par ses déclarations dans la presse, lui expliquèrent-ils, elle avait nui au prestige du Reich. Elle répondit froidement qu'elle n'était pas responsable des commérages des journalistes et rappela à ces messieurs qu'elle était « totalement allemande », menaçant de poursuites judiciaires quiconque affirmerait le contraire. Von Welczek finit par lui annoncer que bien évidemment son passeport serait renouvelé, mais qu'il avait un message particulier à lui transmettre : « Ne devenez pas américaine, revenez en Allemagne ! » On lui réserverait une réception triomphale à Berlin. Marlene rappela courtoisement sa coopération avec Joseph von Sternberg :

« Si vous l'invitiez à tourner un film en Allemagne, je serais certainement disposée à travailler dans ce pays. »

Les diplomates gardèrent un silence de marbre.

« Cela signifie-t-il que vous ne souhaitez pas que M. von Sternberg tourne un film dans ce pays parce qu'il est juif ? insista Marlene.

– Vous avez été intoxiquée par la propagande américaine, lui mentit pitoyablement le diplomate. Chez nous, il n'existe rien qui ressemble à de l'antisémitisme.

– Voilà qui est admirable, répliqua Marlene. J'attendrai donc que vous ayez trouvé avec M. von Sternberg un terrain d'entente. J'espère aussi que la presse allemande changera de ton en ce qui concerne ma propre personne et M. von Sternberg. »

L'ambassadeur von Welczek, redevenu entièrement diplomate, tenta de sauver la situation :

« Un mot du Führer, et tout se déroulera comme vous le souhaitez, dès que vous reviendrez. »

Marlene obtint le lendemain ses papiers prorogés. « Manifestement, l'épouvantable bonhomme de Berlin ne m'aimait pas beaucoup », écrira-t-elle des années plus tard, dans ses Mémoires, en se rappelant cette journée à Paris.

On ignore quel message précis les diplomates en poste dans la capitale française transmirent à Berlin, mais ils tentèrent manifestement de présenter leur attitude sous un jour favorable. La scène absurde qui s'était déroulée à l'ambassade d'Allemagne fut ainsi considérée comme une prise de contact réussie. Le 7 novembre 1937, Goebbels nota dans son journal : « Marlene Dietrich, dans notre ambassade à Paris, a fait une déclaration formelle contre ses calomniateurs, en insistant sur le fait qu'elle était allemande et voulait le rester... Je vais à présent la prendre sous ma protection. »

Il intervint en effet peu de temps après. Il envoya un homme qui avait travaillé avec Marlene dans le Berlin des années 1920 et qu'elle estimait : Heinz Hilpert, devenu, entre-temps, directeur du Deutsches Theater. Hilpert fut reçu, la star se montra diplomate. L'émissaire de Goebbels se crut donc autorisé à revenir à Berlin avec un rapport positif. Marlene Dietrich, expliqua-t-il, s'était déclarée disposée à rentrer à Berlin dès que ses contrats à Hollywood le lui permettraient. Goebbels nota dans son journal, le 12 novembre 1937 : « Hilpert a été à Paris. Marlene Dietrich ne peut pas se produire en Allemagne avant un an. Mais elle reste attachée à l'Allemagne. » Une semaine plus tard, il écrivit : « Je la fais réhabiliter dans la presse ! »

L'excuse qu'elle avait trouvée, ses obligations urgentes à Hollywood, n'était pas tout à fait sincère : elle n'avait aucun contrat en vue. Mais elle demeurait une vedette réclamée et souvent photographiée. Elle brillait dans les fêtes et les premières, où l'on célébrait la femme la plus désirée du monde, vêtue de robes extravagantes, couverte d'émeraudes et de rubis. Sur ce terrain-là, elle était imbattable, et c'était une invitée toujours appréciée. Toutefois, dans le monde de paillettes d'Hollywood, qui s'intéressait à peine aux événements européens, elle constituait une exception : ce qui se déroulait outre-Atlantique l'inquiétait et la concernait personnellement. Une guerre là-bas mettrait aussi sa famille en danger. Elle apprit avec effroi les nouvelles concernant le rattachement de l'Autriche, puis l'occupation de la Bohême et de la Moravie.

Elle décida pourtant, à la fin de 1938, d'entreprendre un voyage en Europe. En Suisse, où sa fille Maria fréquentait un internat, Marlene retrouva sa famille berlinoise. Cette rencontre fut assombrie lorsque son beau-frère Georg Will prononça le nom de Goebbels. Le ministre de la Propagande du Reich l'avait chargé de lui faire savoir que le Führer tenait à ce qu'elle rentre dans son pays. Marlene répondit avec indignation. Après les derniers événements, une telle démarche était encore plus impensable qu'auparavant : le 9 novembre 1938, avec les pogromes de la Nuit de cristal, les nazis avaient montré au monde leur vrai visage. Marlene avait déjà été personnellement victime des campagnes nazies. À Düsseldorf, on avait organisé en 1938 une exposition intitulée *Musique dégénérée – un bilan*, qui, en complément de l'exposition munichoise *L'Art dégénéré*, devait justifier la lutte contre la prétendue influence juive dans la musique. Les chansons de Marlene qui avaient été composées par des Juifs, par exemple *Je suis faite pour l'amour, de la tête aux pieds*, avaient été mentionnées dans l'exposition, et son art portait donc désormais l'estampille « dégénéré ».

Lors de leur rencontre en Suisse, Marlene supplia sa famille de quitter l'Allemagne. Mais sa mère, Josephine von Losch, ne voulait pas abandonner Berlin et l'usine de montres dont elle avait hérité et qu'elle dirigeait désormais. Lorsque la famille Dietrich se sépara à Lausanne, aucun de ses membres ne soupçonnait qu'avant leur prochaine réunion une Seconde Guerre mondiale se serait abattue sur l'Europe.

Depuis la Suisse, Marlene Dietrich se rendit à Paris. Elle y rencontra Jean Gabin, qui était déjà la grande star du cinéma français. Ils n'eurent pas – pas encore – de liaison amoureuse, car Marlene avait des obligations en Amérique : elle retraversa l'Atlantique pour recevoir, en juin 1939, à Los Angeles, son certificat de naturalisation. Lors de la cérémonie, qui réunissait deux cents nouveaux citoyens américains, un juge fédéral prononça un discours et lança cet avertissement : « Nous devons être vigilants à l'égard de toute propagande qui tente de dresser une classe, une race ou une communauté religieuse contre une autre. Les événements survenus à l'étranger ont suffisamment prouvé les conséquences tragiques de la propagande de haine. » Sages paroles. Mais Marlene Dietrich avait suffisamment prouvé, au cours des années précédentes, qu'elle n'avait pas besoin de ce genre de rappel.

Des conseils concernant sa carrière lui auraient été plus utiles. Le producteur Walter Wanger lui fit une proposition qui commença par la déconcerter. Il lui fallait opérer un nouveau changement d'image pour jouer dans un western.

Elle demanda un temps de réflexion. Son passeport américain tout frais en poche, elle repartit pour l'Europe à l'été 1939. À Paris, elle retrouva Remarque, Sternberg, sa fille Maria et d'autres membres de sa cour, avec laquelle elle partit finalement pour Antibes. Dans cette station balnéaire mondaine, elle fit la connaissance de Joseph Kennedy, l'ambassadeur des États-Unis en Angleterre, qui prenait ses vacances avec ses fils sur la Côte d'Azur. La mansuétude du diplomate américain à l'égard du Troisième Reich déclencha certes quelques discussions, mais n'empêcha pas Marlene de flirter et de danser avec ses deux fils Jack et John Fitzgerald. À la fin de l'été 1939, année fatidique, alors que son amant Erich Maria Remarque – celui qu'elle traita le plus mal – noyait chaque soir dans des quantités d'alcool monstrueuses l'angoisse de l'écrivain à succès face à l'idée de l'échec, Marlene, pour changer, s'engageait à nouveau dans une liaison avec une femme, la millionnaire canadienne du whisky Jo Castairs, dont le yacht était ancré devant Villefranche-sur-Mer.

Dans le sud de la France, elle décida de tourner le western qu'on lui avait proposé. Le principal producteur des studios Universal, un Hongrois répondant au nom de Joe Pasternak, prévoyait de faire ce film en collaboration avec le scénariste juif allemand Felix Joachimson (*alias* Jackson), l'ex-Berlinois Friedrich Hollaender et donc l'ancienne ressortissante allemande Marlene Dietrich. Pour ce genre profondément américain qu'était le western, il s'agissait d'une combinaison très européenne. L'Europe à Hollywood : dans le monde en trompe l'œil des studios de cinéma, la coexistence des Européens en exil fonctionnait remarquablement, et elle était hautement productive. Mais dans le monde réel, la situation était différente : en Europe, les peuples étaient à deux doigts d'en découdre à nouveau. La situation sur le vieux continent était explosive.

Lorsque Marlene Dietrich et sa cour quittèrent ce baril de poudre qu'était devenue l'Europe, il n'était que temps. Ils se trouvaient en haute mer, à bord d'un paquebot de ligne français, lorsque la nouvelle tomba, le 1er septembre : l'armée allemande avait attaqué la Pologne aux premières heures de la matinée. Marlene était profondément déchirée :

Marlene Dietrich s'inscrivant sur les listes électorales américaines en 1939.

L'Amérique m'a adoptée alors que je n'avais pour ainsi dire plus de patrie, et je lui en ai été reconnaissante. J'y ai vécu, et j'ai respecté toutes ses lois. J'étais une bonne citoyenne, mais au fond de moi je suis restée allemande. Allemande dans l'âme, allemande par mon éducation.

Marlene Dietrich

J'ai compris qu'elle était hostile aux nationaux-socialistes. Je ne considérais cependant pas qu'elle se battait contre l'Allemagne, mais contre Hitler.

Leni Riefenstahl

une partie de ceux qu'elle aimait était en sécurité, mais d'autres allaient désormais vers un destin incertain en Allemagne. Elle était américaine, son entourage partait avec elle pour les États-Unis, loin de la guerre, mais sa mère, sa sœur et son beau-frère étaient restés à Berlin.

Si elle avait des angoisses, elle ne les montrait cependant pas. Avec discipline et compétence, elle ranima sa carrière en tournant le western *Femme ou démon*. Elle y jouait le rôle de Frenchy, une chanteuse de saloon. Son partenaire était James Stewart, qui venait de percer à Hollywood avec *Monsieur Smith au Sénat*. Marlene devait recommencer à chanter. Hollaender lui écrivit entre autres l'entraînant *See what the boys in the backroom will have*, un titre qui l'accompagnerait ensuite tout au long de sa carrière sur scène. Marlene fit la preuve de son talent comique, et retrouva l'occasion de montrer la partie de son corps qui l'avait rendue célèbre : elle dansait en effet sur le comptoir et levait la jambe comme au temps de ses débuts dans les cabarets berlinois. Dans *Femme ou démon*, on vit revenir en 1939 la Marlene qui faisait tourner la tête des hommes sous les traits de Lola Lola dans *L'Ange bleu*. Le film fut un succès gigantesque, et Marlene, naguère considérée comme un « poison pour les caisses », redevint un aphrodisiaque.

Son partenaire suivant fut John Wayne dans *La Maison des sept péchés*. Elle jouait Bijou, une fille légère dotée d'un cœur d'or et de beaucoup d'humour, qui affole un lieutenant de la marine américaine – John Wayne – dans un night-club nommé Les Sept Péchés, sur une île du Pacifique. C'était une œuvre de divertissement sans prétention, qui fut bien reçue du public. Selon le biographe Steven Bach, « Bijou était le personnage que Marlene avait défini pour la décennie suivante : dure mais pas insensible, séductrice mais comique, une réaliste dotée d'humour ».

C'étaient exactement les qualités susceptibles d'aider les gens à résister psychologiquement à la Seconde Guerre mondiale – et au cours des années suivantes, on aurait aussi besoin de ces qualités-là en Amérique. Le 7 décembre 1941, les Japonais bombardèrent la base américaine de Pearl Harbor, à Hawaii. Cette attaque surprise marqua le début du conflit armé entre les États-Unis et le Japon. Le

12 décembre 1941, l'Allemagne déclarait la guerre aux États-Unis. L'ancienne et la nouvelle patrie de Marlene étaient désormais ennemies.

À Hollywood, paradis ensoleillé peuplé de gens beaux et riches, on pouvait fuir la réalité de la guerre et se divertir de mille manières différentes. Telle ne fut pas la réponse de Marlene Dietrich. Elle voulait contribuer à la victoire de sa nouvelle patrie. Mais comment une diva des écrans pouvait-elle soutenir les efforts de guerre de l'Amérique? Hollywood avait la réponse. Le jour où Hitler déclara la guerre aux États-Unis, les stars californiennes se mobilisèrent à leur tour. On créa à Los Angeles le Hollywood Victory Committee. C'est Clark Gable qui prit la direction de la section des comédiens. Les actrices et les chanteuses du comité comprirent rapidement comment elles pouvaient être efficaces : elles feraient de la réclame pour les obligations sur les emprunts de guerre.

Sur le front des ventes, Marlene était en première ligne. Elle participa à des émissions de radio et fit quatre fois le tour des États-Unis au cours de sa campagne publicitaire. L'Office fédéral des finances lui décerna le titre de meilleure vendeuse d'obligations d'Hollywood. Elle utilisa sa popularité pour vendre ces titres au cours de grandes manifestations, et elle allait faire son numéro dans les bars pour inciter les hommes à acheter les *war bonds*. « Dans les night-clubs, elle s'asseyait sur les genoux des donateurs potentiels éméchés et les empêchait de partir tant qu'ils n'avaient pas versé leur obole ; pendant ce temps-là, des inspecteurs des Finances appelaient un centre d'information bancaire, qui fonctionnait vingt-quatre heures sur vingt-quatre, pour vérifier si leur chèque n'était pas en bois », raconte Steven Bach. L'engagement physique de Marlene dans les bars louches alla cependant trop loin aux yeux du président Franklin D. Roosevelt. Il la pria un soir, par téléphone, alors qu'elle se trouvait à Washington, de venir à la Maison-Blanche, et il lui fit un sermon patriotique : « J'ai entendu dire que vous faisiez tout pour vendre des obligations de guerre. Nous vous en sommes très reconnaissants, mais je vous interdis ce genre d'acrobaties qui frôlent la prostitution. Désormais, vous ne vous produirez plus dans les night-clubs. C'est un ordre. » En tant que fille d'un officier prussien, la star connaissait et respectait ce ton. Elle obéit.

Elle orienta ses efforts de guerre dans une autre direction. Elle fit avec Groucho Marx et les Ritz Brothers la tournée des bases militaires et des hôpitaux du pays. Les comédiens distrayaient les soldats avec leurs gags, Marlene leur apportait son charme teinté d'érotisme et chantait le titre *The man's in the Navy*, extrait du film *La Maison des sept péchés*. Si les soldats qui constituaient le public portaient l'uniforme vert olive de l'armée de terre, il n'était pas difficile de changer les paroles en *The man's in the Army*. De toute façon, il n'est pas certain que les GI s'intéressaient à ce genre de subtilités alors qu'ils avaient devant eux une idole d'Hollywood en chair et en os.

Pour Marlene, qui venait d'avoir quarante ans, cet engagement dans la guerre constituait aussi une nouvelle chance artistique. Depuis sa jeunesse à Berlin, elle n'avait pas eu l'occasion de monter sur scène et d'y déployer tout l'éventail de son savoir-faire. Or pendant ce temps une nouvelle génération de femmes faisait ses débuts à l'écran : Lana Turner, Rita Hayworth, Hedy Lamarr, Betty Grable se préparaient à envoyer à la retraite les stars des années 1930. Les actrices d'âge mûr ne trouvaient pratiquement plus de rôles à Hollywood : il fallait être ou bien très jeune ou bien assez âgée pour jouer les mères des héroïnes juvéniles. Marlene voyait cela avec beaucoup de réalisme : « La carrière d'une star du cinéma ne dure que le temps de sa jeunesse, et sur l'écran, la jeunesse se fane bien plus vite que sur la scène. Sur scène, on peut faire illusion ; pas sur l'écran », avait-elle déjà affirmé quelques années auparavant.

Le conflit joua donc un grand rôle dans sa vie : « Elle est entrée dans l'histoire de cette guerre, et la guerre est devenue une partie importante de sa propre histoire. Ce fut un tournant... Marlene put faire le bilan de son passé tout en se construisant – sans aucune aide extérieure – une personnalité pour le futur. Son avenir ne se limiterait certainement pas à Hollywood », commente Steven Bach.

À Hollywood, on voyait arriver de plus en plus d'Européens. Après la victoire d'Hitler sur la France, au cours de

Marlene Dietrich en 1942 lors d'une tournée de vente d'obligations de guerre à Cleveland.

Les critiques enthousiastes coulaient à flots, on avait créé un service entier pour traiter le courrier de ses fans, des hommes voulaient déposer leur fortune à ses pieds et des célébrités la courtisaient pour être vues et photographiées en sa compagnie.

Joseph von Sternberg

l'été 1940, beaucoup de stars du cinéma français étaient parties pour l'Amérique. Marlene parlait parfaitement le français et accueillit avec plaisir les nouveaux venus – entre autres Jean Gabin et Jean Renoir. Mais Gabin n'avait aucune notoriété à Hollywood, et le Français trouva une consolation auprès de Marlene. « Cela me plaisait de le materner jour et nuit », avouera-t-elle plus tard. Leur relation se transforma bientôt en romance ; ils s'installèrent ensemble dans une maison à Brentwood. Mais le dur du cinéma français n'était pas tout à fait heureux : il voulait Marlene pour lui tout seul, et devait la partager avec la ronde de ses admirateurs. Et puis il y avait tous ces soldats qu'elle fascinait. Entre deux chansons, elle se livrait aussi à des tours de magie dans le Wonder Show qu'Orson Welles donnait sous chapiteau, sur le Cahuenga Boulevard, à Los Angeles. Gabin était là tous les soirs. « Lorsqu'elle entrait sur scène, avec cette robe – elle osait vraiment pas mal de choses – et ce regard complice, elle embarquait tout le monde. Les soldats devenaient fous », racontera le comédien dans une interview.

Il était jaloux, jusqu'à la folie : il frappait Marlene lorsque sa méfiance le mettait en fureur. Mais il avait d'autres raisons d'être malheureux. L'Amérique ne l'acceptait pas, il se sentait mal dans ce pays. Et puis il avait mauvaise conscience. Il ne voulait pas jouer la comédie, mais se battre dans les rangs des Forces françaises libres. Au début de 1943, on accepta l'engagement volontaire de Jean Gabin, âgé de trente-neuf ans. Marlene l'accompagna au port militaire de Norfolk, en Virginie. Par une nuit brumeuse, il lui fit ses adieux sur un dock. Un tanker devait le conduire en Afrique du Nord. Dans un film, cette scène aurait sans doute paru kitsch ; dans la réalité, elle fut d'une tristesse infinie.

La douleur de cette séparation conforta la star dans sa volonté de s'impliquer encore plus dans la guerre et auprès des hommes qui se battaient. Elle décida de partir au combat comme amuseuse et marraine des troupes pour la United Service Organisation (USO). Cette structure chapeautait la quasi-totalité des associations et organisations américaines destinées à rendre la vie plus supportable partout où les Américains étaient stationnés et se battaient. Il s'agissait de mettre sur pied des cantines, des bibliothèques et des divertissements. Marlene demanda à l'USO de l'envoyer outre-Atlantique. Elle imagina même un spectacle faisant appel à la fois à des musiciens, à des comiques et à des chanteuses.

On ne pouvait pas gagner d'argent à l'USO, on y travaillait bénévolement. Marlene Dietrich dut donc continuer à tourner des films. Pour financer « sa » guerre, elle interpréta pour la Metro-Goldwyn-Mayer, dans *Kismet*, le rôle d'une femme de harem – en Technicolor, les jambes teintes en or. Mis à part la peinture dorée, cette bombe sexuelle de Bagdad ne portait qu'une tenue légère à galons en tissu transparent et s'étirait sous le ciel artificiel du studio en cueillant des raisins. Le public vint en masse voir le plus mauvais film tourné par la star à Hollywood. La gigantesque affiche de *Kismet* surplombait toute la largeur de Broadway et ne montrait qu'une chose : les jambes de Marlene, dorées, irrésistibles.

Ce n'était pas la plus mauvaise façon de réconforter les troupes. Les jambes de la Dietrich étaient légendaires. Elle les levait à présent pour des garçons qui servaient leur patrie. Nulle part les soldats ne purent approcher ces jambes d'aussi près qu'à la Hollywood Cantine. Pour les GI en transit ou les soldats stationnés à Los Angeles, l'USO avait installé sur Hollywood Boulevard une gigantesque salle de danse avec attractions. Les meilleurs groupes de swing, les chanteurs les plus connus s'y relayaient tous les soirs. Des vedettes féminines venaient en personne danser avec les soldats. Le tout était sponsorisé par une firme musicale, MCA, et par des grands noms d'Hollywood comme Bette Davis. Marlene travailla à la Hollywood Cantine tous les soirs avant de traverser l'Atlantique. Elle dansa avec des GI « assez jeunes pour être ses fils, et assez vieux pour ne pas vouloir l'être ». Elle leur servait du café, des milk-shakes et des beignets ; lorsque c'était nécessaire, elle passait même le balai ou préparait des omelettes. Mais la contribution plutôt symbolique qu'apportaient les stars d'Hollywood à la guerre ne lui suffisait pas. Elle voulait rompre avec la vie qu'elle avait menée jusqu'alors pour partir personnellement en guerre contre Hitler. Elle fit vendre toutes ses propriétés aux enchères. « Il me faut de l'argent pour que ma famille ait de quoi vivre en mon absence », expliqua-t-elle. Et elle quitta Hollywood.

La belle vie que l'on menait dans les milieux chic lui tapait sur les nerfs ; elle comprenait bien que cela n'avait rien à voir avec la réalité de la guerre. Ce conflit-là la concernait tout particulièrement. Sa mère et une bonne partie de sa famille vivaient toujours à Berlin, devenu la cible de bombardements alliés de plus en plus fréquents. Le neveu de Marlene, Hasso, servait dans la Wehrmacht et son grand amour malheureux, Jean Gabin, dans les FFL, en Afrique du Nord.

« Je ne vais pas rester plantée là à travailler tranquillement en attendant que la guerre se passe », annonça-t-elle. Paradoxalement, le fait d'avoir refusé de servir Adolf Hitler en devenant la « reine de la UFA » lui posait des problèmes de conscience. Aurait-elle pu entrer directement en contact avec lui ? Elle s'imaginait qu'elle aurait peut-être pu influencer le dictateur. « Parfois, je me demande si je n'étais pas le seul être au monde capable d'empêcher la guerre et de sauver des millions de vie. Cette question m'obsédera toute ma vie, expliquera-t-elle plus tard. J'aurais peut-être pu raisonner Hitler. »

Quoi qu'il en soit, elle comptait désormais exercer une influence bien réelle : elle rallia une compagnie de l'USO chargée du divertissement des troupes outre-Atlantique. À New York, elle répéta avec un ensemble spécialement constitué pour l'occasion ; le chansonnier Danny Thomas, qui devait jouer le rôle d'un conférencier, travailla ses gags avec Marlene ; on trouvait aussi des chanteurs et des touche-à-tout qui maîtrisaient tous les instruments, de l'accordéon jusqu'au piano. Marlene était la star de la compagnie. Ses jambes remontaient le moral des troupes, et ses numéros chantés étaient capables de soulever n'importe quelle salle, particulièrement son numéro de scie musicale, qui était destiné à un public purement masculin. En février 1944, la troupe fit d'abord une tournée des casernes et des hôpitaux militaires aux États-Unis. Le 4 avril 1944, l'actrice reçut son ordre de route vers l'autre côté de

Marlene Dietrich à la Hollywood Canteen, une salle de danse pour soldats.

L'Amérique m'a accueillie au moment où j'avais abandonné l'Allemagne d'Hitler. On ne peut pas se contenter de prendre, il faut aussi donner. C'est déjà dans la Bible.

Marlene Dietrich

C'est une femme qui jouait tout ce qu'elle faisait, qui le représentait, qui en faisait un défi, une provocation.

Hellmuth Karasek, journaliste

l'océan. Auparavant, elle avait échangé son uniforme de l'USO, un peu terne, contre des uniformes d'officier taillés sur mesure et des tenues militaires pratiques. L'avion fit escale au Groenland et aux Açores avant de se poser à Casablanca, puis à Alger.

Le triomphe que Marlene Dietrich remporta devant les troupes à l'opéra d'Alger le 11 avril 1944 marqua une nouvelle page pour la vedette, alors âgée de quarante-trois ans. Elle affirma que sa présence en Afrique du Nord et en Europe était « la chose la plus importante qu'elle ait jamais faite ». Les soldats allemands, eux aussi, entendirent parler de son engagement. On ajouta une nouvelle chanson au spectacle : la version anglaise de *Lili Marlene*. Les soldats des deux camps appréciaient ce morceau. Lale Andersen avait fait de la version allemande un succès permanent sur les radios destinées aux soldats de la Wehrmacht. Mais les stations du Reich ne passaient plus l'air depuis la défaite de Stalingrad. Marlene l'interprétait désormais sur les ondes alliées – une raison suffisante, pour beaucoup de soldats allemands, d'écouter en secret ces « émetteurs ennemis ».

Mais la réalité de la guerre n'était pas celle que décrivaient les chansons sentimentales – la star allait pouvoir s'en rendre compte. « J'entre sous une tente. Il y fait passablement sombre, et même franchement obscur ; ensuite, un rayon de lumière y pénètre et traverse l'obscurité… Silence effroyable… Une infirmière est assise là, immobile, elle attend au cas où l'on aurait besoin d'elle. Rien ne bouge. Et puis l'alignement des lits. Les garçons y sont allongés, ils dorment ou sont dans le coma. À côté de chaque lit, une tige dépasse, où est suspendu un flacon – un flacon de sang. Le seul mouvement sous la tente, le seul bruit, c'est le sang qui gargouille, la seule couleur de toute la tente est la couleur du sang. Et tu te tiens là, et la vie coule des flacons vers les gars. Tu la vois couler, tu l'entends… » C'est en ces termes qu'elle raconta son désarroi à un reporter de *Vogue* – un sentiment qui la conforta cependant dans la volonté de s'engager auprès des soldats, de prendre sa part dans ce combat.

Au début de 1944, elle se retrouva sur le front italien. Elle se produisit à Naples, puis en Sardaigne, en Corse et pour finir à Anzio dans le Latium. La Ve armée américaine

Marlene retrouve Jean Gabin en Afrique du Nord.

Toute sa carrière, toute sa vie ressemble à un brillant mélodrame fonctionnant selon les lois primitives du bon vieux ciné, mystérieux et scintillant – depuis le conte de fées de sa découverte par le génie qui sut la placer sous la bonne lumière, Joseph von Sternberg, jusqu'à la légende de l'amante généreuse dont la collection de rois de cœur et de dames de pique fit éclater jusqu'aux normes morales d'Hollywood, pourtant sulfureux.

Gunar Ortlepp, journaliste

était en train de se déployer à partir de cette tête de pont. Là, sur la plage, Marlene passa entre des obus empilés, de longs alignements de citernes à essence et d'autres réserves. « Nous jouions nos spectacles quatre ou cinq fois par jour, le plus souvent en plein air, quel que soit le climat. Nous travaillions sur des camions – deux camions rassemblés faisaient une scène praticable. Quand il commençait à pleuvoir, nous continuions tout de même à jouer et nous ne partions pas tant que les soldats tenaient bon. » Elle chanta pour les unités de renfort chargées de faire progresser le front vers le nord, en direction de Rome. Elle put encore vivre l'entrée triomphale des Américains dans la capitale italienne, déclarée ville ouverte, et pour laquelle ils n'eurent donc pas à se battre. Puis elle fut hospitalisée à Bari pour une pneumonie. Là-bas, dans le délire de la fièvre, elle ne fit que deviner les terreurs de la guerre. Elle se trouvait en un lieu où « les cris des corps brûlés résonnaient comme si l'on abattait un troupeau », racontera-t-elle. Elle reçut finalement une dose de pénicilline, alors que celle-ci était sévèrement rationnée et ne devait en principe être employée que pour sauver la vie des soldats alliés blessés.

Au cours de l'été 1944, Marlene Dietrich fut rappelée à New York. On avait besoin d'elle pour de nouvelles missions. En débarquant en Normandie, les Alliés avaient ouvert le 6 juin un nouveau front, et c'est sur ce front-là qu'ils voulaient désormais utiliser, de manière très ciblée, leurs meilleures armes de propagande. La radio militaire de Calais, gérée par les Britanniques, devait devenir plus ludique. On ne manquait pas d'émissions d'information, mais on avait besoin de l'aide des Américains pour la musique. Leurs services secrets (OSS) relevèrent le défi : « La mission était de produire, à grande échelle, le meilleur de ce que la musique populaire américaine avait à offrir, et d'écrire des textes de chansons en allemand qui attireraient l'attention de l'ennemi. » On envisagea d'abord de confier la rédaction de ces textes à Bertolt Brecht, mais il fut bientôt écarté, d'abord pour « tendances communistes », et finalement parce qu'on le trouvait trop avant-gardiste. On engagea ensuite l'ancien chansonnier viennois Lothar Metzl, qui servait comme caporal dans l'armée américaine.

Ses textes satiriques en allemand, combinés à d'excellents arrangements musicaux américains, furent pressés sur disque à New York en juillet 1944. Sur la mélodie de *Californ-i-ay,* on entendait par exemple :

Dans le Quatrième Reich, le beau, le vrai,
On ne trouvera plus désormais
De Goebbels pour divaguer
De Funk pour escroquer
D'Hitler pour brailler
D'Himmler pour tuer
De Schirach pour ordonner
De Ribbentrop pour flemmarder
De Rosenberg pour renifler
Ni de Ley pour se bourrer...

Les chansons étaient enregistrées par des interprètes allemandes émigrées. Mais les noms de Herta Glatz et de Greta Keller, par exemple, ne pesaient pas bien lourd face à celui de Marlene Dietrich. Elle était la seule à savoir que le commanditaire de ce disque était l'OSS. Les disques en allemand enregistrés spécialement furent diffusés à partir de l'automne 1944 par l'émetteur militaire Ouest, qui avait remplacé l'émetteur militaire de Calais.

Marlene se consacra entièrement à sa nouvelle mission. En public, elle portait le plus souvent l'uniforme. Aux États-Unis, elle plaidait pour un engagement plus actif au côté des troupes ; elle avait l'impression qu'en dehors des champs de bataille les Américains restaient plutôt indifférents. « Il faut que les gens, ici, sachent que ce que nous faisons ne suffit pas », exigea-t-elle par exemple dans une interview. Et cet ancienne Allemande vantait l'engagement des soldats américains : « Il n'est pas difficile d'être courageux quand on défend sa patrie. » Mais les GI, disait-elle, étaient « des hommes solitaires qui se battaient à l'étranger. Parce qu'on le leur avait ordonné, ils se faisaient arracher les yeux et le cerveau, mutiler le corps, brûler la peau. Ils supportaient la douleur et les blessures comme s'ils combattaient et mouraient pour leur propre terre natale ». Ils se battaient contre l'ancienne patrie de Marlene et ils avaient les mêmes ennemis : Hitler et le nazisme.

Paris avait été libéré par les troupes alliées à la fin d'août 1944, et depuis un héros de guerre autoproclamé entretenait au Ritz une fête de la victoire très arrosée. Correspondant de guerre de *Colliers*, civil américain escortant l'US Army, Ernest Hemingway s'était arrogé le droit de vider les caves libérées du grand hôtel. Ce buveur notoire, macho et combattant de la machine à écrire était dans son élément : c'était le genre de guerre qui lui convenait. Il résidait au Ritz avec sa maîtresse Mary Walsh, une correspondante de la revue *Time*.

En septembre, la vieille amie d'Hemingway qu'était Marlene Dietrich – « la Boche » – logea aussi pour quelque temps dans le palace parisien. La journaliste Mary Walsh nota que la manière luxueuse dont Hemingway menait sa guerre n'intéressait pas Marlene. Elle voulait travailler pour les soldats qui, eux, devaient aller jusqu'au bout de ce conflit. « C'était une femme d'affaires qui se préoccupait des moindres détails de son programme, depuis le transport jusqu'au logement, de la taille des scènes et des salles, de l'éclairage et des microphones. Le show-business, c'était sa religion. » Hemingway, homme de lettres, considérait la guerre comme un décor pour ses fantasmes masculins. Marlene, elle, avait une mission à remplir : elle voulait contribuer à la victoire. C'était une affaire sérieuse. Sa fille Maria qui, âgée de vingt ans à l'époque, travaillait elle aussi dans les organisations de soutien aux troupes, racontera plus tard, à propos de l'engagement de sa mère dans la Seconde Guerre mondiale : « C'est le meilleur rôle qu'elle ait jamais joué. Celui qu'elle préférait et qui lui valut son plus grand succès. Son héroïsme lui rapporta des lauriers, des décorations et des félicitations ; on la vénérait, on la respectait. La Prussienne était dans son élément ; son âme allemande absorba, avec toute sa sentimentalité macabre, la tragédie de la guerre… La fille de soldat avait trouvé son domicile. Elle jouait le rôle du brave soldat. »

Maria écrira encore, à propos du personnage que s'était forgé la star du front : « Lorsque la Dietrich parlait de sa tournée, on pouvait croire qu'elle servait effectivement dans l'armée, qu'elle avait passé au moins quatre ans en Europe, qu'elle était en permanence sous le feu de l'ennemi, risquant à chaque instant d'être tuée ou, pis encore, capturée par des nazis avides de vengeance. Tous ceux qui l'entendaient en étaient convaincus : elle-même y croyait. » Mais les remarques polémiques de sa fille, qui remet à juste titre quelques légendes à leur place, ne peuvent pas effacer cette réalité : de toutes les vedettes d'Hollywood, Marlene Dietrich fut celle qui passa le plus de temps auprès des troupes alliées outre-Atlantique – et elle fut la plus appréciée. Non seulement par la masse des soldats, mais aussi par les principaux généraux américains. Au Ritz, elle fit par exemple la connaissance du général James M. Gavin, âgé de trente-sept ans. Le commandant de la fameuse 82e division aéroportée était le plus jeune général de l'armée américaine. Elle ne résista pas à son aura. Après une soirée avec Hemingway et Mary Walsh au bar du Ritz, une liaison extrêmement discrète débuta entre la star et le gradé. Marlene n'eut pas avec beaucoup de généraux des relations aussi intimes qu'avec Gavin, mais elle rechercha toujours leur proximité. Elle était amie avec Patton. Il lui aurait annoncé : « Si vous êtes capturée, on vous utilisera sans doute à des fins de propagande, et l'on vous forcera à faire des émissions de radio comme vous l'avez fait pour nous. » Puis, selon Marlene, il lui aurait offert un petit revolver, avec ces mots : « Descendez quelques-uns de ces fumiers avant de vous rendre ! » Le biographe de Dietrich Donald Spoto suppose, à propos de son goût pour les héros romantiques en uniforme : « Dans ces généraux, elle retrouvait d'une certaine manière ses propres père et beau-père en uniforme, ces officiers prussiens inaccessibles qui, jadis, ne lui avaient pas donné leur amour. » Lorsqu'on lui demanda après la guerre – mais la question n'était pas tout à fait sérieuse – si elle avait couché pendant son engagement en Europe avec le général Dwight D. Eisenhower, le commandant en chef des forces alliés, Marlene eut cette réponse : « Comment l'aurais-je pu ? Il n'est jamais venu sur le front. »

Dans le nord-ouest de l'Europe, les fronts se décalèrent jusqu'à la frontière du Reich, en passant par la Belgique et le sud des Pays-Bas. Les Alliés s'y heurtèrent aux fortifications de la ligne Siegfried et à des troupes allemandes qui avaient eu le temps de se réorganiser après plusieurs mois de repli. Pour la Wehrmacht, l'essentiel était à présent de défendre le sol allemand, et elle le faisait avec acharnement. Le 21 octobre 1944, Aix-la-Chapelle fut la première grande ville allemande à être conquise par les Américains. Mais ensuite les fronts se figèrent. Les problèmes de renforts que rencontraient les Alliés empêchèrent une nouvelle avancée ; l'hiver qui arrivait transforma la guerre, à l'ouest, en une pitoyable bataille pour quelques villages et quelques collines dans l'Eifel et les Ardennes. À la mi-décembre, la Wehrmacht tenta une fois encore de retourner la situation. L'offensive des Ardennes lancée par Hitler provoqua de sévères pertes chez les Alliés et sema le chaos et la panique à l'arrière, en Belgique et en France. C'est seulement à la fin de décembre que les Américains repoussèrent l'assaut.

Dans cette guerre hivernale, Marlene Dietrich continua à jouer son rôle, courageuse et disciplinée – une Prussienne en uniforme américain. Dans les villages dévastés, les ruines glaciales et infestées de rats, on improvisait avec les moyens du bord. On se débarbouillait à la va-vite, on se changeait tout aussi rapidement, on se produisait dans des salles froides : tout cela, pour Marlene Dietrich, fut bientôt de la routine, tout comme les gerçures, les poux et la diarrhée. La star adopta la tenue pratique et authentique de l'armée : pantalon de laine, pull-over brun et veste d'aviateur doublée de fourrure. Mais sur la scène, elle était une créature d'un autre monde : dans sa robe légère à paillettes, elle écartait les jambes pour dresser sa scie chanteuse et interprétait ses chansons. Elle faisait des blagues avec ses partenaires et jouait tout son répertoire, même si le froid la faisait claquer des dents. Les hommes l'aimaient parce qu'elle venait jusqu'à eux tout en leur donnant l'illusion qu'ils étaient chez eux, dans un monde normal.

Au cours de l'hiver 1944-1945, elle se produisit ainsi en Belgique, dans le sud de la Hollande et en France. Et tout d'un coup, elle se retrouva en Allemagne – pour la première fois depuis plus de dix ans. Sa première impression fut accablante. Elle vit Stolberg, à quelques kilomètres à l'est d'Aix-la-Chapelle. La ville était totalement détruite. Pendant deux mois, Allemands et Américains s'étaient battus pour cette petite cité industrielle ; pendant des semaines, la ligne de front avait coupé Stolberg en deux. Marlene y découvrit un désastre absolu. Fin 1944, elle livra pourtant ce commentaire laconique au journaliste Frank Conniff : « Je déteste voir toutes ces ruines, mais je crois que l'Allemagne a mérité tout ce qui se passe à présent. »

Quelques mois plus tard, un certain lieutenant Arnold Horwell reçut une drôle de visite. Le camp de l'horreur, Bergen-Belsen, qu'il devait démanteler avec son unité, était le dernier lieu où il s'attendît à rencontrer une vedette de cinéma en chair et en os. Elle venait pourtant de surgir devant lui : une femme blonde en uniforme américain. « Ce visage, ces jambes », se dit l'officier britannique : aucun doute, il connaissait cette dame. Marlene Dietrich, star de l'écran et légende, venait de faire irruption dans son bureau. Elle était là pour discuter d'une affaire embarrassante : on avait arrêté sa sœur Elisabeth et son beau-frère à proximité du camp de Bergen-Belsen. Lorsque Marlene avait appris cette nouvelle à Munich, elle avait compris que tous deux allaient avoir besoin de son aide. Il s'était rapidement avéré, toutefois, que le couple n'avait pas été du côté des victimes. Un examen de leur cas par les troupes d'occupation avait montré que tous deux géraient un cinéma militaire avec cantine à proximité du camp de concentration où, peu avant la fin de la guerre, treize mille détenus encore étaient morts d'épuisement, du typhus et de dysenterie. Cette proximité géographique, le contact avec les gardes SS et la connaissance des atrocités qui se déroulaient dans le camp plaçaient Elisabeth et Georg Will dans un voisinage moralement dangereux avec les meurtriers nazis. Voir sa famille ainsi impliquée avait certainement été désagréable pour Marlene Dietrich, mais elle avait décidé d'intervenir énergiquement en faveur de ces proches qu'elle n'avait pas revus depuis le début de la guerre.

Elle avait donc besoin de la bonne volonté d'Arnold Horwell. Coup de chance, ils étaient berlinois tous les deux. Juif allemand, Horwell avait pu émigrer en Angleterre en 1939 ; il s'était engagé par la suite dans l'armée britannique. Le courant passa immédiatement entre eux : elle, qui avait mené son propre combat contre Hitler, trouva immédiatement le ton juste et eut la chance de tomber sur l'un de ses fans. Les anecdotes berlinoises du temps passé et le charme de la comédienne, auxquels vint s'ajouter un autographe, incitèrent l'officier d'occupation à faire preuve de clémence. On ne reprochait aucune faute directe aux Will, et ce qu'exigeait Marlene n'avait rien d'impossible : elle voulait qu'on vaccine les membres de sa famille contre le typhus qui menaçait leur vie, et qu'on les autorise à conserver leur appartement de cantiniers. Elle demanda en outre à Horwell de ne pas crier cette affaire sur tous les toits – de ne pas la révéler à la presse, si possible. L'officier britannique lui fit volontiers ce plaisir, et constatera avec surprise, après la guerre, que les journaux mentionneront constamment sans être démentis le fait que les nazis avaient placé la sœur de Marlene « en camp de concentration ». Lorsque Elisabeth Will se mettra à délirer en public, quelques années plus tard, sur l'« intégrité du Troisième Reich », Marlene Dietrich prendra ses distances avec elle. À la fin, la star niera même avoir jamais eu une sœur.

Au cours de l'été 1945, elle rentra en Amérique. Mais elle ne s'y sentit pas vraiment bien : « J'arrivais dans un pays qui n'avait pas souffert de la guerre, un pays qui ne savait pas ce qu'avaient enduré ses soldats, de l'autre côté de l'océan, en terre étrangère. Ma haine pour les Américains "insouciants" date de cette époque », rapportera-t-elle dans ses Mémoires. Pour elle, l'univers qui portait le nom d'Hollywood relevait aussi du passé. Elle restait accrochée à ses souvenirs de guerre, et célébrait la victoire avec les GI de retour au pays – mais un sentiment d'inutilité s'insinuait en elle.

L'Europe était un chapitre qu'elle n'avait pas encore refermé. Un officier américain de ses amis parvint, au mois de septembre 1945, à retrouver sa mère à Berlin, après que l'armée américaine eut repris en charge un secteur de l'ancienne capitale du Reich jusqu'alors administré par les Soviétiques. Marlene, qui séjournait à l'époque à Paris, chez Jean Gabin, partit en avion militaire pour l'ancienne capitale du Reich, qui n'était plus que ruines.

Les photographes l'attendaient à l'aéroport de Tempelhof pour immortaliser ces retrouvailles chaleureuses entre la mère et la fille – une star internationale n'a décidément pas de vie privée. Lorsque Marlene descendit de l'avion en uniforme d'officier américain et put serrer sa mère dans ses bras, elle espérait que la guerre était enfin terminée pour elle. À Berlin, elle s'installa dans l'appartement de fortune qu'occupait Josephine. Elle pouvait mener la vie privilégiée des occupants américains. Ils disposaient de café, de cigarettes et d'alcool à profusion pour les vrais amis. Mais le Berlin dont Marlene avait gardé le souvenir n'existait plus. Beaucoup de ses relations restées en Allemagne évitaient de parler des années nazies. Ils cachaient leur honte sous les bravades, se plaignaient bien haut de ce qu'on leur faisait subir et oubliaient leurs compromissions passées.

Mais les Allemands de l'après-guerre n'étaient pas seulement oublieux : ils cultivaient aussi la rancune – au moins envers cette femme qui avait très tôt choisi de lutter contre Hitler, et qui ne s'en était pas cachée. On lui reprochait son engagement en faveur des Alliés, on parlait même de trahison. Son retour en uniforme américain était considéré comme une provocation par beaucoup d'Allemands.

Marlene accepta bien volontiers l'offre de l'armée qui lui proposait de la ramener en France. C'est à Biarritz qu'elle apprit, en novembre 1945, le décès de sa mère, frappée par un infarctus à l'âge de soixante-neuf ans. Elle assista à son enterrement à Berlin. Désormais, plus rien ne la reliait à l'Allemagne, hormis des souvenirs : « Bien entendu, j'aimais l'Allemagne d'avant Hitler, ma patrie, et mes souvenirs sont beaux et souvent tristes, comme tous les souvenirs », reconnaîtra-t-elle. Mais elle écrira aussi : « Les larmes que j'ai pleurées sur l'Allemagne ont séché. »

Il fallut quinze ans avant que Marlene Dietrich ne reparaisse en Allemagne. Le 30 avril 1960, Willy Brandt, maire de Berlin-Ouest, y reçut cette femme célèbre qu'il avait personnellement invitée. Ils avaient un point commun : tous deux étaient critiqués pour s'être exilés et avoir lutté contre l'Allemagne nazie. Leurs détracteurs étaient des patriotes autoproclamés qui avaient toujours du mal à séparer les notions d'Allemagne et de national-socialisme. Mais les officiels berlinois lui firent bon accueil. À la mairie de l'arrondissement de Schöneberg, la visiteuse laissa son nom dans le livre d'or.

Sa prestation au Titania-Palast, le 3 mai 1960, fut assombrie par des affiches portant les mots *Marlene go home*, et même par une alerte à la bombe. Quatre cents des mille huit cents places de la salle restèrent vides. À ceux qui étaient venus, c'est la Dietrich d'après guerre qui se présenta : la star internationale qui triomphait avec ses chansons. Elle expliqua son point de vue en chanson : « Je ne sais pas à qui j'appartiens ; le soleil, les étoiles appartiennent à tous, et je crois que je n'appartiens qu'à moi-même. » À la fin, elle tendit la main aux Berlinois en chantant *J'ai encore une valise à Berlin*. Les spectateurs étaient enthousiastes, notamment Willy Brandt. Marlene eut droit à dix-huit rappels, et pour la première fois de sa carrière elle consentit à bisser certains titres. Les Berlinois et la « petite Marlene », la fille perdue, s'étaient à peu près réconciliés.

Marlene Dietrich accepta encore quelques rôles au cinéma, et se produisit comme chanteuse jusqu'en 1975. Mais elle devint de plus en plus une parodie de son propre personnage scénique. Engoncée dans un corset, elle tentait de maintenir l'illusion d'une silhouette parfaite. Son statut de « plus belle grand-mère du monde » devint une malédiction, parce qu'elle forçait la star vieillissante à se produire dans des conditions embarrassantes. Jusque pendant ses spectacles, Marlene noyait ses inhibitions dans le whisky et le champagne. Plusieurs chutes sur scène mirent un terme à sa carrière. Après avoir nié, pendant des années, qu'elle vieillissait, elle se retira purement et simplement de la vie publique. « J'ai été photographiée à mort », constata-t-elle. Continuer à vivre, c'était donc ne plus être photographiée ou filmée. Quinze ans de solitude dans un appartement parisien furent le dernier luxe qu'elle s'offrit. Pendant des décennies, elle avait voulu plaire. Désormais, elle faisait ce qui lui plaisait. Elle avait tiré le rideau et disparu. La légende demeura.

Le 9 mai 1992, Marlene Dietrich mourut dans son appartement parisien. À sa demande expresse, elle fut inhumée à Berlin à côté de sa mère. Plus tard dans les années 1990, elle fut encore un sujet de querelle dans sa

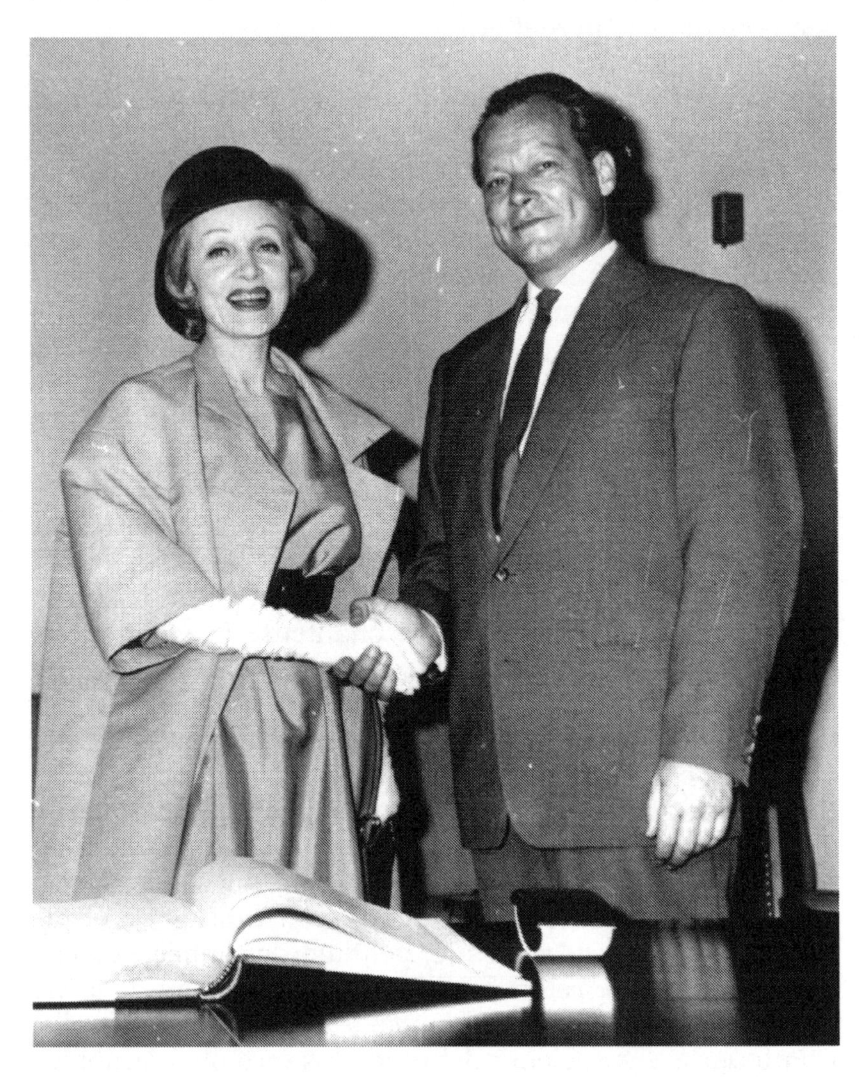

Avec le maire de Berlin-Ouest, Willy Brandt, en 1960.

Foutez-moi la paix avec cette bonne femme !

Joseph von Sternberg

C'était une légende.

Maria Riva, fille de Marlene Dietrich

C'est un mythe.

André Malraux

ville natale : on se demanda s'il convenait de donner son nom à une place ou à une rue. C'est finalement dans le Sony-Center, nouvellement bâti, que l'on inaugura la place Marlene-Dietrich. Elle méritait cet honneur, mais elle n'en avait pas besoin. Elle restera de toute façon dans les mémoires comme la plus grande star allemande de cinéma du XXe siècle. Elle doit cependant sa gloire essentiellement au fait d'avoir résisté à un homme entré dans l'histoire comme le plus grand criminel du siècle. Marlene Dietrich avait choisi de combattre Adolf Hitler à une époque où beaucoup croyaient en lui ou bien ne le prenaient pas au sérieux. Il avait séduit d'innombrables Allemands. Mais Marlene, éternelle séductrice à l'écran, lui avait montré – ainsi qu'aux Allemands – les limites de la séduction. Un jour où on lui demanda pourquoi elle avait lutté contre Hitler, elle eut une réponse très prussienne : « Par décence ! »

BIBLIOGRAPHIE

Ouvrages généraux :

BENZ (Ute) [éd.], *Frauen im Nationalsozialismus*, Munich, 1993.

JUNGE (Traudl) et MÜLLER (Melissa), *Bis zur letzten Stunde. Hitlers Sekretärin erzählt ihr Leben*, Munich, 2002.

KLINKSIEK (Dorothee), *Die Frau im NS-Staat*, Stuttgart, 1982.

KNOPP (Guido), *Hitler*, Paris, Grancher, 1998.

–, *Les Complices d'Hitler*, Paris, Grancher, 1999.

KOONZ (Claudia), *Les Mères patries du Troisième Reich. Les femmes et le nazisme*, Paris, Lieu commun, 1989.

KUHN (Annette) et ROTHE (Valentine), *Frauen im deutschen Faschismus*, Düsseldorf, 1989.

PILGRIM (Volker Elis), *« Du kannst mich ruhig "Frau Hitler" nennen ». Frauen als Schmuck und Tarnung der NS-Herrschaft*, Reinbek bei Hamburg, 1994.

PINI (Udo), *Liebeskult und Liebeskitsch. Erotik im Dritten Reich*, Munich, 1992.

SCHAAKE (Erich), *Hitlers Frauen*, Munich, 2000.

SIGMUND (Anna Maria), *Die Frauen der Nazis*, 2 vol., Vienne, 1998, 2000.

SPEER (Albert), *Au cœur du Troisième Reich*, Paris, Fayard, 1971.

WAGNER (Leonie), *Nationalsozialistische Frauenansichten. Vorstellung von Weiblichkeit und Politik führender Frauen im Nationalsozialismus*, Francfort-sur-le-Main, 1996.

Sur Magda Goebbels :

HEIBER (Helmut), *Joseph Goebbels*, Munich, 1988.
KLABUNDE (Anja), *Magda Goebbels. Annäherung an ein Leben*, Munich, 1999.
MEISSNER (Hans Otto), *Magda Goebbels. Ein Lebensbild*, Munich, 1978.
REIMANN (Viktor), *Joseph Goebbels*, Paris, Flammarion, 1973.
REUTH (Ralf Georg), *Goebbels*, Munich et Zurich, 1990.
Die Tagebücher von Joseph Goebbels. Sämtliche Fragmente, édité sous la direction d'Elke FRÖHLICH à la demande de l'Institut für Zeitgeschichte et en association avec les Archives de la RFA ; tome I : *Aufzeichnungen. 1924-1941*, Munich, New York, Londres et Paris, 1987.

Sur Eva Braun :

CHARLIER (Jean-Michel) et LAUNAY (Jacques de), *Eva Hitler née Braun*, Paris, La Table ronde, 1978.
FEST (Joachim), *Hitler*, 2 vol., Paris, Gallimard, 1975.
GUN (Nerin E.), *Eva Braun-Hitler. Leben und Schicksal.* Velbert et Kettwig, 1968.
HAMANN (Brigitte), *La Vienne d'Hitler. Les années d'apprentissage d'un dictateur*, Paris, Éditions des Syrtes, 2001.
KERSHAW (Ian), *Hitler*, 2 vol., Paris, Flammarion, 2000.
MASER (Werner), *Adolf Hitler. Legende, Mythos, Wirklichkeit*, Munich et Esslingen, 1993.
SCHIRACH (Henriette von), *Der Preis der Herrlichkeit*, Berlin, 1995.
SPEER (Albert), *L'Immoralité du pouvoir*, Paris, La Table ronde, 1981.
–, *Spandauer Tagebücher*, Francfort-sur-le-Main, 1994.
TOLAND (John), *Adolf Hitler*, Bergisch Gladbach, 1977.

Sur Winifred Wagner :

FRIEDLÄNDER (Saul) et RÜSEN (Jörn) [éd.], *Richard Wagner im Dritten Reich*, Munich, 2000.
HAMANN (Brigitte), *Winnifred Wagner oder Hitlers Bayreuth*, Munich, 2002.

KARBAUM (Michael), *Studien zur Geschichte der Bayreuther Festspiele. 1876-1976*, Ratisbonne, 1976.
KÖHLER (Joachim), *Wagners Hitler. Der Prophet und sein Vollstrecker*, Munich, 1997.
PICKER (Henry), *Hitlers Tischgespräche im Führerhauptquartier*, Stuttgart, 1977.
SCHERTZ-PAREY (Walter), *Winifred Wagner*, Graz, 1999.
SPOTTS (Frederic), *Bayreuth. A History of the Wagner Festival*, New Haven, 1994.
SYBERBERG (Hanz Jürgen), *Winifred Wagner und die Geschichte des Hauses Wahnfried. 1914-1975*, entretien filmé, 1975.
WAGNER (Friedelind), *Nuit sur Bayreuth*, Paris, Mémoire du livre, 2001.
WAGNER (Nike), *Les Wagner. Une histoire de famille*, Paris, Gallimard, 2000.
WAGNER (Wolfgang), *Lebens-Akte*, Munich, 1994.
WESSLING (Berndt) [éd.], *Bayreuth im Dritten Reich. Richard Wagners politisches Erbe. Eine Dokumentation*. Weinheim, 1983.
–, *Wieland Wagner, der Enkel*, Cologne, 1997.

Sur Leni Riefenstahl :

CHAUVELOT (Diane), *Leni Riefenstahl. La passion de l'image, entre le beau et le bien*, Paris, Janus, 2000.
COOPER (Graham), *Leni Riefenstahl and Olympia*, Londres, 1986.
FILMMUSEUM POTSDAM (éd.), *Leni Riefenstahl*, Berlin, 1999.
INFIELD (Glenn B.), *Leni Riefenstahl et le Troisième Reich. Cinéma et idéologie, 1930-1946*, Paris, Le Seuil, 1978.
MOELLER (Felix), *Der Filmminister. Goebbels und der Film im Dritten Reich*, Berlin, 1998.
RIEFENSTAHL (Leni), *Kampf in Eis und Schnee*, Leipzig, 1933.
–, *Hinter den Kulissen des Reichsparteitag-Films*, Munich, 1935.
–, *Mémoires*, Paris, Grasset, 1997.
ROTHER (Rainer), *Leni Riefenstahl. Die Verführung des Talents*, Berlin, 2000.
SONTAG (Susan), *Sous le signe de Saturne*, Paris, Le Seuil, 1985.

Sur Zarah Leander :

BEYER (Friedemann), *Die UFA-Stars im Dritten Reich. Frauen für Deutschland,* Munich, 1991.

FILMMUSEUM POTSDAM (éd.), *Blaue Augen, blauer Fleck. Kino im Wandel von der Diva zum Girlie,* Berlin, 1997.

JACOBSEN (Wolfgang) [éd.], *Geschichte des deutschen Films,* Stuttgart, 1993.

KRAH (Hans) [éd.], *Geschichte(n). NS-Film, NS-Spuren heute,* Kiel, 1999.

KREIMEIER (Klaus), *Une histoire du cinéma allemand. La UFA,* Paris, Flammarion, 1994.

LEANDER (Zarah), *Es war so wunderbar! Mein Leben,* Hambourg, 1973.

MOELLER (Felix), *Der Filmminister. Goebbels und der Film im Dritten Reich,* Berlin, 1998.

RABENALT (Arthur Maria), *Joseph Goebbels und der « Grossdeutsche Film »,* Munich et Berlin, 1985.

REICHEL (Peter), *La Fascination du nazisme,* Odile Jacob, 1993.

SEILER (Paul), *Zarah Leander. Ein Mythos lebt,* Berlin, 1994.

–, *Zarah Leander. Ich bin eine Stimme,* Berlin, 1997.

ZUMKELLER (Cornelia), *Zarah Leander. Ihre Filme, ihr Leben,* Munich, 1988.

Sur Marlene Dietrich :

BACH (Steven), *Marlene Dietrich. Die Legende, das Leben,* Düsseldorf, 1993.

BOSQUET (Alain), *Marlene Dietrich. Un amour par téléphone,* Paris, La Différence, 2002.

DIETRICH (Marlene), *Nehmt nur mein Leben. Reflexionen,* Munich, 1979.

–, *Marlene D.,* Paris, Grasset, 1984.

–, *Abécédaire,* Paris, Michel Lafon, 1988.

HESSEL (Franz), *Marlene Dietrich, un portrait,* Paris, Le Félin/Arte Editions, 1997.

O'CONNOR (Patrick), *Marlene Dietrich. Der blonde Engel,* Munich, 1991.

PLAZY (Gilles), *La Véritable Marlene Dietrich,* Paris, Pygmalion, 2001.

REMARQUE (Erich Maria) et DIETRICH (Marlene), *Dis-moi que tu m'aimes. Témoignage d'une passion*, Paris, Stock, 2002.
RIVA (Maria), *Marlene Dietrich par sa fille*, Paris, Flammarion, 1993.
SEYDEL (Renate), *Marlene Dietrich. Eine Chronik ihres Lebens in Bildern und Dokumenten*, Munich, 1984.
SPOTO (Donald), *L'Ange bleu. Mythe et réalité*, Paris, Belfond, 2003.
SUDENDORF (Werner), *Marlene Dietrich. Dokumente, Essays, Filme*, 2 vol., Munich, 1978.
WALKER (Alexander), *Dietrich*, Paris, Flammarion, 1991.

TABLE DES MATIÈRES

Achevé d'imprimer
par Corlet, Imprimeur, S.A.
14110 Condé-sur-Noireau

N° d'Imprimeur : 75116
Dépôt légal : décembre 2003
Imprimé en France